开放与区域经济发展

兼对江浙模式的应用分析

□钱方明/著

人民出版社

目　录

1

2

导　论

第一节　问题的提出

改革开放以来，我国对外开放采取了非平衡发展战略，中央政府将最优惠的开放政策给了沿海有限的几个地区，而置内地于相对不宽松的开放政策环境之中。沿海地区凭借优惠的政策环境和区位优势，大力发展出口贸易，吸引外商直接投资，开放型经济发展领先于中西部地区。我国的对内开放政策不存在非平衡发展的显著标志。但是，东部沿海地区民间力量比较活跃，区际开放相对较早，凭借开放的优惠政策，较快地从计划经济向市场经济转型，初步形成与市场经济相一致的市场环境。为此，东部沿海地区从国内外吸收了大量生产要素，加速了资本和技术等要素的积累，经济增长速度领先于其他地区。

随着"西部大开发"、"振兴东北"等战略的实施，我国区域开放进入到一个新的发展阶段。因此，有关开放与区域经济发展问题的研究显得十分重要和迫切，如开放对区域经济发展产生了怎样的影响？这种影响是通过怎样的机制实现的？开放是否促进区域经济的持续发展？对外开放和对内开放的影响机制是否存在差异？如果有差异，存在怎样的差异？如此等等一系列问题，对我国的区域经济发展具有十分重要的理论意义和实践价值。"江浙模式"为研究以上问题提供了比较理想的案例。

"江浙模式"最先由浙江社会科学院的研究者于 20 世纪 90 年代提出，是在和华南地区的广东、福建的发展模式作比较时提炼出来的。[①] "江浙模式"曾被定义为依靠区域内部的民间资本和国内市场，以乡镇企业等非国有经济的迅速发展为主要动力，实现区域经济的高速增长。然而，90 年代中后期，江浙经济发展的实践已赋予"江浙模式"新的内涵。近年来，江苏、浙江（简称江浙）开放型经济的迅速发展，使国际市场和国外资金成为区域经济发展的重要力量。"江浙模式"经历区际开放为主向区际开放与对外开放并重的转变历程，在全国具有典型意义。因此，从区域开放的视角研究"江浙模式"，对于了解和掌握开放条件下我国区域经济的发展规律，指导欠发达地区的开发，具有十分重要的意义。

应当指出，区域经济增长和经济发展是两个不同的概念。区域经济增长主要是通过该区域经济总产出来衡量的。在多数情况下，我们都按一定时期内某区域实际国民生产总值或人均国民生产总值的年平均变化率衡量区域经济增长。区域经济发展比区域经济增长的含义更为广泛，它除了要求区域经济在产出量增加和福利的增加外，还包括随着产量增长而出现的经济增长方式、经济结构、收入分配、意识形态和制度等的调整与改善。区域经济增长是区域经济发展的重要基础，只有区域经济的不断增长，区域经济发展才有坚实的经济保障。区域经济发展的含义为我们考察开放促进经济发展机制提供了分析思路，即判断开放是否促进

① 参见陈建军：《中国高速增长地域的经济发展》，上海三联书店 2000 年版，第 8 页。

区域经济发展的关键，在于开放是否促进区域经济的增长、产业结构的提升、技术进步和制度变迁等。

第二节　现有研究的概要回顾与本书可能的创新

一、研究回顾

在对外开放和经济增长之间的关系问题上，经济学家们一直争论不休。按照自由派经济学家的观点，更开放的经济会带来更快的经济增长，而另一些经济学家却认为，保护主义的政策更有利于经济增长。新增长理论指出，在长期内，扩大开放可通过多种途径加快经济增长和发展的速度。内生增长理论强调研究和开发（R&D）、人力资本积累和外部性对经济增长的作用，为更好地解释对外开放与经济增长关系提供了更坚实的理论基础。国外不少经济学家通过实证研究，验证对外开放对经济增长的作用。Edwards（1997）使用了多种指标的多元回归，检验了开放与增长的正相关关系。[①] Ann Harrsion（1995）的实证研究也显示了开放与增长的正相关关系。[②] Warner（1995）对不同国家按照贸易体制的开放或封闭进行分组，发现在开放的组别内，有强的人

3

① Edwards Sebastian (1997), "Openness, Productivity and Growth: What do we really know?", NBER working paper 5978.

② Ann Harrsion (1995), "Openness and growth: a time series, cross Country analysis for developing country", NBER, Working paper, No: 5221.

均收入的收敛[①]。麦迪逊总结世界经济二百年的发展历史后认为，从长期看，四大因素决定了人均产出的持续高增长：技术进步，物质资本积累，人力资本及其开放。从各国交替领先看，开放和加大物质与人力资本积累是赶超的关键。[②] 世界银行指出，开放和积累是亚洲奇迹的根本。不过开放也存在着风险，正是因为外部冲击导致了亚洲金融危机。Rodrik，Dani（1999）指出，开放与经济增长之间的关系很弱，并且视与开放互补的政策和制度的情况而定。Rodrik，Dani 提出了开放的三个命题：第一，开放本身不是一种可以依赖的，能够促进持续经济增长的机制。决定经济增长的基础因素是物质资本、人力资本的积累和技术进步。开放有助于这些基础因素的出现；第二，开放可能产生使国家间收入和财富差距扩大的压力；第三，开放会使许多国家在遭受可能引起国内冲突和政治动荡的外部冲击时，变得不堪一击。[③]

4

我国学者也努力开展开放与经济增长的关系的研究，主要有：陈飞翔（1999）动态地进行分析，开放可以明显加快经济增长的速度；[④] 牛南洁（2000）比较系统地论述了经济开放与经济增长的关系，研究了商品流动和不同生产要素流动是怎样促进或阻碍中国经济增长的，对国际经验特别是发展中国家在开放过程中的经验教训进行比较分析，并对开放与我国经济增长的关系进行了实证分析；[⑤] 李笋雨（2000）采用 1985－1998 年的季度数

① 参见王劲松：《开放条件下的内生增长理论》，《经济学动态》2002 年第 10 期。
② 麦迪逊：《世界经济二百年回顾》，改革出版社 1997 年版。
③ 丹尼·罗德瑞克：《让开放发挥作用——新的全球经济与发展中国家》，中国发展出版社 2000 年版。
④ 参见陈飞翔：《开放利益论》，复旦大学出版社 1999 年版。
⑤ 参见牛南洁：《开放与经济增长》，中国发展出版社 2000 年版。

据，通过多元回归模型、格朗杰因果关系（GrangerCausality）检验和 VAR 模型，来验证对外开放对中国经济增长是否起积极作用，得出了有价值的结论。[①]

　　近年来，我国学者已开始重视开放与区域经济增长或经济发展的关系的研究。赵伟（2001）认为，开放对区域经济发展的总体影响体现在四个效应上：（1）制度转型尤其是微观制度转型效应；（2）资本形成效应；（3）技术进步效应；（4）就业创造效应。这些效应几乎完全是从国际开放中获得的。通过比较研究，赵伟提出两个看法：（1）工业化的先行经济之区域开放，至少呈现了两种模式，即不列颠模式与美利坚模式，其中前者之区域开放始于区际化而落于国际化，后者始于国际化而落于区际化，但最终殊途同归，开放在两个层次上同时展开；（2）20 世纪 90 年代结束之前，中国区域经济开放仅仅走完了一般工业化国家的一半路程，这个阶段区域开放总体上带有重国际化而轻区际化的片面特色，但到了 21 世纪初期，已有明确的迹象表明，中国即将掀起持续的区际开放浪潮。[②] 兰宜生（2002）用对外开放度指标分析了我国各地经济增长与对外开放之间的相关关系。研究结果表明，对外开放度与各地经济增长有显著的正相关性，东西部在对外开放方面的差距是形成经济发展差距的重要原因之一；东部地区对外开放水平高，经济发展的软环境明显优于中西部；从广东对外开放度与经济增长的回归分析结果也可以得出一个推论，在对外开放达到较高水平和经济发展达到较高阶段后，要注重启

5

　　① 参见李笋雨：《对外开放对中国经济增长的影响》，《金融研究》2002 年第 12 期。

　　② 参见赵伟：《区域开放：中国的独特模式及未来发展走向》，《浙江学刊》2001 年第 2 期。

动内需，更有力地开拓国内市场，才可能保持经济的持续稳定增长。[①] 郭腾云（2001）利用计量经济模型方法，首次从数量上探讨了中国对外开放政策对区域经济发展的作用效果：（1）在对外开放中，通过提供各种优惠政策，吸引了大量的建设资金，缓解了区域经济发展中资金不足的问题；（2）对外开放政策的实施加快了区域经济增长速度，促进了区域经济发展；（3）对外开放政策促进了区域外向型经济的发展，使中国经济的外向度得到了很大提高，在较短的时间内成为世界贸易大国；（4）对外开放政策改变了中国经济发展布局，加快了基础产业发展，较好地解决了以往长期制约国民经济发展的能源、原材料等基础工业发展滞后问题。[②] 江小涓（2002）描述、分析了外资经济在中国经济中的重要作用。[③] 沈坤荣（2003）对我国贸易和人均产出之间的影响机制进行了分析，得出了启发性的结论。[④] 王岳平（2004）探讨了外贸、FDI 对发展中国家工业结构的影响[⑤]。徐康宁（2001）认为，产业集群与产业发展和市场的开放是呈正相关关系的，在要素市场高度开放的条件下，产业集群可以发展得更加充分[⑥]。

6

  国内学者对"江浙模式"的研究，已有不少著作和研究论文。学者们倾注了极大的热情，从各个角度研究江浙经济发展的道路和模式。陈建军在《中国高速增长地域的经济发展》一书中

  ① 参见兰宜生：《对外开放度与地区经济增长的实证分析》，《统计研究》2002年第2期。

  ② 参见郭腾云：《中国开放政策对区域发展的作用》，《地理学报》2001年版。

  ③ 参见江小涓：《中国的外资经济——对增长结构升级和竞争力的贡献》，中国人民大学出版社2002年版。

  ④ 参见沈坤荣：《新增长理论与中国经济增长》，南京大学出版社2003年版，第333—389页。

  ⑤ 参见王岳平：《开放条件下的工业结构升级》，经济管理出版社2004年版。

  ⑥ 参见徐康宁：《开放经济中的产业集群与竞争力》，《中国工业经济》2001年第11期。

考察了 1978－1993 年间江苏和浙江的工业化路径，把江苏和浙江的经济发展归纳为"江浙模式"。陈认为，江浙模式不仅是一个经济发展模式，也是体制过渡的成功模式。江苏、浙江的很多学者对各自省份的经济发展作了比较深入的研究，主要集中在对"苏南模式"和"温州模式"的研究上。但是，目前尚缺乏从开放的角度系统地研究"江浙模式"的有关文献。

　　二、本书可能的创新

　　本书以开放对区域经济发展的影响机制为研究的重点，从多视角多层面展开这一问题的研究，试图在以下几方面获得突破：

　　（1）揭示开放促进我国区域经济发展的机制。不难看出，现有的有关开放和经济增长关系的研究文献基本上只关注开放和经济增长之间的相关性，从而得出开放是否促进经济增长的结论，但对其影响机制的研究却很少。在以往的研究中，学者们更关注开放的某一个侧面与经济增长或经济发展的关系，如 FDI 与区域经济增长、出口与区域经济增长等，较少从整体的角度考察开放促进区域经济发展的机制。本书力图比较全面地考察开放与区域经济发展关系，揭示开放促进区域经济发展的机制，从不同的侧面分析开放对区域经济发展的影响。

　　（2）从对外开放和区际开放两个方面研究开放对区域经济发展的影响。区域开放应该包括区际开放和对外开放两个方面。现有的研究文献主要集中在对外开放与区域经济发展关系的研究上，有关区际开放与区域经济发展关系的文献较少。本书在研究对外开放的同时，将重点探讨区际开放与区域经济发展的关系，研究我国区际开放对区域经济发展的影响机制，分析区际开放和对外开放对区域经济发展影响的差异。

　　（3）给"江浙模式"新的解释。本书将以改革开放以来江浙经济发展的实践为样本，特别是以 20 世纪 90 年代以来江浙经济

7

的新发展作为重要观察期，总结新时期"江浙模式"的本质特征。在此基础上，本书将从开放的角度研究"江浙模式"的形成机理，探讨开放对区域经济发展的影响机制，分析形成"江浙模式"的关键因素，力图提出对我国区域经济发展有借鉴意义的新见解。

第三节　内容和研究方法

本书以开放对区域经济发展的影响机制为主线展开分析。本书的结构框架如下：

导论主要对问题的背景、研究动态、研究内容和方法作一介绍。

8

第一章是开放与区域经济发展的一般分析，主要梳理开放与区域经济发展关系的一般理论，研究开放促进区域经济发展的机制和条件，分析"江浙模式"的形成机理。

第二章是内外资与区域经济发展，主要梳理外资与经济发展关系的理论，研究内外资对区域经济发展的影响机制，分析内外资与江浙经济发展的关系。

第三章是贸易开放与区域经济发展，主要梳理外贸与经济发展关系的理论，研究内外贸易对区域经济发展的影响机制，分析内外贸易与江浙经济发展的关系。

第四章是技术转移、技术扩散与区域经济发展，主要回顾技术进步与经济发展关系的理论，研究引进技术对区域经济发展的影响机制，分析技术引进与江浙经济发展的关系。

第五章是区际投资、对外投资与区域经济发展，主要梳理对外直接投资理论，研究区际投资、对外投资对区域经济发展的影响机制，分析区际投资、对外投资与江浙经济发展的关系。

　　第六章是产业转移与区域经济发展，主要回顾国际产业转移理论，研究国际产业转移对区域经济发展的影响机制，分析国际产业转移与江浙经济发展的关系。

　　第七章是劳动力流动、人力资本与区域经济发展，主要回顾劳动力流动、人力资本与经济发展关系理论，研究劳动力流动对区域经济发展的影响机制，分析劳动力流动与江浙经济发展的关系。

　　第八章是制度变迁与区域经济发展，主要梳理制度变迁与区域经济发展关系理论，研究开放对制度变迁和区域经济发展的影响机制，分析开放条件下制度变迁与江浙经济发展关系。

　　第九章是开放与区域经济可持续发展，简要回顾可持续发展理论，研究开放对区域可持续发展的影响机制，探讨开放条件下江浙经济可持续发展问题。

9

　　本书是一部有关开放与区域经济发展关系方面比较系统的研究专著，不仅深入地研究了我国渐进式开放政策对区域经济发展的影响机制，而且以开放程度较高的江浙经济为样本和个案进行探讨，其理论的抽象和论证沿着从一般到具体的轨迹进行，从整体到各个侧面逐一展开研究内容，既有一般意义上的理论分析，又有典型意义上的实证研究。

第一章　开放与区域经济发展的
一般分析

区域经济发展是区域经济学关注的主要问题之一。开放条件下区域经济发展，既受到区际经济关系的影响，也受到国际经济关系的影响。开放通过怎样的机制影响区域经济发展？开放对区域经济发展的影响受哪些条件的制约？这些都是本章关注的重点。本章还从区域开放的角度考察"江浙模式"的本质特征，探讨"江浙模式"形成的机理。

第一节　开放与区域经济发展关系
相关文献述评

一、开放与经济增长

开放的一般含义是"对外开放"，包括商品的进口和出口、资本的输入和输出、人员的双向流动等。新古典增长理论认为，人均增长仅与外生的技术进步率有关，技术水平在各国之间是同等给定的。在资本投入存在收益递减的假设条件下，外国直接投资仅仅影响短期的增长；如果要外国直接投资促进长期增长，必须通过持久的外部技术进步。由于没有规模效应，它也不能解释贸易与增长的关系。

内生增长理论为说明开放与经济增长的关系，提供了更坚实的理论基础，指出了对外开放对经济增长的正面影响。在 20 世纪 90 年代，以 Romer 和 Lucas 为先驱的新增长理论认为，在长期内，扩大对外开放将通过以下几个途径加快经济增长和发展的速度：（1）使得发展中国家在开放程度更高时，能以更快的速度吸收发达国家的先进技术；（2）增加发展中国家从研究和开发（R&D）中得到的利益；（3）导致更大的生产规模经济；（4）减少价格扭曲并使得国内资源在各个部门中更有效率地使用；（5）鼓励更进一步的中间投入品生产的专业化和更高的产出效率。Romer 的内生增长模型表明：在开放条件下，对外开放的扩大将促使各国专业化地生产那部分自己有比较优势的中间投入要素，能够得到更多的中间投入品，资本的边际生产力也会提高。这样，在扩大对外开放的政策下，更多的投入要素其成本将降低，结果，各国将会有一个更高的均衡增长。DannyQuah 和 James Rauch 用一个有中间产品的模型说明，扩大对外开放的政策将使得经济的均衡增长率加速上升。该模型表明，一个封闭经济必须生产许多中间产品，所以很容易形成"瓶颈"，而对外开放将解除"瓶颈"，从而使经济更快地增长。在 Gene Grossman、Elhanan Helpman 和 Edwards 所建立的模型里，更大程度的开放使得开放程度较高的小国较之于开放程度低的国家，能更快地吸收发达国家技术进步的成果，从而能获得更快的均衡增长。罗默提出，"如果要追赶，有决定意义的是技术、知识、经验和向他人学习的能力，如果要遥遥领先，就要创造新的东西。"

实证研究表明，开放对经济增长的效果并不确定。Dollar（1992）的研究显示，开放有助于经济增长，外向度与经济增长

11

高度相关。[1] Ben-David 和 Loewy（1998）的实证分析显示，各国的开放程度和人均收入的国际收敛正相关。[2] 杰弗里·萨赫和安德鲁·华纳的研究发现，实行开放经济的发展中国家在 20 世纪七八十年代每年的经济增长率达到了 4.5%，而实行封闭经济的发展中国家每年只能达到 0.7%；同时，研究发现，实行开放经济的发达国家的年经济增长率可达 2.3%，而封闭经济的发达国家只有 0.7%。[3] Rodrik，Dani 指出，开放与经济增长之间的关系很弱，并且视开放互补的政策和制度情况而定。[4]

二、区域经济发展理论

（一）理论发展回顾

区域经济发展理论，萌芽于 18 世纪末，但主要形成于 20 世纪 50—70 年代。1980 年以来，以克鲁格曼（Paul Krugman）为代表的新经济地理理论的产生，以及由此所引起区域增长及区域发展模式的转变，使得人们对区域经济理论的研究进入了一个新的阶段。

12

通常认为，区域经济的理论渊源可追溯到杜能（Vom Thunen）的区位理论。杜能最早注意到运输费用对农业区位的影响。他根据自己在德国的庄园的观察，提出了一个在想象的孤立国度中农业土地利用的一般模型。这个孤立国中有一个位于土

① David Dollar，"Outward-oriented Developing Economies Really Do Grow More Rapidly：Evidence from 95 LDCs，1976—1985"，Economic Development and Culture Change，vol. 40，NO. 3（Apr.，1992），pp. 523—544.

② Ben-David，D. and Loewy，M. B.，"Free Trade，Growth，and Convergence"，Journal of Economic Growth，3，143—170，July，1998.

③ 参见边江泽编译：《一个争论不休的问题——关于自由贸易和经济增长相关性的争论》，《国际金融研究》1999 年第 9 期。

④ 参见 Rodrik，Dani：《让开放发挥作用：新的全球经济与发展中国家》，中国发展出版社 2000 年版，第 126 页。

质完全相同的平原上的城市中心市场，产品由周围地区供应。农民都想获得最大限度的地租（有时称区位地租）形式的利润。不同的活动，因其邻近市场的重要程度不同而具有不同的地租生产能力，表现为与城市的距离不同而有不同的地租梯度，产生最高地租活动的一片片土地，环绕城市形成了不同土地利用的同心圆状分布的地带图形。

韦伯（Alter Weber）继承了杜能的思想，他是第一个系统研究工业区位理论的经济学家，他的研究对后来区位理论的研究有着深远的影响。韦伯认为，工业企业的空间分布受众多因素的影响，那些可以带来某一地点生产费用节约的因素就称为区位因素。韦伯主要研究运输费用、劳动力费用以及集聚和扩散因素对工业企业区位的影响，并且特别侧重研究运费的影响。韦伯提出工厂应建在运输费用最低的区位。

13

韦伯以后的区位学者认为，生产成本低点并不是厂商选择的标准，他们提出以市场为中心的区位理论。克里斯塔勒（Walter Christaller）首倡以城市聚落为中心研究市场的空间网络结构，提出了著名的中心地（市场城镇）和补充区（腹地或市场区）等级体系六边形模型。克里斯塔勒认为，几乎所有的城市都在不同程度上履行着物质集散中心和加工中心的职能，这种职能称作中心地职能，城市被称为中心地。中心地理论研究如何在一个均质平原内布局不同规模的多级城市，形成以城市为中心、由相应的多级市场区组成的网络体系，以有效地组织物质财富的生产和流通。廖士（Avgust）对克里斯塔勒的理论进一步加以补充，阐述了符合新古典一般均衡概念的经济景观，主要的观点有：市场区和中心区的分布模式是不规则和多样的；交通线对市场区的范围和分布影响很大，在主要交通干线两侧必然会集中更多的工业、商业和人口，形成富裕区，富裕区的中心地和生产区范围内，一般拥有更高级的经济活动和更为稠密的交通网络；而在交通线之间交通不便的地方，则很少有企业和人口集聚，则为贫穷区，贫穷区经济活动和交通网络更少；由于交通方便，可以延长商品销售的经济距离，因此生产区会在交通干线上向两边延伸，形成矩形。廖士还研究了人口密度、经济发展水平、自然环境及政治因素对市场区的影响，并对其理论进行了进一步的修正。

索罗和斯旺（Solow and Swan）在生产要素自由流动与开放区域经济的假设下，认为随着区域经济增长，各国或一国内不同区域之间的差距会缩小，区域经济增长在地域空间上趋同，呈收敛之势。威廉姆森（Williamson，1956）在要素具有完全流动性的假设下，提出区域收入水平随着经济的增长最终可以趋同的假说。由于这一理论不能有效地解释现实中的区域经济二元结构，1950年以来西方兴起的区域非均衡增长理论对之提出了挑战。这些区域非均衡增长理论包括：佩鲁（Perroux）的增长极理论、缪尔达尔（Myrdal）的循环累积因果理论、赫希曼（Herschman）的不平衡增长理论、弗里德曼的中心—外围理论、以工业生产生命周期理论为基础的区域经济发展梯度转移理论和威廉姆森（Williamson）的倒U型假说等。

法国学者佩鲁（F. Perroux）在《经济空间：理论的应用》（1950年）和《略论发展极的概念》（1955年）等著述中，最早提出"发展极"。佩鲁认为，经济增长并非同时出现在所有的地方，它以不同的强度首先出现于一些增长点或增长极上，然后通过不同的渠道向外扩散，并对整个经济空间产生不同的最终影响。增长极有两种效应：极化效应和扩散效应。增长极的极化效应是指由于极点上主导产业和创新产业的建设，对周围地区劳力、原材料、资金、人才、技术等的吸引，从而使极点的经济实力和人口规模迅速扩大。缪尔达尔将各种资源受收益差异吸引而

14

发生的、由落后地区向发达地区的流动现象称为"回波效应"。
增长极的极化效应不是无限的，在极化方面受到两个因素的影
响：第一，从企业内部看，存在着适度的经济规模。在增长极
上，企业受边际报酬递减规律的影响，当规模扩张到一定程度后
再投入的兴趣下降，必然在增长极外寻找新的扩张点。第二，从
增长极自身看，也存在适度规模。增长极过度扩张必然会导致经
济和人口的高度集中，引起土地、劳动力等要素价格的上升，增
加企业的生产成本，削弱增长极的极化效应。增长极的扩散效应
是指企业、人口、资金、技术等经济要素由增长极向外围地区扩
散并由此带动周围区域经济发展的过程。增长极受外部经济规模
的限制及因产业结构升级的需要，不断向周边地区扩散产业层次
和技术层次相对较低的企业和产品，对周边地区产生"外溢效
应"。布代维尔等人于 1957 年将地理学中的"增长中心"这一地
理空间概念引入佩鲁增长极，并正式提出"区域发展极"概念。
这是一种派生的"地理性增长极"，用以区别原生的增长极即佩
鲁增长极。

15

　　继增长极理论后，沃纳·松巴特提出生产轴理论。生产轴理
论的核心内容是：随着连接点中心地的重要交通干线（铁路、公
路等）的建设，形成了有利的区位条件，方便了人口的流动，降
低了运输费用，从而降低了生产成本。新的交通线对产业和劳动
力具有新的吸引力，形成有利的投资环境，使产业和人口向交通
线集聚并产生新的居民点。这样随着经济实力的不断增强，经济
开发的注意力越来越多地放在较低级别的发展轴和发展中心上，
与此同时，发展轴线逐步向不发达地区延伸，将以往不作为发展
中心的点轴确定为较低级别的发展中心。在点轴开发理论的基础
上又进一步形成的网络开发理论，认为在经济发达区，交通通讯
发达，区域产业布局应根据区内城镇体系和交通通讯网络系统逐

步展开，把网络的中心城市和主要城市作为高层次的区域增长极，把网络中的主轴线作为一级轴线，布局和发展区域中高层次的产业。强化网络中已有的点轴系统，提高区域各节点之间，各域面之间，特别是节点与域面之间生产要素交流的深度和广度，促进地区经济一体化的进程。同时，通过网络的延伸，将区域的技术经济优势向外围区域扩散，促进区域经济的发展。

此时，瑞典经济学家俄林（Olin）对区域贸易的理论研究也取得进展，他从贸易角度研究了要素流动、要素价格与商品价格之间的关系，认为区际贸易、国际贸易与要素自由流动，会带来区域之间生产要素价格与商品价格的平均化。

从 20 世纪 90 年代开始，西方区域经济理论放宽了完全竞争市场结构和生产函数规模报酬不变的假设，使理论更接近现实经济。迪克斯特与斯蒂格利茨（1977）建立的垄断竞争模型，为空间因素纳入西方主流经济学的分析框架奠定了新经济地理学基础。新经济地理学的主要代表是美国经济学家克鲁格曼（P. Krugman）、藤田（Fujia）、莫瑞（Mori）、瓦尔兹（Walz）、马丁（Martin）、沃纳伯尔斯（A. Venables）等①。新经济地理理论中的区域发散（rengional divergence）理论从运输成本、聚集经济、规模经济、递增收益、外部性、人力资本、技术扩散等角度，探讨了区域经济增长问题，提出了区域之间的经济增长趋异或区域发散的观点。该理论认为，要素自由流动及流动方向不仅受到制度性障碍的约束，而且还有其他诸如信息成本、文化差异等方面的障碍，劳动力并不总是流向工资水平高的区域，资本也不总是从剩余区域流向稀缺区域。因此，要素自由流动本身并不会纠正区域发散趋势。1991 年，克鲁格曼（P. Krugman）采用

16

---

① 参见徐梅：《当代西方区域经济理论评析》，《经济评论》2002 年第 3 期。

迪克斯特与斯蒂格利茨的垄断竞争假设，试图通过建立不完全竞争市场结构下的规模报酬递增模型、动态的多区域模型以及区域跑道模型，把空间因素从而区域经济理论研究纳入主流经济学的理论体系。

西方学者奥勒曼斯（L. Oerlemans）、米厄斯（M. Meeus）、斯科特（Scott）和哈里森（Harrison）等人，在 20 世纪末提出新产业空间理论，进一步丰富了区域经济学学科体系。

（二）区域经济增长模型

区域经济增长的研究仍是一个不成熟的领域，这里介绍几种区域经济增长模型。

（1）新古典区域经济增长模型

该模型的规范形式如下[①]：

$$y_i = \alpha_i k_i + (1 - \alpha_i) l_i + t_i \tag{1—1}$$

$$k_i = S_i / V_i \pm \Sigma K_{ji} \tag{1—2}$$

$$l_i = n_i \pm \Sigma m_{ji} \tag{1—3}$$

$$K_{ji} = f(R_i - R_j) \tag{1—4}$$

$$m_{ji} = f(W_i - W_j) \tag{1—5}$$

17

式中 i 为区域标号；y 为产出增长率；k 为资本增长率；l 为劳动增长率；α 为资本在收入中所占的份额；S 为储蓄/收入；V 为资本/产出；t 为技术进步增长率；m_{ji} 为每年从区域 j 向区域 i 的人口净流量除以区域 i 的人口总量；K_{ji} 为每年从区域 j 向区域 i 的资本净流量除以 i 区域的资本存量；n 为人口自然增长率；W 为工资率；R 为资本回报率。

该模型表明，劳动与资本各自的回报率在区际的差异是趋于收敛的。根据这个原理，新古典学派主张无所作为的区域经济政

---

① 参见郝寿义、安虎森：《区域经济学》，经济科学出版社 2004 年版，第 174 页。

策，让市场充分发挥作用。

（2）出口基础模型

该模型将一个区域和城市的产业部门按照是否向域外"出口"产品和劳务，而分成基础部门和非基础部门。基础部门指那些向区域和城市外"出口"产品和劳务从而为区域和城市带来收入的部门，而非基础部门则指那些只为区域和城市内的市场而生产的部门。基础部门向非基础部门提出需求，因而基础部门决定了区域和城市经济的规模，决定了非基础部门的经济活动。

区域经济的增长可由以下方程决定：

$$\Delta T = T/B \times \Delta B \tag{1—6}$$

式中：ΔT 为总就业量的增长额，T 为区域总就业量，B 为基础（出口）部门就业量，ΔB 为基础部门就业量的增量。

18

从以上模型可以看出，成功的区域经济增长，是由于基础产业的初始扩张导致了出口基地的扩大及区域内部市场规模的扩大，而收支结构的状况又决定了非出口部门需求的增长，进而导致非出口产业形态的不断变化。

（3）以运输成本为空间变量的区域经济增长模型

区域经济模型一般将以距离为基础的运输成本，当作主要的空间或区域变量。以萨克斯（sacks，J. D.，1998）[①] 等人为首的一些学者，建立了以运输成本作为空间变量的区域经济增长模型。该模型以简单的 AK 函数为基础，将运输成本作为空间变量引入区域经济增长模型。该模型认为，运输成本通过资本品进口价格的上升影响经济增长。该模型明确解释三个问题：运输成本的作用；中间投入品的作用；区域经济增长的收敛和扩散。在运输成本与区域经济增长关系模型中还得出三点结论：经济增长率的差异决

① J. L. Gallup, J. D. Sacks, A. D. Mellinger, "Geography and Economic Development", NBER Working NO. W6849, 1998.

定于总要素生产率的差异；经济增长率的差异决定于运输成本的差异；一些保护政策，如提高进口资本品的区内价格，限制进口资本品所需要的出口，都会引起长期经济增长率的下降。①

（4）累积因果发展模型

累积的因果关系理论，假设市场运行是一个连续的过程，在这个过程中，各种经济力量以累积的方式相互作用，并推动经济系统进一步脱离它的初始位置。该模型认为，地区出口是控制累积过程的主导因素。地区出口的增加导致产出增加，影响了技术变化率和资本劳动比，进而提高产品竞争力，进一步导致出口的增长。卡尔多认为，该区域外需求的增加和相对于其他区域的效率工资，是决定出口能力的因素。该理论表明，一个区域在某产品或某行业的生产中具有初始优势，就有可能产生累积效应，导致某项经济活动在该区域的集聚和锁定，从而在竞争中取得优势地位。

19

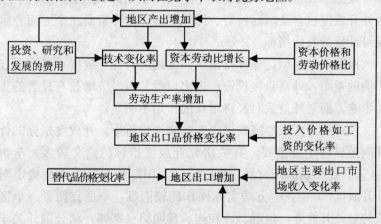

图1—1 地区增长的累积因果模型②

---

① 参见郝寿义、安虎森：《区域经济学》，经济科学出版社2004年版，第182、195页。

② 参见安虎森：《区域经济学通论》，经济科学出版社2004年版，第245页。

三、开放与区域经济发展

有关开放与区域经济发展关系的文献综述已在导论中涉及。赵伟（2001）认为，开放对区域经济发展的总体影响体现在四个效应上，这些效应几乎完全是从国际开放中获得的。兰宜生（2002）的研究表明，对外开放度与各地经济增长有显著的正相关性。郭腾云（2001）利用计量经济模型方法，从数量上探讨了中国对外开放政策对区域经济发展的作用。张焕明（2003）根据总量生产函数构造了计量模型[①]：

$$y_{it} = \alpha_i + \beta_1 k_{it} + \beta_2 l_{it} + \beta_3 h_{it} + \beta_4 m_{it} + \beta_5 open_{it} + \epsilon_{it}$$

其中，y 为国内生产总值的增长率，k 为国内资本存量的增长率，l 为劳动力的增长率，h 为人力资本，m 为市场化程度，$open$ 为对外开放度；i 表示各省，t 表示各年，α 为各省特有的不可观测的要素投入，假定其不随时间变化；ϵ 是误差项。其中，对外开放度包含从国际投资、国际金融、国际贸易三个方面分解成可计量的具体指标。

根据以上模型，计算得出东西部地区对外开放度对经济增长影响的差距，外商直接投资、进出口贸易对经济增长有显著的正的影响，而对外借款对经济增长的作用不明显。

在开放对区域经济发展影响的实证分析中，开放度指标的计算问题显得十分重要。有关研究开放度指标的论文较多，李翀（1998）提出从国际贸易、国际金融、国际投资三个方面确定对外开放度[②]，但这一方法实际操作比较困难，不适宜衡量一个区域的对外开放度。包群、许和连、赖明勇（2003）结合国外关于贸易开放度度量方法的新进展，选取五种指标具体测算了中国改

---

① 参见张焕明：《地区差异条件下对外开放对经济增长影响的实证分析》，《经济科学》2003 年第 6 期。

② 参见李翀：《我国对外开放程度的度量与比较》，《经济研究》1998 年第 1 期。

革开放以来的贸易开放度及对经济增长的作用。结果表明，不同的度量方法、不同的贸易开放度指标导致了不同的结论，而且在这五种度量指标中，只有外贸依存度较好地反映了中国经济开放程度与经济增长之间的关系。[1] 兰宜生（2002）用外贸依存度和外资依存度之和确定对外开放度，具有操作上简便易行、指标上具有可比性和连续性、资料易于搜集和量化的特点。[2]

有关开放与江浙经济发展关系问题的研究已在许多文献中涉及。这些研究文献包括：长江三角洲外资对经济发展的贡献，江苏、浙江外资、外贸对经济发展的影响等。洪银兴、刘志彪（2003）对 FDI 与长江三角洲地区经济发展问题的研究表明，FDI 对该地区的报酬率低于全国的 FDI 报酬率，但由于该地区的劳动要素与 FDI 的有效结合，对产出效率的影响十分明显。[3] 徐康宁等（2002）对江苏省外贸依存度与经济增长的相关性研究表明，江苏的外贸依存度对 GDP 增长起到了重要作用，而且出口依存度对 GDP 的影响更显著。[4]

21

四、评价与思考

开放的实质是包括商品和生产要素等资源的流动性增强，流动的范围扩大，流动的程度更高。在发达国家，国内市场已成为统一的市场，区际商品和要素的流动由市场自行调节。因此，国外有关开放的理论更多地集中在对外开放上，而区际开放的研究

---

[1]　参见包群等：《贸易开放度与经济增长：理论及中国的经验研究》，《世界经济》2003 年第 2 期。

[2]　参见兰宜生：《对外开放度与地区经济增长的实证分析》，《统计研究》2002年第 2 期。

[3]　参见洪银兴、刘志彪：《长江三角洲地区经济发展的模式和机制》，清华大学出版社 2003 年版，第 135－136 页。

[4]　参见徐康宁等：《江苏经济增长与外贸经济依存度相关性研究》，《现代经济探讨》2002 年第 4 期。

文献则较少。

经济学家们一直在对外开放和经济增长之间的关系的问题上争论不休。开放与经济增长的关系在新增长理论中得到了更好的解释。尽管如此,目前的理论模型仍无法把对外开放与更快的均衡增长联系起来,由于开放影响机制的复杂性,并不能将有关变量加以清晰的说明,影响了有关模型对现实经济的解释力。开放对经济增长影响的实证分析得出了不同的结果,说明了开放对经济发展的影响机制是比较复杂的。可能的原因是,现有模型没有把所有的变量考虑进去,而且在不同的条件,开放对经济增长的影响效果是不同的,在某些条件下开放确实能引起经济增长,而在有些条件下开放对区域经济发展可能产生不利的影响。Bardhan(1970)认为,由于产业的成长中存在自身知识积累的规模经济,所以发展中国家一旦过早放开国际竞争,幼稚产业就难以迅速实现边干边学所带来的规模收益,国民经济将会持久地陷入初级产品的生产。① 与 Bardhan 的观点类似的不少经济学家认为,经济开放可能会导致发展中国家与发达国家之间的差距拉大。盛誉(2003)的实证研究表明,在一定条件下,完全的贸易自由化不但无法推动,而且可能阻碍一国经济的持续发展。②

新古典经济学中没有空间因素。因为在新古典经济学严格的假设条件下,市场力量能够自动实现均衡,区域经济发展趋向收敛。然而,现实经济表明,发达国家和发展中国家的差距并没有缩小,区域发展并没有出现收敛的趋势。即使在一国内部区域发展不平衡的现象也普遍存在。西方区域经济理论,主要围绕区位

22

---

① 参见刘明光等:《制度、技术和内生经济增长》,《世界经济文汇》2003 年第6 期。

② 参见盛誉:《发展中国家的开放、贸易政策与经济增长——一个跨国的实证分析》,《南开经济研究》2004 年第 3 期。

选择与区域经济发展两大主题逐步演进。这两大主题是相互关联的，微观经济主体的区位选择导致的集聚和扩散，表现为区域经济增长。区域经济理论的模型化，使影响区域经济增长的变量间关系得到更清晰的表达，使区域经济理论更加科学。20世纪90年代以来，新经济地理学的发展放宽了假设条件，通过建立不完全竞争与规模报酬递增相容的模型，努力把空间因素纳入到主流经济学的理论体系中，使区域经济理论对现实经济有更大的解释力。如克鲁格曼的理论强调的"路径依赖（Path dependency）"，对我国区域经济发展过程中的产业集群现象有比较好的解释力。尽管如此，现有西方区域经济理论仍不能把影响区域经济发展的重要变量如制度、个人偏好等纳入理论模型中，影响了现有模型的解释力。

23

由于开放与我国区域经济发展关系的研究尚处于起步阶段，研究文献基本上集中在开放和区域经济增长之间的相关性问题上，很少涉及影响机制的研究。现代经济理论的基本观点表明，经济增长的来源主要是要素供给的增加和全要素生产率的提高。那么，开放对区域经济发展的影响机制，只能从有关经济增长来源的因素中解读，即开放是否增加了区域要素的供给，开放是否促进区域全要素生产率的提高？在对这一问题的研究中，还应考虑两个特殊的背景：一是我国转型时期的制度背景：我国是从计划经济向市场经济过渡的社会主义国家，采取了渐进式开放模式，区域间政策差异比较明显，区域开放的路径存在显著的差异。二是经济全球化背景：在我国经济转型时期面临经济全球化的现实，世界经济对区域经济发展的影响越来越明显，开放对区域经济发展的影响机制显得更加复杂。

第二节 开放促进区域经济发展的
机制和条件

一、开放促进区域经济发展的机制

开放条件下区域经济增长模型可从柯布—道格拉斯生产函数导出：

设区域生产函数为：$Q = A(t)L^2(t)K^\beta(t)$ (1—7)

两边取对数后求导，得：

$$\frac{dQ}{Q} = \frac{dA(t)}{A(t)} + \alpha\frac{dL(t)}{L(t)} + \beta\frac{dK(t)}{K(t)}$$ (1—8)

经济增长率 $y = g + \alpha \cdot l + \beta \cdot k$ (1—9)

区域经济增长模型；$y_i = g_i + \alpha_i l_i + \beta_i k_i$ (1—10)

g_i—区域广义技术进步率，包括实际生产技术水平的提高速度、制度创新与变迁的速率、管理水平提高的速度、劳动者获取知识及提高生产技能的速度，l_i—区域劳动力增长率，K_i—区域资本增长率。

图1—2表示开放促进区域经济发展的机制。区域开放主要通过区域分工深化、要素积累、技术进步、结构优化、制度变迁等途径促进区域经济的发展。同时，区域经济发展又进一步促进区域开放，区域开放对区域经济的发展具有累积效应。一个区域如果因封闭、保守，与区外经济缺乏必要的经济联系，经济发展很难进入快速发展的轨道，并有可能被边缘化。该图还表明，区域开放与对外开放是相互促进的，区际开放程度高的地区比较容易转向对外开放，对外开放程度高的地区也比较容易转向区际开

放。在经济全球化时代，一个区域一旦进入国际经济循环的轨道，就有可能进入快速发展的轨道，经济发展和区域开放相互促进。

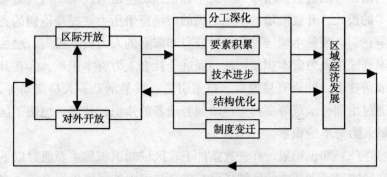

图1—2　开放促进区域经济发展的机制

1. 要素积累

在开放条件下，区际和国际资本、技术、劳动力的流动，能通过区域资本形成、人力资本积累和知识的积累等途径促进区域经济增长。

（1）资本形成。足够、持续的资本供给是区域经济增长的必要条件。在开放条件下，区域主要通过以下途径促进资本形成：①外商直接投资。外商直接投资通过创办新的企业提高本地生产能力，提高本地资本形成系数，还能吸引区域外资本，促进本地资本存量的增长。②间接融资和对外借款。间接融资和对外借款也加快区域资本形成，促进区域经济增长。③对外投资收益回流。区域对外投资的企业以利润返回的形式回流到母国的资金会形成新的资本，增加区域的资本存量。④贸易活动。区际贸易和对外贸易的利润将有一部分转化为储蓄，形成资本，或直接转化为资本。

（2）人力资本积累。开放条件下的区域人力资本积累效应，主要通过以下途径来实现：①直接的人力资本输入。在开放条件下，区域可以引进来自区外或国外的人才或采用柔性引进的方式利用区外的智力，增加人力资本存量。②本地居民增加对人力资本的投入。开放能增加本地居民的市场竞争压力，提高他们的竞争意识，激励本地居民重视对自身和家庭的人力资本投资，增加家庭成员人力资本积累，从而促进全社会人力资本积累。③在开放条件下，外商直接投资、技术引进、贸易活动、人员流动等，通过培训、示范等多种途径增加劳动者的知识、技能，加快了区域人力资本的积累。

（3）知识积累。在开放条件下，区域知识积累主要通过以下途径实现：①开放使区域居民有机会与国内外居民进行交流，在信息知识交换过程中获得新的知识和思想。劳动力特别是优秀人才的流入，带来的新知识直接增加本地的知识存量，新知识的扩散使更多本地居民拥有更多的知识。劳动力的输出使人们接触到国内外更多新知识，并通过多种渠道将新知识扩散到区域内，增加区域的知识存量。②外商直接投资活动伴随技术、管理、人员流动所带来的知识扩散，增加区域知识存量。③商品进口本身带来知识的输入，提高本地知识存量。

2. 分工深化

开放使区域的市场范围得以扩展，促进区域分工的不断演进，增强区域产出水平。开放促进分工深化的途径包括：

（1）区际贸易和对外贸易扩大了区域内企业的市场范围，能使本地企业在更大的规模上经营，并在一定程度上提高经济效率，促进生产可能性边界的外移。区域对外出口能增加新的市场需求，使区域内过剩的生产能力得到充分的利用，如大量过剩的劳动力。区域进口原材料、先进的技术设备等，能增强区域生产部门的生产能力，促进区域经济增长。

（2）开放能促进区域生产专业化的形成，加快人力资本和技术的积累，提高劳动生产率，促进区域经济增长。如图1—3所示，假设区际开放以前四个区域生产四种产品，没有区际贸易（如图1—3（a）），每个区域的生产集中度低，每个企业的专业化水平低。当区际贸易发生时，可能实现局部专业化（如图1—3（b））。当市场一体化程度进一步提高时，则可能实现完全的专业化（如图1—3（c））。

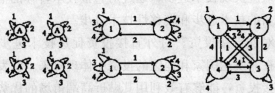

图1—3（a）　　　图1—3（b）　　　图1—3（c）

图1—3　开放与区域分工演进[①]

（3）区际贸易和对外贸易推动区域内产业部门不断分解，衍生出越来越多的新产业，扩大产业部门，促进产业结构的转换。新部门的衍生可以不断延伸某一产业的产业链，促进分工深化，形成庞大的产业分工协作体系，增强产业的整体竞争力。

27

3.技术进步

开放可以通过多种途径促进技术进步，主要包括：

（1）贸易活动。引进国外先进设备和技术是促进区域技术进步的重要途径。本地的研究人员可以通过进口商品增加新知识，或模仿创新，或进行增值创新，提高区域创新能力。跨国公司的分支机构往往通过与本地的供应商、客商等网络的连接，利用本地雇员的特殊社会网络，拓宽本地的市场渠道。这一活动无疑将

　　①　参见杨小凯、张永生：《新兴古典经济学和超边际分析》，中国人民大学出版社2000年版，第17页。

加速国外新知识和技术在本地的扩散。本地企业向高端市场的出口，能有效地激励本地的科技人员改进产品质量，提高技术水平。

（2）外商直接投资。外商直接投资能增加区内企业的竞争压力，迫使现有企业重视技术进步，加快技术改造的步伐；现有企业通过与外商直接投资企业的配套协作等交易，借助其中产生的技术溢出效应实现技术进步；通过对直接技术转移的消化吸收产生模仿创新的技术进步和转移性技术进步。

（3）对外直接投资。对外直接投资促进技术进步的影响机制，主要在对发达国家和地区的投资中体现出来。对发达国家或地区的直接投资，能够有效利用其贴近高端市场的优势取得最新的生产技术和管理经验，并把这种新的技术和管理经验传给区内母公司，促进母公司提高技术水平和管理经验，母公司通过技术进步的溢出效应，带动区域内其他企业的技术进步。

28

（4）人才引进。区域开放能吸引区域外科技人才和其他科技资源，科技人才的输入能直接提高科技创新能力，促进区域技术进步。学科带头人的引进，可以促进区域创新能力的整体提升。

4.结构优化

开放能优化区域经济结构，提高资源配置效率，提升经济发展水平。

（1）产业结构优化。区域产业结构是指区域经济各产业部门在整个区域经济体系中的相互比例关系以及它们内部构成的比例关系。优质外资的引进对区内企业既能起到示范作用，又能产生激励作用，提高企业和行业的资源配置效率，促进产业结构的优化。外商直接投资所引进经营资源产生的效益，对当地的竞争者或模仿者产生激励效应，引导现有企业提高资源的使用效率。同时，外资和本地相关企业的业务联系，能改造和优化上、下游有关行业的资源配置，间接地优化本地的资源配置，提高资源配置效率。本地企业在与跨国公司合作中，可以利用其广泛营销网络和遍布世界各地的外国合作者销售产品，提升产品层次和产业层次。

（2）空间结构优化。开放促使生产要素突破行政区划的约束，选择利润最大化的区位。生产要素流动和整合，将引起土地利用和区域城市化格局的变化，改变产业的空间布局。改革开放以来，我国原有不合理的产业布局在市场机制的作用下不断调整。区域开放使区域在更大的市场范围内建立自身的比较优势，发展具有竞争力的特色产业，产业空间布局不断优化。

（3）所有制结构优化。在开放条件下，要素的流动改变了区域所有制结构单一的问题，促进了经济效率的提高。区域开放吸引更多的外资企业和区外民营企业，直接改变区域的所有制结构。区外企业和外资企业通过多种形式参与本地企业的产权交易活动，影响本地企业的产权结构。所有制结构的多元化，有利于不同所有制企业间的竞争，提高国有企业的竞争力。外商直接投资所引进经营资源的显著效益，对当地的竞争者或模仿者产生激励，推动着国有企业的改革。

29

5. 制度变迁

区域开放在多个层面上对区域制度变迁产生影响。这种影响既涉及在宏观和微观层次上的制度变迁，又涉及正式规则和非正式的制度变迁。制度变迁又进一步涉及政府管理、产权制度、市场化、分配方式和对外开放度等。开放对区域制度变迁的影响主要包括：

（1）宏观层面制度变迁。随着计划经济向市场经济的转型，我国各级政府需要从计划经济的管理模式向市场经济的管理模式转变。开放对区域宏观层面制度变迁的影响主要表现在：①外资的进入要求区域地方政府按照母国（地区）的管理对待，迫使地方政府修改相应的制度文件，改善投资环境。②加入 WTO 后，地方政府按照 WTO 的规则修改相应的外贸管理政策。③开放引发地方政府间的竞争，促使地方政府不断制度创新，保持经济发展的活力。我国东部沿海地区，在渐进式开放进程中始终保持了制度创新的先发优势，在与其他区域的竞争中处于有利地位，经济发展速度也高于其他地区。

（2）微观组织制度变迁。开放促进了区域内企业发生包括组织形式、管理制度等一系列的制度变迁。区域开放，促进资源在更大的范围内流动、重组，影响着企业组织形式的变迁。区内企业在与外资企业合作或竞争过程中，会促进企业内部管理制度如用工制度、工资制度等的变迁。区内企业的对外投资，与区外企业的合资、合作，购买外地企业的股份和股权等，都改变了区内企业的组织方式。企业组织制度的变迁，提高了资源的配置效率，促进了区域经济的增长。

（3）非正式规则的变迁。区域开放，会使区域经济活动规则、社会生活方式、人的思想观念等发生改变，引起制度变迁。开放使人们了解、接触到新的市场，诱使人们从事各种经济活动。成功者会被其他人模仿，激发全社会创业精神，促进区域经济增长。"一个由移民所组成的国家比一个由长期居住在那里的人所组成的国家（所有国家的人口都由移民组成）表现出了更大的活力，这是因为移民往往比那些留在原地的人更有事业心，也因为迁移和开拓的艰难总是会淘汰那些不适应的人。"①

二、开放促进区域经济发展的条件

我国区域经济发展的实践表明，在相同的开放政策下，有些

---

① 刘易斯：《经济增长理论》，上海三联书店 1994 年版，第 37—38 页。

区域获得了较快的发展，而有些区域则发展相对滞后。开放对不同区域经济发展的影响存在较大的差异，说明开放促进区域经济发展需要一定的条件：

1. 产业初始条件

我国改革开放是逐步推进的，改革初期的产业条件对区域经济发展有重要影响。初始产业条件决定了产业组织方式和资源的利用程度，也在一定程度上影响了出口部门的形成。对外开放的关键，是如何利用外部市场来优化资源配置，即将生产要素相对地集中到出口产业部门，提高出口产业部门的生产效率，带动区域经济发展水平。因此，是否存在规模较大的出口产业部门，以及出口产业与区内其他产业之间是否存在较强的关联效应，对区域经济发展的影响十分关键。否则，就难以维持必要的进口，也难以通过开放来拉动经济增长。因此，与出口有关的敏感产业的规模，对区域经济的发展有着比较重要的影响。

对外开放时产业的初始条件，也影响着吸引外资的形式和结构，进而影响着对外开放的效果。如果本地产业层次比较高，一般能够吸引质量较高的外资。与本地产业结构的耦合程度比较高的外资，能对本土企业产生更好的技术溢出效应。跨国公司与本地产业和社会网络的结合，能加快知识和技术在区域内的扩散，促进本地企业技术进步。我国东部沿海地区凭借其制造业的初始优势，在对外开放中获得了先发优势，正在以一种反梯度模式进行着其特殊的"再工业化"过程，并形成对内地国有部门和传统工业地区的刚性就业替代，导致中部地区出现制造业衰退和就业萎缩的趋势。[①]

31

---

① 参见杨云彦、秦尊文：《中部地区边缘化解析》，《江汉论坛》2004 年第 10 期。

2.人力资本存量

人力资本存量决定了区域吸收技术、知识溢出的能力。区域人力资本存量高的地区，在引进外商直接投资时能够吸收更多新技术、新知识，促进技术进步，缩小与国外的技术差距，甚至实现技术上的赶超，因此开放能有效促进区域经济发展。区域人力资本存量低的地区，由于对新知识、新技术的吸收能力弱，不能有效地获得外商直接投资的技术外溢效应，开放对区域经济发展的影响较弱或可能产生不利的影响。人力资本存量高的区域，在对外贸易活动中能够吸收更多先进的理念、先进的技术，在"干中学"中提高企业的竞争能力，因此开放能有效地促进区域经济发展。人力资本存量的低地区，由于缺乏对新技术、新知识吸收的能力，对外贸易活动对提高区域创新能力的作用不大，区域长期处于低层次的分工水平上，贸易条件不断下降，可能陷入"贫困性增长"陷阱。

32

3.政府作用

转型时期地方政府对区域制度变迁产生重要的影响。地方政府对制度供给的能力直接影响区域市场化进程，影响区域内企业对开放的反应程度。市场化程度较高的地区，企业能自然地适应国际经济的运行规则，从而较迅速地开拓国际市场。反之，则需要根据国际经济的运行惯例来重构经济生活中的制度安排，这不仅需要付出相当大的经济成本，更需要较长的时间，从而影响区域经济发展。

政府在启动开放型经济发展中的作用不可忽视。政府可以通过多种途径鼓励企业出口，扶持中小企业开拓国际市场，促进区域外贸的发展。政府推动开发区建设的作用也显得尤其重要。地方政府掌握着土地资源，可以通过开发区的建设吸引外资，增加区域的产出水平。地方政府在争取开发区政策上的作用也是不可替代的。不少地方政府直接介入招商引资竞争，改变土地等要素的价格，影响外资的流向。地方政府的招商引资竞争具有累积效应，也产生了不利的结果。

4. 区位交通条件

我国对外开放是采取渐进式的由沿海向内地逐步推进的策略，最先是在深圳、珠海、汕头和厦门设立经济特区，接着进一步开放 14 个沿海港口城市和长江三角洲、珠江三角洲、闽南厦漳泉三角地区以及辽东半岛、山东半岛，最后实施沿江、沿线、沿边全方位开放战略。这种地理上渐进式推进开放的战略，使区位条件对区域经济发展显得更加重要。面临港澳地区的广东省获得了先行开放的政策，与其他地区形成了明显的制度落差，对其他地区的资金、技术、人才产生了强有力的吸引。对外开放的先发优势与原有产业初始条件、历史文化传统的结合，使绝大多数新兴的制造业部门迅速地在东部和南部沿海地区集中和集聚，对东部沿海地区的发展产生了十分重要的作用。

33

5. 历史文化传统

区域的历史文化不同导致了区域创业能力的差异，进而影响了区域的开放效应。具有工商传统的区域在巨大开放市场的诱惑下，会产生更多的创业群体。也就是说，区域内企业和居民对开放的反应更加灵敏。因为他们能够更加敏锐地发现开放带来的市场利益。"应该有少数人愿意作为开拓者，一旦他们成功了，其他人往往就会不用过多考虑这个问题而步其后尘——假定社会地位、种族或宗教不会阻止他们这样做。正是在这种意义上，增长取决于活跃的领导。当然，这种活跃的少数人越多，允许活动的范围越大，社会在经济上的增长也就越迅速，而且，所看到的各社会之间的基本差别正是这种少数人的比例和活动范围的差别。"[①] 相反，缺乏工商传统的区域，面对开放的市场，区域内企业和居民反应比较迟钝。同时，区域内居民的消费习惯也影响区域经济增长。只有人们用储蓄进行生产性投资，才能引起经济的更快增长。"辛勤劳动与资本形成是经济增长的一个绝妙公式，没有辛勤劳动的资本形成也会产生巨大的增长，而没有资本形成的辛勤劳动对发展作出的贡献微不足道。"[②]

<h2 style="text-align:center">第三节　开放与"江浙模式"</h2>

一、"江浙模式"概念的扩展

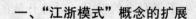

20 世纪 90 年代以来，国内外学者们倾注了极大的热情，从各个角度研究江浙经济发展的道路和模式。陈建军在《中国高速增长地域的经济发展》一书中考察了 1978—1993 年间江苏和浙江的工业化路径，把江苏和浙江的经济发展归纳为"江浙模式"。陈认为，江浙模式不仅是一经济发展模式，也是体制过渡的成功模式。其理由是两者都有着这样的特点：主要依靠区域内部或国内的资金积累和转移，对外资依赖性较小（从而区别于外资依赖性很大的"珠江模式"或者后来演化而成的"华南模式"），主要依托国内的销售市场，由此带动非国有企业，带动经济发展，全面推动地域经济的市场化和高速增长。冯兴元（2001）认为"浙江模式"与"苏南模式"是具有本质区别的两种不同模式，"浙江模式"本质上是一种市场解决模式、自发自生发展模式和自组

---

①　刘易斯：《经济增长理论》，上海三联书店 1994 年版，第 46 页。
②　同上书，第 45 页。

织（self-organizing）模式，"苏南模式"是地方（准）行政经济模式，具有过渡性。[①] 陈建军从区域开放角度来界定"江浙模式"和"珠江模式"，冯兴元则是从政府和市场在区域经济发展中作用的角度来界定"浙江模式"与"苏南模式"。进入90年代中后期，江苏经济的发展逐渐依赖于外资的作用，近年来外资在浙江经济发展中的贡献也大大提高。与此同时，江苏、浙江的外贸也迅猛发展，外贸依存度不断提高。如果把江苏、浙江经济发展放在更长的观察期内，两者的共同点比较明显。总体看，改革开放以来江浙经济发展取得了令人瞩目的成就。从表1—1和图1—4可以看出，1978—2004年江苏人均GDP增长57.0倍，浙江增长83.2倍，远高于全国人均GDP增长速度（36.7倍），江浙两省GDP占全国比重从1978年的10.3％增加到2004年的17.4％，两省1978年人均GDP分别是全国的1.13倍、0.87倍，2005年则达到1.75倍和1.97倍。

图1—4 1978—2004年江浙人均GDP与全国比较

资料来源：根据2004年《中国统计年鉴》、《江苏统计年鉴》、《浙江统计年鉴》计算。

---

① 参见冯光元：《市场化：地方模式的演进理路——苏、浙模式比较》，《经济管理文摘》2001年第10期。

表 1—1　重要年份江苏、浙江产业结构、人均 GDP 与全国比较（单位：元）

年份	江苏		浙江		全国	
	产业结构	人均GDP	产业结构	人均GDP	产业结构	人均GDP
1978	27.6:52.6:19.8	430	38.1:43.3:18.7	331	28.1:48.2:23.7	379
1980	29.5:52.3:18.2	541	36.0:46.8:17.3	470	30.1:48.5:21.4	460
1985	30.0:52.1:17.9	1053	29.0:46.5:24.5	1063	28.4:43.1:28.5	855
1990	25.1:48.9:26.0	2103	25.1:45.5:29.5	2122	27.0:41.6:31.3	1634
1995	16.5:52.7:30.9	7299	15.9:52.0:32.1	8074	20.5:48.8:30.7	4854
2000	12.0:51.7:36.3	11773	10.3:53.3:36.4	13309	16.4:50.2:33.4	7084
2005	7.6:56.6:35.8	24515	6.5:53.5:40.0	27552	12.4:47.3:40.3	13985

资料来源：相应年份的《中国统计年鉴》、《江苏统计年鉴》、《浙江统计年鉴》及2005 年统计公报数据。

从历史考察看，"江浙模式"具有以下共同特点：

（1）农村工业化。20 世纪 80 年代，江苏大力发展乡镇集体企业，浙江大力发展私营企业，两省都在推进农村工业化上取得了显著的成绩。农村工业化没有改变城乡户籍制度，没有出现农民向城市大规模迁移的现象，农村实现了资本的原始积累，工业经济得到迅速发展，极大地改善了农民的生活状况，两省农民人均收入水平分别从 1978 年的 155 元、165 元增加到 2005 年的5276 元、6660 元。经历了 20 世纪 80—90 年代的农村工业化道路后，近年来江浙两省正在加快城市化进程，乡镇工业也已从原来分散的布局向工业园区集聚，开发区成为江浙经济发展的增长级。

（2）先区际开放后全面开放。改革开放初期，江浙经济发展主要得益于区际开放，依靠上海的经济辐射和国内市场的拓展。内地"三线"企业的迁入和与上海企业开展的横向联合，对苏南、浙北工业的发展产生重要影响。20 世纪 80 年代，江浙乡镇企业的发展主要依赖于不断拓展国内消费品市场，得益于一批敢于"闯市场"的供销人员的开拓精神。区际开放的结果，是江浙经济的低外贸依存度和高经济增长率并存。进入 90 年代中后期，国家外贸体制改革和浦东开发，使江浙经济迅速从以国内市场为主转向利用国内外两个市场、利用两种资源，外资外贸发展迅猛，开放型经济取得显著成绩。1991 年江浙两省出口额占全国的份额为 8.8%，2005 年这一比重已上升至 26.2%（图 1-5），对全国外贸出口的贡献率超过四分之一。"江浙外贸现象"已引起业内人士的普遍关注。

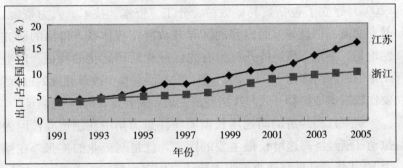

图 1-5　1991－2005 年江苏、浙江出口占全国比重

资料来源：根据 2005 年《中国统计年鉴》、《江苏统计年鉴》、《浙江统计年鉴》及中华人民共和国商务部网站、浙江省外经贸公众网、江苏省外经贸网站有关数据计算。

（3）不同模式相互交融。江浙地区在农村工业化进程中存在不同的发展模式。"苏南模式"以发展乡镇集体经济为主，而"温州模式"以发展个体私营经济为主。在双轨运行、市场经济发育程度较低、法制尚不健全的情况下，政府无论是直接参与和指导乡镇企业，还是以"红帽子"形式发展民营经济，本质上都是保护了私人产权，激励民营经济发展（崔学东，2005）。江苏南部、浙江北部在 20 世纪 80 年代均以发展乡村集体工业为主，但进入

37

90 年代后几乎全部转制,原有的两种模式正在趋同。江苏近年来已开始注重发展民营企业,企业家的生成机制和社会环境已发生变化,私营企业发展速度很快。浙江近年来更加重视引进外资,注重发展新兴产业,加快对传统产业的技术改造。杭州湾地区正成为十分有竞争力的外资集聚地,温州、台州等地也利用外商直接投资,对传统产业进行技术改造,加快重化工业的发展。

二、开放与江浙经济发展关系实证分析

1. 区际开放对江浙经济发展的影响

研究区际开放问题的最大难题在于获取数据的困难。赵伟(2005)建立了包括贸易、旅游、分工、资本、技术、人力资源、教育交流、信息等方面内容的区际开放度指标体系,得出的研究结论是,浙江省域经济开放带有先区际化后国际化的特征。以上结论的时间跨度是 1998—2002 年,没有涵盖整个改革开放的过程。要比较准确地解释开放与江浙经济发展,需要延长时间跨度。

38

解释江浙经济的高速增长需要将注意力集中在制造业,因为拉动江浙经济高速增长最主要的因素,就是制造业的扩张。在整个 80 年代,江浙制造业扩张主要依靠国内市场的需求扩张,国际市场所占比重仍然不大见表1—2,浙江省 1990 年工业产品出口占工业总产值的比重为 15.0%,即工业产品的 85% 是在国内市场。当时产品出口占业总产值比重较大的是广东省和福建省,分别达到 24% 和 25%。表1—3 显示了 1985 年江浙两省主要工业行业工业产值占全国比重情况。两省纺织业、电气机械及器材制造业、电子及通讯设备制造业三大行业占全国的比重均超过 20%,说明江浙两省已形成比较明显的专业化生产能力。这些行业的销售需要依赖区外市场去实现。与此同时,江浙两省需要从其他地区输入大量的生产物资,以满足生产企业的需要。当时,江浙两省拥有实力较强的物资部门和物资企业,在全国范围组织物资的供应。

1990 年江浙两省的物资供销企业，其物资购进总额和销售总额分别占全国的 22％、21.9％，物资部门物资购进总额和销售总额分别占全国的 24.2％、23.6％。江浙地区形成了一个十分庞大的供销员队伍，他们奔波于全国各地推销乡镇企业生产的产品。正是他们的努力，形成了体制外的产品销售与物资供应市场系统，使江浙企业在全国市场的扩张得以实现。表 1－4 显示浙江许多行业的产品需要依靠外省市吸收，区际贸易对浙江经济发展的作用不言而喻。20 世纪 90 年代中期以后，对外开放和外向型经济的发展进一步推动了江浙经济国际化，国际市场成为江浙企业的重要市场。2000 年江苏出口交货值占全部工业产值的比重达 20.5％。同时，江浙地区利用国际产业转移的战略机遇，大力吸引外商直接投资，2004 年实际利用外资量占全国的 23.0％。近年来，江浙企业对区外和对海外的直接投资数量迅速增加，"走出去"取得显著成绩。

39

表 1－2　1990 年江苏、浙江主要工业行业出口占工业总产值比重（％）

地区	纺织业	化学工业	机械工业	食品制造业	建筑材料及其他非金融矿物制品业	电气机械及器材制造业	电子及通讯设备制造业
江苏	27.5	4.7	6.4	4.5	3.4	7.1	7.9
浙江	19.2	7.4	12.6	13.0	10.8	7.3	16.7

资料来源：1991 年《浙江统计年鉴》及有关资料整理而得，两省统计口径不同。

表 1－3　1985 年江苏、浙江主要工业行业工业总产值占全国比重（％）

地区	纺织业	化学工业	机械工业	建筑材料及其他非金融矿物制品业	电气机械及器材制造业	电子及通讯设备制造业
江苏	17.2	11.0	11.4	13.1	12.1	17.7
浙江	8.2	4.1	5.2	6.1	9.0	5.1
合计	25.4	15.1	16.6	19.2	21.1	22.8

资料来源：1985 年《中国统计年鉴》。

表1—4 2002年浙江产品出口、总流出占总产出比重（%）

行业部门	出口	总流出
纺织业	23.29	44.69
服装皮革羽绒及其制品业	25.75	69.08
石油加工、炼焦及核燃料加工业	3.26	47.47
通用、专用设备制造业	12.75	44.36
交通运输设备制造业	6.47	39.61
电气、机械及器材制造业	18.52	57.23
通信设备、计算机及其他电子设备制造业	11.58	54.64
仪器仪表及文化办公用机械制造业	14.72	58.66
其他制造业	8.97	58.37
批发和零售贸易业	14.75	42.22
住宿和餐饮业	3	38.42
旅游业	6.28	45.91

资料来源：《从投入产出表看浙江经济的可持续发展》，浙江省统计局。

2. 对外开放对江浙经济发展的影响

对外开放涉及很多方面，如贸易国际化、资本国际化、劳动力跨国流动、技术引进和输出等。本书选择进出口总额（FI）、实际外商直接投资额（FT）与GDP的比值，建立对外开放度（Foreign Openness，FO）这一指标。从严格意义上说，国际贸易包括商品贸易、服务贸易与技术贸易三部分。但由于受统计资料的限制，本书用商品贸易的依存度来替代。国际投资开放度是指一国（地区）国际投资与GDP的比值，用于衡量国际投资的开放程度。国际投资包括外来直接投资和对外直接投资，由于区域对外投资量比较小，本书没有计算。

对外开放度 FR＝外贸依存度 FTR＋外资依存度 FIR

(1—11)

其中：外贸依存度 $FTR = \dfrac{FT}{GDP} \times 100\%$ (1—12)

外资依存度 $FIR = \dfrac{FI}{GDP} \times 100\%$ (1—13)

表 1—5　江苏、浙江开放度与全国比较　（%）

年份	江苏			浙江			全国		
	外贸依存度	外资依存度	对外开放度	外贸依存度	外资依存度	对外开放度	外贸依存度	外资依存度	对外开放度
1985	9	0.1	9.1	7.7	0.1	7.8	23.1	0.5	23.6
1986	11.2	0.1	11.3	8.9	0.1	9	25.3	0.6	25.9
1987	11.6	0.2	11.8	9.2	0.1	9.3	25.8	0.7	26.5
1988	10.6	0.3	10.9	9.7	0.1	9.8	25.6	0.8	26.4
1989	10.9	0.3	11.2	11.2	0.2	11.4	24.6	0.8	25.4
1990	14	0.5	14.5	14.8	0.3	15.1	29.9	0.9	30.8
1991	17.7	0.8	18.5	18.9	0.5	19.4	33.4	1.1	34.5
1992	18	3.6	21.6	20.2	1.2	21.4	34.2	2.3	36.5
1993	17.5	5.8	23.3	20.3	3.1	23.4	32.6	4.6	37.2
1994	25	8.9	33.9	29.1	3.7	32.8	43.7	6.2	49.9
1995	26.4	7.7	34.1	27.3	3	30.3	40.9	5.4	46.3
1996	28.6	7	35.6	25.1	3	28.1	36.1	5.2	41.3
1997	29.3	7.2	36.5	25.5	2.7	28.2	36.9	5.1	42
1998	30.4	7.6	38	24.7	2.2	26.9	34.9	4.9	39.8
1999	33.6	6.9	40.5	28.2	2.4	30.6	33.4	4.1	37.5
2000	44	6.2	50.2	38.2	2.2	40.4	44.5	3.8	48.3
2001	44.7	6.2	50.9	40.2	2.7	42.9	44.7	4.1	48.8
2002	54.7	8.1	62.8	44.5	3.4	47.9	49.4	4.2	53.6
2003	75.5	10.5	86	54.1	4.8	58.9	60	3.8	63.8
2004	90.2	6.4	96.6	62.1	4.9	67	69.1	3.6	72.7

资料来源：根据 2005 年《中国统计年鉴》、《江苏统计年鉴》、《浙江统计年鉴》及中华人民共和国商务部网站、浙江外经贸公众网、江苏省外经贸网站有关统计数据计算。

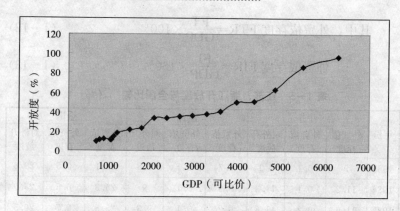

图 1—6　1985—2004 年江苏 GDP 与开放度散点图

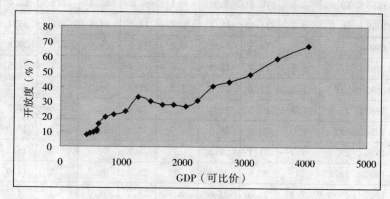

图 1—7　1985—2004 年浙江 GDP 与开放度关系散点图

　　笔者计算时对变量进行对数变换，表示为 LnGDP、LnFR。首先分别对江苏、浙江 1985—2004 年的时间序列进行协整分析。结果表明，江苏、浙江的 LnGDP、LnFR 变量都是一阶单整序列（10％的临界值）。在此基础上，按 EG 两步法进行协整分析，得到的江苏的协整方程如下（浙江的协整回归方程未通过显著性水平为 10％的残差序列单位报检验）：

　　江苏：$LnGDP_t = 4.342 + 0.985 LnFR_t$

$R^2=0.968$，D. W$=1.01$，F$=544.860$

对残差序列 e 做单位根检验，ADF$=-3.15$，小于显著性水平为 5% 的临界值-3.04，因此可以认为估计残差系列为平稳系列，表明江苏变量 LnGDP 和 LnFR 之间存在协整关系。

对变量的 Granger 因果关系检验如表 1—6 所示。从表中可以看出，在 1% 的显著性水平上，LnFR 是 LnGDP 的原因。

表 1—6 江苏 LnGDP 与 LnFR 因果关系检验

Null Hypothesis:	Obs	F—Statistic	Probability
LnFR does not Granger Cause LnGDP	18	7.77346	0.00602
LnGDP does not Granger Cause LnFR		1.59289	0.24058

结合表 1—5、表 1—6、图 1—6、图 1—7 分析，可得出以下结论：

1. 江浙两省先区际开放后对外开放

江苏、浙江在 20 世纪 80 年代对外开放度低于全国水平，不论是外贸依存度还是外资依存度均低于全国平均水平，且有较大的差距。江苏在 2000 年对外开放度首次超过平均全国水平，浙江外贸依存度一直低于全国平均水平。但是，从对外开放度的提升速度看，江浙两省处于全国领先地位。数据表明，江浙两省对外开放的推进速度较快，这在 20 世纪 90 年代中后期表现尤为明显。90 年代中后期，江浙两省加快对外开放步伐，外商直接投资大量增加，外贸出口迅猛，有力地带动了经济增长。

2. 江浙两省经济增长与对外开放存在相关性

从 GDP 与开放度关系散点图看，两省 GDP 与开放度总体上呈正向关系，GDP 的增长趋势与开放度的增长趋势保持较好的一致性。但是在个别年份，两者呈现反向关系。这种反向关系在浙江省表现得更加明显，说明区际开放对浙江经济发展具有重要作用。江苏 GDP 与开放度存在长期稳定的均衡关系，说明对外开放对经济增长的带动效应。江苏引进外资的成效好于浙江，外资对经济增长发挥更重要作用。

三、开放视角下的"江浙模式"形成机理

1. 独特的区位条件是江浙模式形成的现实基础

苏南浙北是以往数百年经济史研究中最偏爱的区域，也被认为是当时中国最先进的地区，并被无形中认作其他地区发展的楷模。苏南历史上的兴盛与晋宋两次北人南迁有关。从明代开始，苏州成为金融业的中心和全国最大的商业市场，并逐渐从政治、商业城市变为轻工业城市。明代以前，隶属苏州的刘家港有"六国码头"之称，清中期以前为沙船聚泊之所，转运贸易十分发达。19 世纪上半叶，长江航道得到迅速开发，海运兴起，使苏州几百年间长江三角洲的商贸中心的地位让位于上海。上海的崛起给苏南浙北地区带来了发展机遇，浙北与苏南地区受上海的影响，经济结构发生了深刻变化。近代资本主义制度的建立，使江浙地区诞生了早期的民族工商业。从历史上看，包括上海、苏州、无锡、常州、杭州、宁波等地在内的江南地区，是近代中国主要的工业经济区。国民党统治时期，江浙财团更雄踞全国之首。温州港口条件好，海上交通发达，自唐宋以来，就具有悠久、发达的家庭工商业发展历史。特别是南宋"靖康南渡"以来，北方的能工巧匠涌入温州，极大地促进了当时经济的发展。明代中叶之后，温州的丝织、棉织业中曾出现带有资本主义萌芽性质的"机户"。

改革开放以来，江浙地区因位于上海两翼而获得了两次历史性发展机遇。第一次机遇是发展乡镇企业。改革开放初期，上海大量工程师、技术工人节假日到苏州、无锡等地，给苏南带来了信息、技术和管理经验。苏南乡镇企业与城市开展各类联合所创

造的工业产值占全部总产值的三分之一多。上海周边的昆山、吴江、嘉善、平湖等地受上海的辐射影响较大，与上海的横向联合比较广泛，利用上海都市产业结构调整机会，主动吸引一些不适宜在上海城市发展的企业，使乡镇工业迅速发展。在上海的强辐射下，苏州产业的发展主要是沿着三条交通干线实现的，即刘家港、浒浦港、张家港等长江岸线；沪宁铁路和苏沪机场沿线；太仓—常熟—张家港公路沿线。昆山市就是在接受上海市较强的辐射作用下形成外商集聚区的。有关资料显示，到 2004 年，嘉兴市已有 1500 多家企业与上海建立了多种形式的合作关系，两地协作项目超过 1000 个，每年有 300 多亿元产值的工业品为上海配套，有超过 25 亿元的工业品直接销往上海，30 亿元农副产品供应上海。第二次机遇是发展开放型经济。20 世纪 90 年代初中央开发浦东战略的实施，使江浙地区获得了发展开放型经济的历史性机遇，江浙地区吸引外商直接投资的数量迅速上升。上海周边的苏州、无锡、嘉兴、杭州、宁波等地成为国际产业转移的重点地区，外资在这些地区经济增长中的作用日益明显。在吸引外资的同时，江浙地区利用上海国际化大都市的平台和自身的制造业实力，大力发展出口贸易，带动区域经济进入一个发展期。2005 年，苏州市实际利用外资 60.05 亿美元，已有 107 家世界500 强跨国公司落户，进出口总额超过 1400 亿美元，国内生产总值 4026.52 亿元，人均地区生产总值（按户籍人口计算）66826 元，按现行汇率折算超过 8000 美元。

2. 开放的文化是"江浙模式"形成的文化动因

江浙地区独特的地理、历史条件形成了吴文化、越文化和永嘉文化等具有鲜明特色的地域文化。江浙文化开放性的特征影响着个人、企业甚至政府的价值观念和行为方式，对"江浙模式"的形成意义深远。

历史上苏南是南北文化的交汇点，苏南文化具有很强的适应性、包容性。到近代，上海的崛起，逐渐从原有的苏南地域文化中分离出去，进而受西方文明的影响而形成海派文化。受海派文化的辐射，江浙地域文化融入西方文化的特质。吴文化和吴经济有较强的开放性和融合性，既吸收中原和大陆的文化，也吸收西方文化。从古至今，大量外地人口向吴地迁移，形成了"五方杂处，兼容并包，为我所用"的文化特征。民间的思想较少禁锢，容易交流，"博采外域之长，以图超胜"，成为吴文化突破民族文化传统束缚的精神力量（胡福明，1998）。在19世纪60-70年代，苏南出现了由冯桂芬、王韬、薛福成、马建忠等人构成的苏南晚清改良思想群落，他们提出要将发展工商与发展对外贸易有机地结合在一起，改变国内市场为外国商品所占据的局面，向海外发展贸易，参与国际市场的竞争。这种改良思想对苏南民族工业的开放性产生了深远影响，在苏南留下了很深的文化烙印。吴文化的开放性和工商传统使苏南人善于把握改革开放的机遇，在80年代大力发展乡镇企业，开拓国内市场。在乡镇企业发展遇到困难时又能够及时抓住开放型经济的机遇，大力引进外资，积极开拓国际市场，避免了苏南经济的滑坡。在面临企业家精神缺失、民营经济发展滞后的难题时，苏南能够及时地调整政策，大力发展个私经济，培养民间企业家群体，增强本土企业的竞争力。

浙文化的特点是经世致用，强调个性、个体、能力和开拓解放。浙江具有良好的商业传统，绍兴重商的历史传统，涌现了不少善于经商的人才，号称"绍兴帮"，与当时宁波帮、徽帮并称为三帮。宁波、温州很早就有人移民海外经商，在海外形成了较有影响力的浙商群体。义乌人喜欢出门做生意，形成擅长于长途贩运的经商传统，"鸡毛换糖"的农民商人不怕千辛万苦，不畏千难万险，不厌千言万语，从事既脏又苦，还被人瞧不起的经商活计，逐渐磨炼出吃苦耐劳、不畏风险和自强不息的"敲糖帮"精神。浙江商人所具有的开拓市场的能力使浙江不断开拓国内外市场，为浙江制造业的扩张建立市场销售网络。浙江商人开拓解放的特点使他们善于制度创新，推动贸易制度的创新，形成了众多的专业市场，为中小企业实现销售搭建了市场平台。浙江商人还把专业市场办到外省甚至国外，使浙江产品进入更广的销售范围。浙江商人善于利用人格化交易方式扩展市场交易网络，在成功实现国内产业链的网络分布后，开始由内而外地将销售网络铺向全世界。20 世纪 90 年代后期开始，出国的浙江人越来越多，浙江的产品也被他们带到了全世界。温州打火机、服装、鞋帽、小商品、玩具等行业都有利用人格化交易方式开拓国际市场的成功范例。温州人从南到北，从东到西，从国内到国外满世界闯荡，把温州人的生意网撒向世界各地（史晋川，2003）。经过多年的培育，这张网络现在已经越来越大，越来越密，进入报酬递增阶段，为浙江传统产业大规模进入国际市场铺平了道路。

3. 人力资本是"江浙模式"形成的支撑条件

江浙经济的高速发展离不开人力资本的支持。舒尔茨（1961）认为，人力资本是现代经济增长的主要动力和源泉，人的知识、能力和技术水平的提高，对经济增长的贡献远比物质资本、劳动力数量的增加重要得多，对人力资本的投资能够产生递增的收益。卢卡斯把人力资本积累归结为通过学校学习积累人力资本的"内部效应"，和"干中学"积累人力资本的"外部效应"。江浙经济发展实践验证了这两种效应的存在。江浙两省主要通过以下途径获得人力资本：

（1）重视教育投入，形成了高素质的劳动力队伍。江浙一带同属人文荟萃之地，历代文人辈出。解放后，江浙地区也是我国科技人才最密集的地区之一。有关统计资料显示，每百万人所涌现出的著名科学家，浙江为全国平均水平的4.15倍，江苏省为3.49倍。江浙地区注重教育投入和人才的培养，"十五"期间江苏高等教育投入位于全国第二。表1—7、表1—8显示，江苏、浙江两省的高等教育发展速度快于全国平均水平，高等教育在校生和毕业生人数合计占全国的比重，分别从1990年的10.37%、10.50%提高到2004年的11.45%、12.10%。

表1—7　1990年江苏、浙江与全国教育基本情况比较

指标	江苏	浙江	全国	占比（%）
普通高等学校数量（所）	70	37	1075	9.95
普通高等教育在校生（万人）	15.38	6.03	206.3	10.37
普通高等教育毕业生数（万人）	4.61	1.84	61.4	10.50

资料来源：根据1991年《中国统计年鉴》、《江苏统计年鉴》、《浙江统计年鉴》计算。

表1—8　2004年江苏、浙江与全国教育基本情况比较

指标	江苏	浙江	全国	占比（%）
普通高等学校数量（所）	111	68	1731	10.34
普通高等教育在校生（万人）	106.27	55.76	1415.49	11.45
普通高等教育毕业生数（万人）	20.92	9.83	254.2	12.10

资料来源：根据2005年《中国统计年鉴》、《江苏统计年鉴》、《浙江统计年鉴》计算。

（2）制订优惠政策，吸引国内外人才。江浙两省在增加教育投入，加快培养人才的同时，还利用区位优势和优惠政策大力吸纳和集聚优秀人才，特别对短缺、紧俏、急需的各类人才开辟了绿色通道，迅速缓解了人才短缺的现象。例如浙江省拥有人才资源（具有中专以上学历或有初级及以上专业技术职务职称的人员）由2000年的178.7万人增加到2003年的281.12万人，年

均增长 16.2%；每万人口中人才资源数从 2000 年的 397 人增加到 2003 年的 618 人，年均增长 15.9%。[①] 在江苏省的各大园区内还云集着众多的研发中心、博士后工作站、博士后技术创新中心等，集聚各类科技人才 100 多万人，成为各跨国公司人才战略聚焦的重点。

（3）发挥区域公共知识作用，注重"干中学"。江浙地区拥有较丰富的公共知识存量，拥有一批能工巧匠和经营人才。他们尽管接受正规教育获得的人力资本并不高，但具有较强的"干中学"能力，在改革开放初期短缺经济时代有机会获得成功。人们对市场的知识相对比较丰富，又具有比较强的学习能力，经商农民能从微利经营中获取利润，能凭借长期的经商经验，发现市场极其微小的利润空间。历史上的工商传统使江浙地区普遍拥有如纺织、工艺品等行业的公共知识，这些公共知识是江浙地区许多产业集群形成的知识基础。产业集群的形成又对人力资本的形成产生显著的"外部效应"，在产业集群内，生产的产品雷同，技术接近，方便员工、企业之间交流，产生了递增的学习效应。因此，仅用平均受教育水平不能完全解释"江浙模式"形成的原因。表 1—9、表 1—10 显示了江浙两省人均受教育情况。从表中可以看出，1990 年、2000 年浙江大专以上学历人数低于全国平均水平。"干中学"是江浙地区获得人力资本的重要渠道。经过 20 世纪 90 年代的努力，江浙地区人均受教育水平有了提高，特别是大专以上学历人数迅速增加，两省均提高了 1.7 倍。

49

---

① 参见李玉珍等：《浙江、江苏、上海三省市科技实力比较分析及对策研究》，国家统计局网站，http：www.stats.gov.cn。

表1—9 1990年江苏、浙江每十万人拥有受各种教育程度与全国比较

地区	小学（人）	初中（人）	高中（人）	大专以上（人）
江苏省	34791	26426	8670	1474
浙江省	39664	23741	7006	1170
全国	37057	23344	8039	1422

资料来源：1991年《中国人口年鉴》。

表1—10 2000年江苏、浙江每十万人拥有受各种教育程度与全国比较

地区	小学（人）	初中（人）	高中（人）	大专以上（人）
江苏省	32881	36372	13039	3917
浙江省	36650	33353	10785	3196
全国	35701	33961	11146	3611

资料来源：2001年《中国统计年鉴》、《江苏统计年鉴》、《浙江统计年鉴》。

4. 地方政府是"江浙模式"形成的重要因素

地方政府行为对区域经济的发展有着十分重要的作用。地方政府在推行经济发展战略和制度创新上的作为，直接影响了区域经济发展。江苏、浙江两省地方政府在经济发展中的作用表现出不同的形式。"苏南模式"本质上是一种"政府超强干预模式"、"地方政府公司主义模式"、"干部经济模式"、"政绩经济模式"（新望，2000）等。温州模式本质上是一种"市场解决模式"、"自发自生模式"和"自组织模式"（冯兴元，2000），"中国式新古典工业化模式"（赵伟，1999）。

江苏经济发展得益于政府的开放战略和特有的制度安排。江苏地方政府比较早地推行了开放战略，适时地实现以对内开放为主向内外并举转变。改革开放初期，江苏地方政府鼓励乡镇企业的发展，为苏南乡镇企业的成长营造了良好的发展环境。苏南地区在推动基层地方政府间竞争的制度安排上表现出色，基层地方政府加快了制度创新。苏南实行"一手高指标，一手乌纱帽"的

压力型基层行政体制（荣敬本，1998），用一套指标体系来衡量干部的政绩，政绩决定升迁。苏南在乡镇企业、三资企业、开发区等组织创新方面也走在了全国的前列。江苏在 20 世纪 80 年代就比较明确地提出对外开放的战略，90 年代初，又适时提出经济国际化战略，形成外贸、外资、外经"三外齐抓、三外齐上"的新局面，使开放型经济迅速发展。在 90 年代初，江苏就把招商引资作为"一把手"工程，引进外资成了地方政府的考核指标，实行外资一票否决制。这一制度安排，使各级地方政府官员得到充分的激励，招商引资成为政府工作的头等大事，"人人参与招商引资，人人是投资环境"是当时的真实写照。苏州市 1990—1992 年连续三年召开三级干部大会，开展"五杯"竞赛，有力地促进了外向型经济的发展。地方政府从交通、设施、政策等多方面优化投资环境，改善服务质量，实现职能转变，有力地推动了开放型经济的发展。

　　浙江经济发展得益于地方政府充分发挥民间力量，默许、参与民间的制度创新。浙江没有像江苏那样早明确地提出开放战略，许多制度安排从江苏移植而来。进入 20 世纪 90 年代中后期，浙江开始重视引进外资，有些地方也将引进外资列为"一号工程"。而此时，苏南引进外资已经突飞猛进。浙江尽管大力追赶，但还与苏南有较大的差距。浙江地方政府更多地提供人们自由地从事经济活动的空间，使浙江人特有的工商传统在开放条件下得到了充分的发扬。浙江人冒险竞争、敢于开拓创新的精神使他们善于走出浙江、走出国门，把生意做向全国、全世界。1985 年，温州有家庭工业 11 万多家，从业人员 30 多万人。同时，温州每年保持外出经商打工的人数在 20 万左右的规模，他们遍布全国甚至海外，从事商业、建筑业、服务业。据说，温州桥头纽扣市场是外出弹棉花的两兄弟从外地带回一批因当地滞销而处理的纽扣在桥头镇销售，效益显著，被很多人效仿，由摆摊设点、直至形成纽扣大市场。浙江许多地方政府习惯于先发展后规范的做法，给老百姓充分的创新空间，使民间的创造性得到充分的发挥。正是这样，浙江才成为"市场大省"，为浙江的农村工业化创造条件。浙江在扶持民营企业发展外贸业务上也起到了重要的作用。地方政府抓住国家降低自营进出口经营权审批"门槛"的机会，把更多的生产企业推向世界，2003年浙江拥有进出口经营权企业猛增到1.2万家，新增企业绝大部分为民营企业，拉动外贸出口增长12个百分点。浙江省还综合运用出国参展补贴、组织交易会、国际培训等多种政策手段，鼓励中小企业尤其是民营企业开拓国际市场。

第二章　内外资与区域经济发展

区域开放引起资本的区际和国际流动。在开放条件下，内资和外资对区域经济的发展产生怎样的影响？这种影响是通过怎样的方式和途径影响经济发展的？内资和外资影响区域经济发展的机制有何差异？这是本章需要研究的问题。这不仅需要从理论上加以说明，而且需要用实证来检验。本章主要研究资本流动中直接投资对区域经济发展的影响机制。

53

第一节　资本形成、外资与区域经济发展关系相关文献述评

一、资本形成、外资与经济发展

资本形成是指一个经济体资本存量的净增加，包括新建工厂、购置机器以及日益提高的基础设施等，是将储蓄转化为投资进而形成一定的生产能力的过程。亚当·斯密曾经指出：资本积累与经济增长率成正比，资本积累量的大小是经济增长率高低的关键。在哈罗德－多马模型中 $G=S/K$，储蓄率 S 成为决定经济增长的唯一因素（该模型假定资本产出比 K 不变）。由此可见，

资本积累在古典经济学中是对经济增长起决定作用的首要因素。刘易斯（1995）最早阐明了资本形成对经济增长的决定性影响，经济增长理论的中心问题是要理解一个社会从5％的储蓄者变为12％的储蓄者的过程。[①] 罗默等人（1998）认为，"在任何情况下，尽管资本积累不再视为贫困国家摆脱困境的灵丹妙药，然而非常清楚的是，只有社会能够在国民生产总值中保持一个相当规模的投资比例时，才能在长时期内维持适当却是强劲的收入增长率"。

大多数发展中国家资源禀赋上的一个普遍现象是，生产要素中的资本最为稀缺。因此，早期的发展经济理论特别强调资本匮乏与普遍贫穷之间的必然联系，他们的对策也是首先解决发展中国家的资本形成问题，认为这是实现起飞和摆脱贫困的先决条件。发展中国家资本形成是指发展中国家在经济发展的初级阶段如何筹集所需的资本，它包括发展中国家经济起飞前初始资本的来源，储蓄转化为资本，资本再转化为生产能力的过程。

纳克斯（Nurkese，R，1953）在《不发达国家的资本形成》中提出了"贫困恶性循环"理论，他认为发展中国家的一个共同特征是贫困落后、经济发展停滞不前，因而陷入供给和需求两个"贫困恶性循环"理论之中难以自拔。其根本原因是发展中国家人均收入过低，"一个国家穷是因为它穷"。要打破贫困恶性循环，就必须大规模增加储蓄，促进资本形成。纳克斯认为，应该借助外国资本来加速发展中国家的资本形成，解决发展中国家的资本稀缺问题。

罗森斯坦—罗丹（Rosenstein—Rodan，P·N，1961）在《对不发达国家的国际援助》中，提出了储蓄缺口理论。他认为，

---

① 参见刘易斯：《经济增长理论》，上海三联书店1994年版，第283页。

利用外资的目的在于填补国内不平衡的储蓄与投资缺口，其外汇缺口不过是内部经济不平衡的外部表现。他还指出，发展中国家在利用外资加速经济发展时，不仅要利用外资来弥补储蓄缺口，更重要的是在引进外资的同时进行技术变革，提高劳动生产率与资本使用效率。在如何推进发展中国家工业化的策略上，他认为，必须全面地、大规模地在各个工业部门特别是基础设施等方面投入资本，通过投资的"大推进"来摆脱经济贫困落后和停滞的困境，促成整个工业部门全面、迅速地发展，以实现工业化，达到经济增长、农村剩余劳动力就业和收入提高等目标。他认为资本的供给是不可分的，如基础设施间是相互依存地联系在一起的。这就要求投资要达到一定的规模才能同时建成这些基础设施，否则是不可能建成这些基础设施的，工业化也因缺少基础条件而难以实现。

麦金农和巴拉萨（Balasa，B）等人提出外汇缺口理论。他们认为，储蓄缺口根源在于外汇缺口。发展中国家内部经济的不平衡根源于外部经济的不平衡。发展中国家出口创汇能力的低下及外汇收入过低形成外汇缺口，制约了经济增长。因此，发展中国家应该引进外资、外援去填补外资缺口。

钱纳里（H. chenery）和斯特劳特（A. strout）在 1966 年提出了著名的"两缺口模型"，该模型说明，发展中国家在储蓄、外汇、吸收能力等方面的有效供给与实现经济发展目标所必需的资源计划需求量之间的缺口，即储蓄缺口和外汇缺口，可以通过利用外资来填补，这为落后的发展中国家引进外资的必要性作出了有力的解释。在开放经济中，增长率的储蓄约束可以表述为：

$$g=\Delta Y/Y\leqslant [s(1-m)+\xi]/(\alpha+\beta)$$

g——经济增长率，m——每单位产出的进口部分，ξ——资本或外援的流入量与收入的比率，α——每单位产出的进口资本

品的固定投入系数，β——每单位产出的国内制造资本品的固定
投入系数。

该式表明，储蓄偏好或资本流入量的提高，会提高可行的增
长率；而两种资本中无论哪一种资本在技术上必要数量的增加，
都将降低可行的增长。

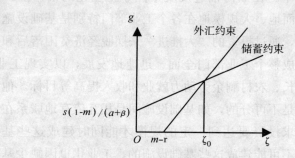

图 2—1　储蓄与外汇约束[①]

56

图 2—1 表明了经济增长率将限定在低于两条约束线中任一
条的区域内。其理论意义在于，对于遇到外汇瓶颈的经济发展过
程来说，在达到一定的关键水平（ξ_0）前，资本的流入或外援具
有战略性意义。

在"两缺口模式"研究的基础上，西方学者进一步将其扩展
为"四缺口模式"。该理论认为，外资填补的第三个缺口是政府
税收的计划目标与实际税收之间的缺口。外资填补的第四个缺口
是技术、管理和企业家才能方面的缺口。这些缺口可部分地或全
部依靠外国私人企业特别是跨国公司提供的所谓"一揽子"资源
来弥补。

莱宾斯坦（Leibenstein，H.）认为，发展中国家要打破低
收入与贫困间的循环，必须首先保证投资率大到足以使国民收入

————————

　　① 参见约翰·威廉逊：《开放经济与世界经济》，北京大学出版社 1991 年版，
第 305 页。

的增长超过人口的增长，从而使人均收入水平得到明显的提高，这个投资率水平即"临界最小努力"。他认为经济增长中存在提高收入和压低收入两种力量。提高收入的力量是由上一期的收入水平和投资水平决定的，压低收入的力量是由上一期的人口增长和投资规模决定的。当压低收入的力量大于提高收入的力量时，人均收入的增长被人口过快的增长的负力所抵消，并退回到原来的"低水平均衡陷阱"中去。只有当提高收入的力量大于压低收入的力量时，人均收入才会大幅度提高，从而打破低收入稳定均衡。他认为，要实现"临界最小努力"，必须具备一定的条件，如激发群众的经济增长动机，改变人们的传统观念以鼓励敢于冒险、善于追求利润的精神，创造适宜的投资环境，培育具有能力的企业家群体，大力开发和应用新技术等。

　　罗斯托（W. Rostow）把人类社会经济发展划分为六个阶段，即传统社会、为起飞创建前提、起飞、成熟、高额消费和追求生活质量这六个阶段。其中起飞阶段是发展中国家向发达国家过渡的起始阶段。所谓"起飞"就是要突破经济的传统停滞状态，实现在短时期内基本经济结构和生产方法的剧烈转变，使经济迅速发展。要实现经济"起飞"必须具备三个条件：第一，要有 10% 以上的投资增长率，这是首要条件；第二，要建立主导产业部门，通过主导部门的前向、后向和横向的联系带动其他部门；第三，要有制度上的保证。

　　新增长理论对 FDI 的作用做了全新的解释。新增长理论把FDI引入到长期增长分析中，认为如果增长的决定因素是内生的，那么外国直接投资通过"溢出效应"而起作用，主要表现为拉动技术进步和增加人力资本存量。R. Findlay（1978）构建了一个由先进的发达国家对落后的发展中国家进行直接投资和技术扩散的简单、内生、动态模型，检验了技术差距、外资份额等因素对技术扩散的影响[①]。Koizumi 和 Kopecky（1977）构建了一个国际资本流动的模型，用于研究 FDI 对一国经济增长的影响。[②] Romer（1990）构建了内生增长模型，强调技术扩散对于小国及广大发展中国家经济持续增长的决定性作用。[③]

　　FDI 是否促进了东道国经济增长的问题，引起了许多经济学家的注意。许多学者通过理论分析和实证研究，认为 FDI 促进了经济增长。Lee、Rana 和 Iwasaki（1986）在对 9 个亚洲发展中国家的研究中发现，外国私人投资对 GDP 增长具有重要的有利影响，而外国援助对 GDP 增长具有一个不显著的正向影响。Firebaugh（1992）比较了国内和外国直接投资的经济效果。他发现，尽管国内资本对经济增长的贡献超过了外国资本，但二者都有助于国家的经济发展。外国直接投资对第三世界有长期的影响。[④] Jansen（1995）在以泰国为例的研究中发现，出口导向的外商直接投资对私人投资水平和出口均产生直接而强烈的正向影响，促进了经济增长。[⑤] Borenztein、Gregorio 和 Lee（1998）用 20 年间 69 个发展中国家吸收发达国家投资的数据进行回归分析，提出外商直接投资是技术转移的重要渠道，其对国民经济的

58

　　① Findlay. R. , 1978," Relative Backwardness Direct Foreign Investment, and the Transfer of Technology: A Simple Dynamic Model", Quarterly Journal of Economics, 92, 1—16.

　　② Koizumi, T. and K. J. Kopecky , 1977, "Economic Growth, Capital Movements and the International Transfer of Technical Knowledge", Journal of International Economics , Vol. 7, 45—65.

　　③ Romer, Paul M. 1990, "Endogenous Technological Change", Journal of Political Economy, Vol. 98NO. 5, pp. s71—102.

　　④ Glenn Firebaug, 1992, "Growth Effects of Foreign and Domestic Investment", American Journal of Sociology, 98: 105—130.

　　⑤ Jansen, K. , 1995, The Macroeconomic Effects of Direct Foreign Investment: the Case of Thailand, World Development, 23 (2): 193—210.

贡献超过了国内投资。只有东道国拥有一个人力资本最小门槛值，较高的增长才能出现。[1] 萧政和沈艳（2002）利用中国和其他 23 个发展中国家总量时间序列资料进行分析，认为国内生产总值与外国直接投资之间存在着相互影响、相互促进的互动关系。[2]

但也有学者持相反的观点。Aitken 与 Harrison（1999）对委内瑞拉制造业的研究显示，FDI 对国内制造业的净溢出效应较小。[3] Easterly（1993）认为，利用优惠政策吸引外资会阻碍国内投资。[4] Saltz，I. S.（1992）运用新古典模型对 75 个发展中国家数据进行实证分析，结果表明，发展中国家 FDI 与经济增长存在着负相关关系。[5]

二、外资与中国区域经济增长

近年来，中国 FDI 的快速增长引起了国内外学者的普遍关注，取得了许多有关中国引进外资与经济增长关系的研究成果。王新（1999）根据哈罗德—多马模型得出改革开放以来我国 FDI

59

[1]　E. Borensztein，J. De Gregorio and J—W. Lee，1998，"How does Foreign Investment Affect Economic Growth?" Journal of International Economics，Vol. 45，pp. 115—135.

[2]　参见萧政、沈艳：《外国直接投资与经济增长的关系及影响》，《经济理论与经济管理》2002 年第 1 期。

[3]　Aitken，B. and A. Harrison.，1999，"Do Domestic Firms Benefit from Direct Foreign Investment? Evidence from Venezuela"，American Economic Review，Vol. 89，605—618.

[4]　William Easterly，1993，"How much do Distortions Affect Growth"，Journal of Monetary Economics，Vol. 32，187—212.

[5]　Saltz，s.，1992，"The negative correlation between foreign direct investment and economic growth in the third world: theory and evidence"，Rivisa Internazionale di scienze Economiche e commerciali，7（39），617—633.

的经济增长贡献率呈跳跃式增长趋势。[①] 赵晋平（2001）在定性和定量分析外资流入的直接经济效果的基础上，建立了描述外资与中国 GDP 等主要宏观经济指标之间相互关系的数学模型，对外资流入与经济增长的关系进行了计量分析。分析结果表明，1980—1999 年的 20 年间，在中国 GDP 年均 9.7％的增长速度中，大约有 2.7％来自于利用外资的直接和间接贡献，也就是对中国经济增长的贡献率高达 28％。[②] 李静萍（2001）利用协整与误差修正模型，对经济全球化与中国经济增长的关系进行了分析，认为全球化（包括外商投资）对中国经济增长具有积极的促进作用。[③] 沈坤荣和耿强（2001）通过构建内生增长模型，对外国直接投资、技术外溢与内生经济增长进行了实证分析和检验。[④] 窦祥胜（2002）研究了国际资本流动对资本、技术、人力资本的制度等经济增长因素的结构变迁的影响，进而实证分析了 FDI 对经济增长的作用。[⑤] 江小涓（2002）认为，外资经济的重要作用体现在提供资金来源、改善投资效益、扩大产出、引进先进技术和研发能力、提升产业结构、扩大出口和提升出口商品结构以及推进体制改革等许多方面。[⑥] 桑秀国（2002）构建了一个以新经济增长理论为基础的理论模型，并对 FDI 与中国经济增长

---

① 参见王新：《外商直接投资对中国经济增长的贡献》，《外国经济与管理》1999 年第 3 期。

② 参见赵晋平：《利用外资与中国经济增长》，人民出版社 2001 年版。

③ 参见李静萍：《经济全球化对中国经济增长的贡献分析》，《经济理论与经济管理》2001 年第 7 期。

④ 参见沈坤荣、耿强：《外国直接投资、技术外溢与内生经济增长》，《中国社会科学》2001 年第 5 期。

⑤ 参见窦祥胜：《国际资本流动、增长因素结构变迁与经济增长》，《经济理论与经济管理》2002 年第 2 期。

⑥ 参见江小涓：《中国的外资经济——对增长、结构升级和竞争力的贡献》，中国人民大学出版社 2002 年版，第 2 页。

的关系进行计量分析，主要结论包括，FDI 与经济增长存在正相关，但还不能说 FDI 是中国经济增长的原因，相反，中国经济增长是 FDI 流入量增长的原因。[①] 赵伟指出，一般认为，中国引进外资至少有五个正效应：（1）资本形成效应；（2）就业创造效应；（3）技术进步效应；（4）外贸扩张效应；（5）国企改制效应。可是直至目前，国内、省内引进外资主要强调的是（1）和（5）两个目标。有不少学者研究了 FDI 对中国经济增长的负面影响。江小涓、李蕊（2001）则通过对 FDI 与我国各工业行业相关关系的实证分析，得出在某些行业中存在着外资的挤出效应的结论[②]。

近年来，不少学者开始关注.FDI 在区域经济发展中的重要作用。李小建认为，外资对区域经济的影响，主要通过资本形成、生产活动的介入等促进区域经济发展，带动技术、贸易、产业结构的变化，促进就业等；FDI 对沿海地区经济增长具有显著影响，但并非是促使这些地区经济增长的最主要影响变量，外资对沿海地区技术水平和管理水平的提高有重要促进作用。[③] 钟昌标（2000）采用回归分析的方法研究了 FDI 对我国不同区域经济增长的影响，认为外资对我国不同区域经济增长的影响存在差异性。但总体来说，FDI 与我国经济增长具有较强的相关性。花俊等（2001）利用 Granger 因果性检验法检验了我国各地区 FDI 对区域经济增长的影响，发现 FDI 对我国区域经济增长并没有决定性的影响，而西部地区较之东部沿海地区，FDI 对区域经济增长

61

①　参见桑秀国：《利用外资与经济增长——一个基于新经济增长理论的模型及对中国数据的验证》，《管理世界》2002 年第 9 期。

②　参见江小涓、李蕊：《FDI 对中国经济增长和技术进步的贡献》，《中国工业经济》2002 年第 7 期。

③　参见李小建：《外商直接投资对中国沿海地区经济发展的影响》，《地理学报》1999 年。

有着较为显著的影响。[①] 武剑（2001）研究了 FDI 与区域经济差距的关系，认为 FDI 的地区差距是形成区域经济差距的次重要原因。在外商直接投资上，这种地区差距就显得更加突出。东部地区 FDI 的投资效率为 1.517，而在中西部地区仅为 1.305 和 1.174。有理由相信投资效率在地区之间的差距十分显著，它是造成中国区域经济差距继续扩大的一个重要原因。[②] 胡鞍钢（2001）认为，利用外资与自筹资金一样，是造成区域经济增长差异的主要因素。武剑（2002）以经济增长理论为背景，运用多维方差分析模型，对我国地区间 GDP 差距、国内投资数量差距、国内投资效率差距、FDI 数量差距和 FDI 效率差距等关键变量进行了分析研究。结果表明，FDI 的地区分布不能有效解释各地区经济的不平衡状况，相反，国内投资的地区差距，特别是在投资效率上的显著差别，是造成区域经济差距长期存在的主要因素。[③] 魏后凯（2002）认为，东部地区与西部地区之间 GDP 增长率的差异大约有 90% 是由 FDI 的差异所引起，东部地区对 FDI 的运作已进入一个 FDI 流入——形成资本——扩大出口——增加就业——推动经济发展的区域循环因果效应中，而中西部地区的 FDI 对 GDP 增长的影响则缺乏显著性。[④] 李萍、李未无（2002）认为我国区域经济开放程度的二元化态势，直接影响到 FDI 在东、西部投入的数量的差异，进而影响到东、西部资本形成能力、资本运营方式、资本使用效率的差异，而这正是决定改革开放 20 年来东、西部地区经济发展差距日益扩大，区域经济

---

① 参见花俊：《外资对我国区域经济增长的影响》，《经济地理》2001 年 11 月。

② 参见武剑：《外国直接投资与区域经济差距》，《中国改革》2001 年第 3 期。

③ 参见武剑：《外国直接投资的区域分布及其经济增长效应》，《经济研究》2002 年第 4 期。

④ 参见魏后凯：《外商直接投资对中国区域经济增长的影响》，《经济研究》2002 年第 4 期。

呈现二元化格局的主要原因之一。[①]

在外资是否对内资产生"挤出效应"的问题上，实证研究得出了不同的结论。但 Borensztein，Gregorio 和 Lee（1995）通过对 69 个发展中国家 1970—1989 年数据的考察，认为外商直接投资并不存在挤出效应（Crowding—out effects）。王韧、曾国平、任毅（2004）以我国东西部地区在 1986—2001 年外商直接投资、全社会固定资产投资以及 GDP 的时间序列数据为基础，通过多种形式的计量分析，对我国在 FDI 利用上的区际差距及其"挤出效应"的存在进行了深入考察，实证分析表明，短期 FDI 的引入确实对当地的国内投资产生了一定的"挤出效应"，西部地区的 FDI"挤出效应"要明显大于东部地区。[②]

三、评价与思考

在经济学说史上，资本形成成为经济学家们研究经济增长和经济发展问题的重点之一。古典经济学家非常重视资本形成在经济增长中的作用。亚当·斯密指出了资本积累对经济增长的关键影响。在现代经济增长理论中，资本形成的作用几乎成为经济增长模型中最重要的决定因素。在哈罗德—多马模型（G＝S/V）中，储蓄率 S 成为决定经济增长的唯一因素。刘易斯在其"二元经济论"中也指出，经济发展的中心问题是资本积累率的迅速提高。纳克斯认为，资本形成不足是经济发展的主要障碍。发展中国家利用外资理论把外国资本和国内资本看成是同质的，在量上可以加总，因而可以用外资填补内资缺口。在理论上大多数经济学家认为外资能够促进受资国的经济发展。为此，早期发展经济

---

① 参见李萍、李未无：《区域经济增长与外国直接投资》，《经济理论与经济管理》2002 年第 7 期。

② 参见王韧、曾国平、任毅：《外商投资绩效及其"挤出效应"的区际实证》，《当代财经》2004 年第 1 期。

学家把迅速提升一个经济的产业结构和技术结构,作为经济发展和赶超发达经济的关键。这些学说思想曾对许多发展中国家的发展战略产生广泛的影响,但是并未收到显著的效果。

多数研究者认为FDI的"外部性"或者"溢出效应"是促进受资国经济增长的有效途径。FDI的"外部性"或者"溢出效应"主要表现为:国外公司为他们的当地供应商或者客户提供技术帮助,培训员工等;国外公司带来的竞争压力可以使国内公司更加有效地运转,激励他们引进新技术;国外公司可以通过其良好的国际网络使国内企业融入国际市场,比如转包合同就可以使国内公司借机进入国际市场,因此即使国内企业不是跨国系统中的一员,仍然可以利用进入国际市场的这种优势。许多经济学家在考察经济增长的原因时更关注技术进步、制度创新等全要素生产率的提高在经济增长中的作用。但是发展中国家经济发展中资本形成的基础作用仍是不能否定的,没有资本形成,不可能有技术进步,即使是发达国家,技术进步率也与投资率存在高度的相关性。技术的研究和开发需要资本的投入,技术进步需要通过各种新的资本设备投入才能完成。随着新制度经济学的发展,制度作为经济发展的内生变量在经济发展中的作用被越来越多的人所认识,但制度也不能替代资本形成在经济发展中的作用。因此资本形成在经济发展中的基础作用,尤其在发展中国家的独特作用,是我们理解经济发展的关键点。

计量经济学的发展为研究 FDI 与经济增长的关系提供了有力的分析手段。许多学者对 FDI 与经济增长的关系进行了深入的研究,已经取得长足的进步,得出了有价值的结论。但是受使用模型、样本选择的差异的影响,得出的结论有较大的差异。因此,需要用定性与定量相结合的方法研究 FDI 与区域经济发展的关系。

64

外资对我国经济增长的作用得到了许多学者的实证研究的支持。较多文献集中在外资对我国地区收入和增长率差距影响的研究上，而有关外资对区域经济发展影响机制的研究则很少。以往研究中比较注意 FDI 与区域经济相关性的研究，缺乏在我国转型时期制度背景下两者关联机制的研究，也缺乏外资促进区域经济发展条件的研究。在学术界普遍重视 FDI 对区域经济发展影响研究的同时，有关区际投资对区域经济发展影响的问题却被忽视了。实际上，内资在地区间的流动对我国区域经济发展的影响也十分重要。

第二节　内外资促进区域经济发展的机制和条件

65

一、外资促进区域经济发展的机制

外资流动的形式主要包括：国际间资本的借贷和外商直接投资。考虑到 FDI 是我国利用外资的主要形式，本书主要阐述 FDI 在区域经济发展中的效应。FDI 主要通过资本形成、技术进步、产业结构的提升、人力资本的增加、制度变迁等途径促进区域经济的发展（见图 2—2）。内外资流动与区域经济发展具有累积效应，内外资的流入能促进区域经济的发展，区域经济发展又进一步吸引更多的外资，并能促进区域对外直接投资，实现更高层次的资本流动。尽管外资对内资存在一定的"挤出效应"，外资的引入能带动内资的流入，内资的流入能吸引更高层次外资的进入。

1. 资本形成

FDI 的直接效应是促进区域的资本形成，增加区域人均资本的存量，提高区域经济增长率。FDI 的资本形成效应主要体现在：

（1）FDI 通过创办新企业，在扩大投资规模的同时形成新的生产能力，提高区域的总体产出水平。

（2）FDI 的实质是经营资源转移，是经营资源从边际生产率相对较低的地区向边际生产率相对较高的地区的转移。一般情况下，FDI 的资本边际产出大于区域的资本平均产出水平，FDI 直接提高了区域的人均产出水平。FDI 不仅弥补区域货币资本的不足，又能引进企业家资源，促进本地人力资源的开发、企业管理理念的改变、管理水平的提高和营销方式的改进。

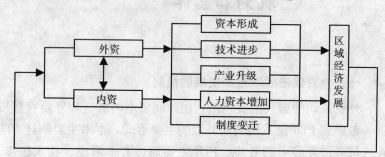

图 2—2　FDI 促进区域经济发展的机制

（3）FDI 通过前向或后向引致投资吸引内资，提高区域资本形成能力。外资企业的集聚能够吸引国内外的配套企业，而且企业的规模越大，这种吸引力就越强。FDI 比较集中的地区，往往对区外企业产生更强的吸引力，增加内资的流入。

（4）FDI 能够提高本地资本形成系数，提高本地资本形成能力，加快资本形成。外资企业有更高的资本形成系数，能提高本地资本形成系数，加快资本形成。

资本形成效应在不同的区域存在明显的差异性。在区域经济相对发达的地区，资本形成效应相对较弱。这些地区资本相对充裕，资本形成能力相对较强，FDI 对资本形成的影响相对较弱，而相对落后地区，资本相对稀缺，FDI 对资本形成的影响更加明显。

2. 技术进步

FDI 不仅影响资本形成，而且能有效地促进区域的技术进步，影响区域经济的长期增长。FDI 对区域技术进步的影响效应主要体现在（见图 2—3）：

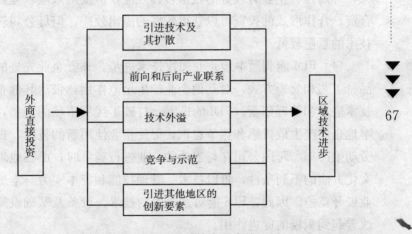

图 2—3　FDI 促进区域技术进步的机制

（1）FDI 直接引进发达国家的先进技术，并通过市场竞争使生产技术进一步扩散，提高区域的整体技术水平，改变区域生产函数，提高区域的人均产出水平。外商直接投资企业引进先进技术的主要途径包括：引进技术含量较高的资本货物和加工工艺，高效率地使用这些资本货物和工艺，引进研发能力等。

（2）FDI 通过前向和后向的产业联系，拉动或促进技术进步。跨国公司在配套企业的本土化过程中，通过与配套企业间建立的产业联系，如通过向企业购买零部件和原材料，对质量、技术和性能提出更高的要求等，促进相关部门的技术进步。

（3）FDI 的技术外溢效应促进本地的技术进步。FDI 利用本地雇员的特殊社会网络，不断拓宽本地的市场渠道，加速了知识和技术在本地的扩散。跨国公司在区域内设立研发机构，雇佣本土化人才，对区域内产生技术外溢效应。FDI 对区域技术进步的影响与投资国来源有关，跨国公司越是具有技术的绝对优势，就越对投资地有技术溢出效应。技术溢出效应还与 FDI 的形式有关，外商独资企业有较好的技术转移效应，但溢出效应较差，而合资、合作形式的投资可以获得较好的溢出效应，但母公司转移技术的意愿较低。

（4）FDI 能刺激本地企业加快技术进步。外资企业先进的产品、工艺和管理方式，对其他企业产生示范作用，带动其他企业技术进步和管理创新。FDI 的进入，打破了区域市场的均衡，使本地企业产生危机感和竞争意识，促使企业使用新的技术，提高劳动生产率。跨国公司在与当地的企业进行竞争时，面临地理及文化方面的不利条件，将以技术、管理技能和资本实力与本地企业展开竞争。因此，FDI 能对东道国的技术、设备及基础设施的改善起到积极的促进作用。

（5）FDI 能吸引其他地区的创新要素，提高区域创新能力。跨国公司往往能吸引区外优秀人才和技术等创新要素，促使企业、研发机构和地方政府有效的学习能力、技术能力、创新能力的持续积累，提高本区域的创新能力。这些创新要素是一个地区产业获得长久国际竞争力的一个决定性因素，影响地区的长期经济增长。外商投资密集的地区，能对其他地区甚至全球的创新要素产生强大的吸引，在较短的时间集聚大量创新要素，迅速提升区域创新能力。

不能否认，FDI 对区域技术进步可能存在一定程度的抑制作用。特别是外商投资的高新技术企业这一现象更加明显。外商投资的高新技术企业，一般不愿向区域内相同的企业"外溢"技术，本土企业无缘接触到技术的内核。高新技术产品如通讯设备、计算机和办公设备等，由于缺少自己的核心技术，赢利能力受到限制和挤压。

3. 产业结构调整

FDI 对区域产业结构的提升通过不同的层次进行，主要通过优化资源配置结构，实现技术进步来促进产业结构的优化升级。

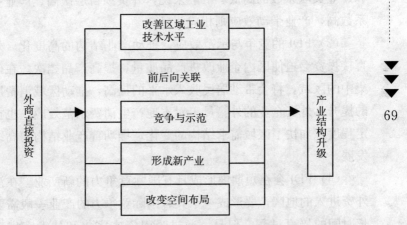

图 2—4 FDI 促进区域产业结构升级的机制

（1）FDI 能改善区域工业技术水平，提高区域产业在国际产业分工体系中的地位。跨国公司通过把技术和创新活动引入东道国子公司，或以签订许可证协议、管理合同和合作生产合同等形式，提高和改善区域某些高级要素和专门要素供给条件，一方面促进了出口导向工业的发展，使本地产业直接进入世界分工体系，提高出口产业的国际竞争力；另一方面通过传统产业嫁接外资，缩短与先进国家的技术差距，提升了工业技术层次。同时，

FDI 能使区域生产体系进入世界营销网络，提升区域的产业层次。

（2）FDI 的前后向关联作用，促进区域产业结构的升级。跨国公司为了提高市场竞争力，会利用区域产业网络，不断扩大寻找合作伙伴的范围，使本地企业纳入跨国公司的国际化生产网络体系，从而使其生产和经营方向同大公司主导的产业结构变动保持高度的相关性，促进本地产业结构的高度化。外商直接投资对区域产业结构的提升作用大小，取决于外资项目本身的产业层次和产业关联系数的高低。一般来说，外资项目层次高、产业关联系数高，产业带动效应则相应明显。

（3）FDI 的竞争与示范效应，推动产业结构的高度化。外商直接投资会迫使区内企业改进产品质量、提高产品档次。在外资集中的区域，将会带动居民收入水平的提高，推动区域消费层次的提升。外资企业的外籍员工对本地产生消费示范效应，也在一定程度上加快了区域需求结构的变化，推动着产业结构向高级化发展。

（4）FDI 会在短期内形成具有国际竞争力的新产业。在没有外资进入的地区，要形成一个具有国际竞争力的产业一般需要较长时间的培育过程。但是，通过吸引资本密集和技术密集型企业，有可能在较短的时间内形成一个新产业，提升区域产业层次。长江三角洲在生物医药、微电子等行业中接受国际产业转移，正逐步成为全球先进制造业基地。

（5）FDI 改变了区域产业空间布局。外资进入时，选择投资环境好、报酬率高的地区。区位条件好的地区，外资的集聚能产生集聚经济，实现规模报酬递增。龙头型跨国公司往往会吸引大量的配套企业，以降低运输成本、交易成本。因此，外资形成的产业集群能对周边地区的生产要素产生强烈的吸引作用，在较短的时间内形成新的产业带，改变区域产业的空间布局。

4. 人力资本增加

跨国公司的竞争优势无法脱离其人力资源而完全物化在设备和技术上，跨国公司往往十分重视人力资源的开发，相应提高了区域人力资本存量。跨国公司对区域人力资本的影响主要表现在：

（1）与本地科技人员进行合作研究和技术开发。跨国公司通过与区域内大学和科研机构建立研究中心、实验室或企业内部设立研发机构等，开展合作研究和技术开发，培养适应市场竞争战略要求的高水平技术人才。

（2）培养企业高级管理人才和员工。跨国公司经常将本土高级管理人才送往公司总部或全球性培训中心进行培训。通过这种培训，跨国公司的全球战略、经营理念、技术要求、管理特点、营销方式等被这些高级技术及管理人员所了解和掌握，使他们开阔了眼界，掌握了代表世界先进水平的管理和技术水平[①]。跨国公司还经常对本企业员工开展各种类型的培训，以提高员工的业务能力和整体素质。

71

（3）对区外优秀人才的吸引。跨国公司实力雄厚，在人才市场上具有很强的竞争力，能大量吸引区外高技能的人才和高素质的管理者，使本地高素质人才资源迅速增加。赫雷（Hawley）的研究指出，大规模的迁移总是以资本移动为先导的。迁移流是从资本投资率低的地区向资本投资率高的地区流动。当然，跨国公司拥有丰厚的报酬和良好的工作环境，这对本地企业的技术人才和管理人员的吸引作用也比较明显，在短期内会造成本土企业人才的流失。如果这些新兴产业的人力资源得不到及时的补充，

① 参见江小涓：《中国的外资经济——对增长、结构升级和竞争力的贡献》，中国人民大学出版社 2002 年版，第 40 页。

将使区域本土企业的自主创新能力衰退，区域的经济发展对外资的依赖性加深，有可能演化为跨国公司单纯的生产和加工基地。

5. 制度变迁

FDI能从宏观和微观层面上影响区域的制度变迁，其影响机制主要表现在：

（1）FDI本身要求地方政府营造与资本输出地相似的投资环境，迫使有关政策与国际接轨，推动政府实现强制性制度变迁。地方政府为吸引外资而改善投资环境，产生增加制度供给的内在动力。因此，外资进入比较早的地区，体制转型也比较早，能比其他地区更早地建立起市场经济体制。

（2）FDI对区域内企业产生示范效应，对企业的用工制度、分配制度、管理制度产生影响，促进区内企业制度变迁。FDI也能激发区域的企业家精神，促进区域产权制度的变迁，改善所有制结构。

72

（3）FDI影响本地居民的思想观念，对本地非正式制度产生影响。外商投资企业比较集中的区域，外资员工的消费观念、工作态度、价值观念都能对区域文化产生影响，使当地居民有更多的机会接触国外先进的思想观念、文化意识和风俗习惯，区域文化在与外来文化碰撞、融合过程中，有可能产生新的文化形态，实现本土文化的创新。

二、内资促进区域经济发展的机制

内资主要表现为货币资本的流入（如通过银行的地区间拆借）和直接投资两种形式。改革开放以来区际直接投资可以分为两个阶段。第一阶段，以20世纪80年代"三线企业"的外迁为主要特征。具体表现为不少"三线企业"向沿海地区的搬迁。这次区际投资主要是在市场机制的作用下产生的，是对计划体制下产业布局的市场矫正，对沿海地区的工业化产生了影响。第二阶段是 20 世纪 90 年代中期以后形成的区域间直接投资，其主要特征是沿海发达地区向中西部和东北地区投资。这是在中央开发西部、振兴东北等一系列区域开发政策和区域经济发展规律的作用下形成的，主要是市场机制作用的结果。

内资促进区域经济发展的机制主要通过资本形成、产业升级、人力资本增加、制度创新等途径影响区域经济的发展。内资与外资对区域经济发展的影响机制的差异主要体现在：

（1）FDI 对区域经济发展的影响更主要体现在对区域技术进步的影响上。一般情况下，FDI 能够带来比国内更为先进的生产技术、管理方法和营销经验等一揽子知识资产。尽管外资技术溢出效应可能并不大，但其竞争和示范效应对区域技术进步的作用是不可忽视的。相比较而言，内资企业在技术上的优势不是很明显，对区域技术进步的作用相对较弱。

（2）FDI 对区域产业结构的影响比内资企业更大。与内资企业相比，外商投资企业具有开拓国际市场能力较强、与跨国公司全球体系联系密切等优势。本土企业在与跨国公司合作过程中，可以利用其全球营销网络优势扩大企业的影响力。

（3）内资企业对区域微观层次制度变迁的影响更大。内资企业与本地文化具有更强的亲和力，对区域制度创新具有更大的借鉴意义。民营企业的跨区域投资，管理人员与员工的沟通显得更有效，对区域产生的示范效应更显著。由于拥有共同的文化基础，内资企业的管理制度、企业文化更容易被本土企业模仿和移植。

为了吸引更多的 FDI，除了国家层面上的优惠政策外，各地纷纷出台地区优惠政策，对外资提供"超国民待遇"。引进外资的成本代价过大，会对区域经济发展会产生不利的影响。许多地方已经注意到这个问题，在引进外资的同时，加大对内资的引进。区际直接投资进入了一个新的发展时期。

三、内外资促进区域经济发展的条件

内外资促进区域经济发展作用的大小受到很多因素的制约，主要包括：

1. 资本形成能力

当区内储蓄与投资存在缺口且区域资本形成能力较强时，内外资能较快形成生产资本，外资的流入起到了弥补区内资金缺口的作用，对区域经济增长将起到积极的作用。但当区域资本形成能力较弱时，可能形成外资对区内资本的替代。外资对区内资本的替代可能在两种情况下发生：（1）外资转化为消费资金，引进的外资没有全部转化为生产投资，用于进口消费品；（2）区内资本的边际成本高于外资的边际成本，相应增加对外资的需求，形成外资对区内资本的替代，抑制区内储蓄的增长。在区际直接投资中，资本输入虽然能增加区域资本存量，但如果资本的所有者不同时发生流动，资本的收益将回流至资本输出地。

2. 人力资本存量

促进区域经济增长的关键因素是区域技术创新能力，而区域技术创新能力的提高与区域人力资本相关。Borensztein，De Gregorio 和 Lee（1998）指出，当教育水平低下时，FDI 与东道国经济增长的联系是负面的；但是，如果一个国家成年人的教育水平高于中学一年级，那么，FDI 就能对东道国经济增长产生极大的促进作用。由此可见，FDI 对区域经济发展促进作用的大小与区域人力资本存量有关。人力资本存量高的区域，吸收更多的技术和知识，能获得更大的外溢效应，FDI 对区域经济发展有较强的促进作用。而区域人力资本存量低的地区，由于对新知识、新技术的吸收能力弱，不能获得更大的溢出效应，FDI 对区域经济发展促进作用相对较弱。随着资本流入数量的增加，受要素报酬递减规律的影响，

区域吸收能力的约束也会引起投资效率的下降。这时外资流入的成本递增，对区域经济发展将产生负面影响。

3. 产业类型和企业的竞争力

FDI 的技术转移和溢出效应与现有产业的类型有关。一般来说，劳动密集型产业的厂商面临竞争比较完全的市场结构，跨国投资者对这方面的技术控制也较弱，跨国公司容易与本地企业开展合作，本地企业比较容易获得技术转移和扩散。而资本—技术密集型产业多为垄断竞争和寡头垄断的市场结构，跨国公司有动力和能力严格控制技术的转移和扩散。同时，这类产业对零部件和原料有较高的技术要求，要实现中间产品的本地化生产和采购的难度很大，本地企业获得技术转移和扩散的难度更大。

FDI 促进区域经济发展作用的大小还与外资和本地产业的耦合程度有关。如果本地产业与外资的产业有较强的配套协作关系，外资对产业的带动性强，对本地区上下游产业的带动作用明显。外资如果能够在本地产业链的薄弱环节投资，能显著增强本地产业链的竞争力。如果本地产业与外资配套协作关系弱，则外资对本地产业的带动作用弱，容易造成外资的"飞地"现象。

75

本地企业的学习能力决定了对外资企业外溢效应的吸收能力。如果本土企业学习能力强，就能在外资企业的示范和竞争压力下实现模仿和创新，促进技术进步和管理水平的提升，实现生产报酬递增，促进区域经济增长；而本土企业学习能力弱，面对外资企业的竞争压力，企业的市场份额就会减少甚至导致区域产业衰落。

4. 基础设施的完善程度

基础设施（如道路、港口等）将直接影响外资企业的辐射范围和物流成本，对企业竞争力有较大影响。良好的基础设施能提高外商的辐射范围，在更大的范围内配置资源，吸引更多的区外要素，对区域经济发展产生更大的影响；而较差的基础设施提高了外商直接投资企业的物流成本，降低了外商直接投资对区域的产业带动能力，也影响了外商的进一步投资。

5. 制度因素

区域金融政策直接影响区域资本形成能力。区域如果缺乏有效率的投融资体制，将降低经济的活力，进而影响内外资企业对区域资本促进作用的形成。区域竞争环境直接影响区域内企业的活力，进而影响区域内企业对外资企业外溢效应的吸收能力。地方政府间利用外资的过度竞争将导致利用外资效率的损失。对外资企业实行大量的减免税收，以低价的土地、基础设施、能源等方式提供变相补贴，扭曲了有形资本的资源配置，抑制了区际直接投资和区内企业的发展。

区域非正式制度影响人们的价值观念、工作习惯等。区内居民对工作的态度和创业精神，将直接影响区域对外资溢出效应的吸收能力。地方政府、企业和居民的诚信将增加与跨国公司的合作机会，否则，将失去进一步合作的可能。面对跨国公司的进入，有些小企业竞相利用降低产品价格而进行竞争，区域内的机会主义不断出现，这些非正常的因子破坏了一些信任的基石和合作的基础。

第三节　内外资与江浙经济发展

一、外资对江浙经济发展的影响

1. 外资对江浙经济发展的贡献度

外商直接投资是江浙两省利用外资的主要形式，主要集中在两省制造业。因此，通过考察江浙制造业外资的贡献率，便可大致判断外资对江浙经济影响情况。表 2—1 为重要年份中，外商及港澳台投资企业对江苏、浙江与全国的工业增长、税收贡献的对比。从 2—1 表中可以看出，江浙两省外商及港澳台投资企业在规模以上工业企业的工业增加值中的比重不断上升，江苏从 2000 年的 27.3％增加到 2004 年的 36.5％，浙江从 1995 年的 13.2％增加到 2004 年的 25.4％。2004 年，外商及港澳台投资企业出口已占江苏出口总额的 74.5％，占浙江出口总额的 33.8％。外商及港澳台投资企业就业人数、增值税的比重均在不断地提高，2004 年已超过 20％。外商及港澳台投资企业对就业的影响涉及两个层面，一是企业本身在当地吸纳了较多的产业工人及管理人员，二是通过其配套企业和为之提供服务的其他部门为当地创造就业机会。2004 年江苏外商及港澳台投资企业从业人数已达 174.01 万人，占规模以上工业企业从业人数的 27.9％。总体来看，外商直接投资已对江浙经济产生了较大的影响。相比较而言，外商及港澳台投资企业对江苏经济发展的影响更显著。

表 2—1　外商及港澳台投资企业对江苏、浙江、全国工业增长、税收的贡献

地区	指标（％）	1995	2000	2004
江苏	增值税比重	—	28.1	25.3
	工业增加值比重	—	27.3	36.5
	出口比重	30.0	56.1	74.5
	就业比重	—	16.3	27.9
浙江	增值税比重	11.9	16.3	20.8
	工业增加值比重	13.2	17.9	25.4
	出口比重	18.4	27.5	33.8
	就业比重	10.2	15.9	25.2

地区	指标（%）	1995	2000	2004
全国	增值税比重	13.1	20.0	—
	工业增加值比重	16.7	24.0	28.6
	出口比重	31.6	47.9	58.3

数据来源：根据相应年份《浙江统计年鉴》、《江苏统计年鉴》、《中国统计年鉴》统计计算。

注：全部国有及规模以上非国有工业企业数据。

2. 外资与经济增长的相关性分析

如果用 GDP 代表国内生产总值，DK 表示国内投资形成的资本存量，FK 代表外商直接投资形成的资本存量，L 代表劳动者就业人数，区域生产函数可以写成：

$$GDP = ADK^\alpha FK^\beta L^\gamma e^u \qquad (2-1)$$

假设规模报酬不变，两边取对数后，计量模型可写为：

$$Ln\,(GDP/L) = LnA + \alpha Ln\,(DK/L) + \beta Ln\,(FK/L) + u \qquad (2-2)$$

模型计算时国内变量用 1985 年的可比价计算，以消除物价因素对变量的影响，FDI 用实际利用外资数量表示，并用美国的物价指数缩减。资本存量的计算采用永续盘存法：

$$K_t = I_t + (1-\text{折旧率})\,K_{t-1} \qquad (2-3)$$

1985 年江苏、浙江的资本存量和折旧率采用张军（2005）的计算数据，[①] 浙江固定资产投资指数利用上海的数据，江苏固定资产投资指数 1985—1990 年采用商品零售价格指数，1991—2004 年采用统计年鉴公布的固定资产投资价格指数计算。计算结果见表 2—2。

① 参见张军：《资本形成、投资效率与中国的经济增长——实证研究》，清华大学出版社 2004 年版，第 43 页。

表 2—2 1985—2004 年江苏、浙江 Ln（GDP/L）回归结果

江苏	估计系数	t	浙江	估计系数	t
常数项	0.377	9.76	常数项	0.076	2.26
Ln（DK/L）	0.784	9.92	LnDK	0.558	10.16
Ln（FK/L）	0.165	5.87	LnFK	0.127	6.28
$R^2=0.998$，F=1812.51，DW=1.82			$R^2=0.999$，F=3730.87，DW=1.93		

注：江苏进行二阶自相关校正，浙江进行一阶自相关校正。

从表 2—2 中可以看出，江苏、浙江 Ln（GDP/L）回归模型 R^2 均在 0.99 以上，各项系数的 t 值也较大，模型具有显著的统计学意义。回归数据表明，外资对江苏、浙江经济增长均产生显著正向影响，弹性系数分别为 0.165、0.127。弹性系数值表明，FDI 对江苏经济增长的作用略强于浙江。

3. 内资对江浙经济发展的影响

可用资金依存度指标反映内资对区域经济发展的影响：

资金依存度=外地输入本地资金额/本地区 GDP

江浙地区开放程度高，投资环境好，交易成本相对较低、投资机会多，吸引了大量区外资金。由于缺乏区际之间资金流动的数据，资金依存度用固定资产投资来源中自筹投资占 GDP 的比重来替代（赵伟，2005）。从表 2—3 可以看出，江浙两省自筹资金依存度总体趋势不断上升，分别从 1990 年的 7.5%、11.5%增加到 2004 年的 19.1%、26.3%。数据表明，内资的流动对江浙经济发展产生了较大的影响。表 2—4 表示若干年份苏州引进内资情况，从表中可以看出，苏州吸引内资项目增长较快，从 1999 年到 2005 年，引进内资的项目从 250 个增加到 4469 个，实际利用内资金额从 70 亿元增加到 205 亿元，区外资金占固定资产投资比重超过 10%，2003 年曾达到 21.3%。内资占 GDP 的比重多年稳定在 5%左右。2005 年苏州吸引内资与实际利用外资的

比例达到 41.3%。

表 2—3　重要年份江浙自筹资金依存度　（%）

地区	1985	1990	1995	2000	2004
江苏	—	7.5	14.5	7.8	19.1
浙江	8.4	11.5	21.2	11.1	26.3

注：2004 年为限额以上固定资产投资完成额。

表 2—4　若干年份苏州引进内资占固定资产、GDP 比重

项目	1999	2000	2003	2004	2005
实际吸引内资项目（个）	250	—	3232	4141	4469
实际吸引内资数量（亿元）	70	80	300	171.7	205
内资占固定资产投资比重（%）	14.7	15.5	21.3	11.0	11.0
内资占 GDP 比重（%）	5.2	5.2	10.7	5.0	5.1

资料来源：根据相应年份苏州《统计公报》。

注：内资指区外资金，2004 年、2005 年内资为外地注册资本。

　　反映江浙两省吸引国内资金的另一重要数据是两省企业在证券市场上的上市公司数量和融资数量。截止 2005 年末，浙江、江苏上市公司分别为 101 家和 97 家，位居全国第二位和第三位。2004 年末，浙江省累计通过证券市场募集资金 441.7 亿元。江苏省江阴市和浙江省绍兴市是证券市场融资的典型地区。截止 2004 年，江阴上市公司达 18 家，累计募集资金 82 亿元。截止 2005 年末，绍兴共有上市公司 24 家，累计筹集资金 87.20 亿元。

二、内外资对江浙要素积累的影响

1. 资本形成

　　区域资本形成的前提是固定资产投资，固定资产的数量和质量直接影响资本形成。表 2—5、2—6 显示了重要年份江苏、浙江固定资产投资资金来源。改革开放以来，两省引进外资数量增长较快，江苏从 1990 年的 15.92 亿元增加到 2004 年的 641.66

亿元,浙江从 1990 年的 4.21 亿元增加到 2004 年的 221.81 亿元,外资在江苏资本形成中的比重更大。自筹投资在两省资本形成中变化最大,江苏省从 1990 年的 29.9% 增加到 2004 年的 61.5%,浙江从 1990 年的 30.5% 增加到 2004 年的 44.8%。国内贷款、外商直接投资和自筹投资是江浙资本形成的主要来源,说明区际开放与对外开放是江浙两省获得区外资金的重要途径。江浙地区利用优越的区位条件和较好的投资环境吸引了区外和国外资金,保证了区域经济高速发展的资金来源。

表 2—5 重要年份江苏全社会固定资产投资资金来源

年份	国内贷款		利用外资		自筹投资	
	总额(亿元)	比重(%)	总额(亿元)	比重(%)	总额(亿元)	比重(%)
1985	36.79	19.2	—	—	—	—
1990	45.47	12.8	15.92	4.5	106.47	29.9
1995	270.16	16.1	228.89	13.6	880.02	52.4
2000	489.04	16.3	281.17	9.4	1827.79	61.0
2004	1233.07	18.1	641.66	9.4	4201.29	61.5

资料来源:根据相应年份《江苏统计年鉴》。

注:自筹投资中含发行债券部分。

表 2—6 重要年份浙江全社会固定资产投资资金来源

年份	国内贷款		利用外资		自筹投资	
	总额(亿元)	比重(%)	总额(亿元)	比重(%)	总额(亿元)	比重(%)
1985	—		0.32	0.31	35.75	3.5
1990	27.02	14.5	4.21	2.3	57.11	30.5
1995	244.42	18.0	77.46	5.7	745.94	54.9
2000	393.8	26.4	88.75	5.96	668.05	44.8
2004	1451.34	21.98	221.81	3.36	2957.9	44.8

资料来源:根据相应年份《浙江统计年鉴》。

注:2004 年数据为限额以上固定资产完成情况。

2. 技术进步

外商直接投资通过增加科技活动投入和增加设备进口产生的技术转移和扩散效应，加快了江浙两省制造业的技术进步。电子及通信设备制造业、电子计算机及办公设备制造业，是江苏 FDI 最集中的领域，2004 年占制造业 FDI 的 31.8%。这两大行业的科技活动是江苏制造业最活跃的行业，2004 年，从事电子及通信设备制造业的科技活动人员为 24412 人，占江苏高新技术产业科技活动人数的 43.3%（见表 2－7），科技活动经费筹集为 54.0 亿元，占江苏高新技术活动经费筹集总量的 51.4%。外资企业的进入提高了江苏制造业的整体技术水平和组织效率，2004 年江苏"三资企业"的工业企业全员劳动生产率为 520661 元/人，其中电气机械及器材制造业的全员劳动生产率为 539441 元/人，电子计算机及办公设备制造业的全员劳动生产率为 802361 元/人。同期，江苏规模以上工业企业全员劳动生产率为 398597 元/人，其中电气机械及器材制造业的全员劳动生产率为 446070 元/人，通信设备、计算机及其他电子设备制造业的全员劳动生产率为 689722 元/人。数据表明，江苏"三资企业"劳动生产率明显高于行业平均水平，"三资企业"促进了江苏工业企业的技术进步。

表 2－7　2004 年江苏两大行业科技活动投入占高技术产业比重　（亿元）

行　业	科技活动人员		科技活动经费筹集	
	人数（人）	占比（%）	总额（万元）	占比（%）
电子及通信设备制造业	24412	43.3	539953	51.4
电子计算机及办公设备制造业	6557	11.6	175563	16.7

资料来源：根据 2005 年《江苏统计年鉴》整理。

3. 人力资本积累

内外资的流入使江浙地区吸引了大批人才，加快了江浙地区人力资本积累。苏南地区，由于 FDI 的集聚，吸引了来自海内外的各类人才，在较短时间内成为人才集聚的高地。2004 年，苏州拥有科技人才达 39.7 万人。据不完全统计，苏州市外籍人才达到 28000 多人，其中，昆山市已达 6200 人。"三资企业"集中了 70％以上的海外人才，昆山引进人才的 80％进入三资企业，已超过 12 万人。[①] 据浙江省统计局、浙江省对外贸易经济合作厅联合开展的一次问卷调查显示，世界 500 强在浙投资兴办的企业，专职管理人员中有 96.1％来自我国国内，专职技术人员中有 98.7％来自我国国内，另外在兼职的管理人员及技术人员中，也有 99.4％为我国本土人员。调查资料显示，外资企业对增加浙江人力资本产生了积极的影响。

三、外资对江浙产业结构的影响

1. 产业结构的国际化

外资的进入加快了江浙两省产业结构的国际化进程，促进江浙产业进入世界生产营销体系。表 2—8、2—9 反映了江苏、浙江外贸依存度与外资企业占外贸比重的情况。从表中可以看出，从 1990 年至 2005 年的 15 年间，江浙两省外贸依存度迅速上升，分别从 14.4％、14.8％增加到 102.0％、65.7％。外贸依存度的迅速上升，表明江浙地域参与全球一体化进程加速。而推动两省外贸依存度上升的主要力量是外资企业，外资企业外贸量占全部外贸业务量的比重，江苏从 1995 年的 47.9％增加到 2005 年的80.4％，浙江则从 2000 年的 33.7％增加到 2005 年的 39.5％。外资企业以国际市场为主，原材料以进口为主，使江浙地区的产业循环国际化。

83

---

① 江苏省人事厅项目组：《江苏省人才国际化战略实施调研报告》2005 年。

表 2—8　重要年份江苏外贸依存度与外资企业占外贸比重　（%）

指　标	1990	1995	2000	2005
外贸依存度	14.0	26.4	44.0	102.0
外资企业外贸比例	—	47.9	66.1	80.4

资料来源：根据相应年份《江苏统计年鉴》计算，2005 年数据来自江苏《统计公报》。

表 2—9　重要年份浙江外贸依存度与外资企业占外贸比重　（%）

指　标	1990	1995	2000	2005
外贸依存度	14.8	27.3	38.2	65.7
外资企业外贸比例	—	—	33.7	39.5

资料来源：根据相应年份《浙江统计年鉴》计算，2005 年数据来自浙江《统计公报》。

2. 产业结构的高度化

FDI 对江浙地区产业结构的高度化作用十分明显。江苏外资企业主要集中在制造业，特别是在高科技行业。从表 2—10 可以看出，江苏、浙江外资在四大行业的工业增加值中的比重比较大，2000 年，江苏外资企业在电气机械及器材制造业、电子及通信设备制造业、仪器仪表及文化办公用机械制造业增加值中的比重，分别为 26.0%、77.4%、53.4%，2004 年这一比重进一步上升，电子及通信设备制造业已达到 88.7%。而这四大行业占江苏规模以上工业企业工业增加值的比重已达四分之一。外资无疑对江苏产业结构的高度化起到了重要作用，特别是在苏南地区更加显著。2005 年，苏州通信设备、计算机及其他电子设备制造业的工业产值达 3287.47 亿元，占规模以上工业企业产值的比重已达到 34.2%。

外资的进入同样也促进了浙江省产业结构的调整，发挥了民间资本不可替代的作用。外资在浙江四大行业中的比重也在近几年中快速上升，如 2004 年外资在电子及通信设备制造业增加值

中的比重已达 57.6％。四大行业占全部工业产值的比重已达
15.3％。外资是带动浙江高新技术和机电产业发展和出口增长的
主要因素，外资在进口中也发挥了重要作用，引进了大批高新技
术及设备，促进了浙江产品的升级换代。

表 2—10　江苏、浙江外资占高新技术行业增加值的比重　（％）

行业	江苏		浙江	
	2000	2004	2000	2004
医药制造业	29.3	28.2	13.6	24.6
电气机械及器材制造业	26.0	36.8	16.1	22.3
电子及通信设备制造业	77.4	88.7	38.4	57.6
仪器仪表及文化办公用机械制造业	53.4	78.5	9.2	27.1
合计占规模以上企业比重	18.6	25.4	16.4	15.3

资料来源：2001 年、2005 年《江苏统计年鉴》、《浙江统计年鉴》。

注：电子及通信设备制造业 2005 年统计口径为通信设备、计算机及其他电子设
备制造业。

3. 产业组织的集群化

外资促进了江浙地区产业集群的形成和发展。在外资作用下
形成的江浙产业集群可以分为三种形式：①外资整体转移形成产
业集群。这种产业集群呈现出的产业链序列的"雁阵"特征非常
明显：由龙头企业带着与它配套的企业一起迁移，所产生的产业
集聚效应吸引了后来者不断进入，形成以龙头企业为首的产业
群，如苏州的微电子产业、平湖的光机电产业。苏南地区微电子
产业集聚的规模效应已经形成，而且这种优势正在不断强化。台
湾地区与苏南在区域 IT 产业的分工已由传统的垂直分工逐渐演
变为水平分工。1993 年台湾"宏基"开始落户时，采用垂直分
工方式生产的大多是电脑附属设备。进入 90 年代中后期，一批
微电子龙头企业相继落户苏州，带动了相应配套企业的迁移，形
成从上游的 IC 设计，到中游的 IC 制造，到下游的封状测试等完

整的产业链。苏州生产的小屏幕液晶显示器、电脑摄像探头、扫描仪等产品在世界市场中占有相当的比重。②外资嵌入原有产业集群。浙江各具特色的产业群具有极强的技术吸收和低成本生产组织能力，对外资产生了越来越强的吸引力，外资对产业集群的产业链投资成为外商投资的又一模式。外资与当地民营企业杂居在工业园区内，促进了本地企业与外资企业的产业融合，这两者分别居于产业链中的不同位置，互为配套，外资发挥了提升当地产业链竞争力的作用，本地企业通过出色的营销与处于全球产业链顶端的跨国企业实现对接。在绍兴，不少企业纷纷与外商合资合作上马纺织印染后整理、差别化纤维等项目，使得中国轻纺城里的织物越发地轻、薄、美、挺。③外资诱发形成产业集群。在外资的诱发带动下，本地企业不断产生、集聚，形成内资企业为主的产业集群。浙江嘉善县的木业集群与外资企业在当地的投资有关。1987 年，第一家合资木业企业在嘉善诞生，开创了嘉善木业发展的历史。随后，一部分技术人才和生产工人与靠嘉善商城、陶庄废钢材市场积累起来的资本相结合，开始从事胶合板行业的创业，并利用台湾等地木业转移的有利时机，逐步推动嘉善木业的形成与发展。1999 年木业产值占全县工业总产值的 30%，胶合板占全国同行业市场份额约 30%。

四、内外资对江浙制度变迁的影响

首先，FDI 有力地推动了江浙两省政府管理职能的转变。江浙两省为了营造良好的外商投资环境，大力推进制度创新，提高服务质量和水平，主动清理政策文件，简化外商投资审批手续，成为全国外商投资行政审批手续最简便的地区之一。江苏形成了外商投资一站式服务，定期走访，重点项目跟踪联系等工作制度，在全国率先建立了外商投资企业投诉调解网络和投资软环境监控系统。昆山在对外商的服务上不断创新，成为制度创新的改革极。1999 年，昆山推出了"诚信服务、规范行政、降本增效"三条服务措施。2000 年，昆山提出营造"亲商、安商、富商"的环境。2001 年昆山开展"诚信服务月"活动。经过多年努力，昆山已形成了"三大服务体系"，即外商投资审批时的一条龙服务、企业建设过程中的全方位服务、企业开工投产后的经常性服务；形成了沟通政府和外商之间的"三个渠道"，即市外商投资企业协会、台湾同胞投资企业协会、外资企业沙龙；成立了为外资企业提供配套服务的"三个中心"，即外商服务受理中心、外向配套协作中心、外商投诉中心。

其次，大量内外资企业的进入，对江浙两省企业组织形式和管理制度产生了影响。内外资企业的引入，促进了本土企业的股权开放，推动了江浙地区企业组织形式的变迁。在外资大量增加的同时，江苏私营企业迅速增加，2004 年规模以上私营企业数已达 14001 家，占规模以上企业总数的 51.6%，工业产值5895.13 亿元，占规模以上企业工业总产值的 23.7%。江浙两省的日资、台资、韩资企业的管理方式和生产方式，对本土企业产生了积极的影响，推动了本地企业管理制度的创新。

87

再次，大量外资企业的进入，推动了江浙地区的文化创新。江浙的地域文化具有鲜明的区域特征，呈现开放性特点。外资的进入，便于江浙企业学习国外跨国公司企业文化的先进成分，实现企业文化创新。外资的进入也推进了江浙地区贸易文化的创新，按照国际贸易通行惯例办事，形成与市场经济要求相一致的区域贸易非正式规则。

第三章 贸易开放与区域经济发展

　　区域贸易开放包括对外贸易的开放和区际贸易的开放。改革开放以来,对外贸易和区际贸易对区域经济发展产生了怎样的影响?对外贸易和区际贸易促进区域经济发展的影响机制存在着怎样的差异?贸易开放在江浙两省经济发展中起到了怎样的作用?这是本章研究的主要问题。

88

第一节　贸易与区域经济发展关系
相关文献述评

一、贸易与经济发展理论回顾

　　古典经济学家已经关注贸易与经济增长的问题。亚当·斯密(Adam Smith)最早系统阐述国际贸易与经济增长的相互关系。他提出的动态生产率理论和"剩余产品出口"(Vent for Surplus)模型,对以后的理论发展有重要影响。他假定一国在开展国际贸易之前,存在着闲置的土地和劳动力。他认为提高劳动生产率是增加国民财富的重要条件之一,分工的发展是促进生产率长期增长的主要因素,而分工的程度则受到市场范围的强烈制约。对外贸易是市场范围扩展的显著标志,因而对外贸易的扩大必然能够促进分工的深化和生产率的提高，同时，又不减少其他国内经济活动，因而必然会促进该国的经济增长。大卫·李嘉图（David Ricardo）的著作中也包含着国际贸易带动经济增长的思想，他从贸易对一国利润率的影响来说明国际贸易与经济增长的关系。他认为，经济增长的基本动力是资本积累，对外贸易是实现英国工业化和资本积累的重要手段。在封闭条件下，由于土地收益递减规律的作用，一国的经济增长会使利润率下降，从而妨碍资本积累。通过对外贸易，从国外进口低价食品和必需品，就会阻止在本国发生作用的土地出现收益递减化倾向，提高利润率，增加资本积累，促使经济增长。与亚当·斯密学说不同的是，李嘉图的比较成本说是以国内充分就业和一般均衡为前提的，因此，对外出口的增长并不必然带动经济总量同时增长。约翰·穆勒（John Stuart Mill）较为系统地论述了贸易的发展利益。他第一次明确区分了贸易利益和发展利益。他认为，国际贸易具有两种利益，一种是直接利益，另一种是间接利益。直接利益包括两个方面，一是通过国际分工，使生产资源向效率较高的部门转移，从而提高产量和实际收入；二是通过贸易可以得到本国不能生产的、该国经济活动持续进行所必须或不可缺少的原材料和机器设备等物质资料。间接利益包括四个方面：一是通过贸易分工推动国内生产过程的创新和改良，提高劳动生产率；二是通过产品进口造成新的需求，刺激和引导新产业的成长；三是通过开展国际贸易引进进口竞争，刺激储蓄的增加，加速资本积累；四是灌输新思想和新爱好，转移技术和企业家精神等。他的思想对以后的经济学家产生了深刻的影响。

89

俄林（Bertil Ohlin，1933）提出的赫克歇尔—俄林要素禀赋理论，初步建立了现代国际贸易的相对优势静态理论。俄林把区际贸易融入新古典经济理论，并使其成为一般均衡理论的重要组成部分。他指出了个人在职业上的专业化与区域在地理上的专业化的相似性。不同的人有不同的能力禀赋；同样，对于一个区域来说，其也有不同的资源享赋、人力资源基础与经济史，使其具有生产某些产品的相对优势或绝对优势。

D・H・罗伯特逊（D・H・Rohertson，1937）首次提出对外贸易是"经济增长的发动机"（Engine for Growth）的命题，引发了一系列争论。该命题主要着眼点在于，阐述后进国家可以通过对外贸易尤其是出口增长来带动本国经济的增长。20世纪50年代，R・纳克斯对这一学说又进行了进一步的充实和发展。纳克斯理论认为，出口贸易通过加速器原理成为推动经济增长的主导力量，起着增长动力的作用。这一理论认为，出口带动经济增长的途径包括：（1）出口带动进口。较高的出口水平意味着这个国家有了提高其进口水平的手段，能增加资本货物的进口，取得国际分工的利益，同时，大大节约了生产要素的投入量，有助于提高工业的效益，促进经济增长。（2）出口有利于专业化分工，提高劳动生产率。出口的增长也趋向于使有关国家的投资领域发生变化，使它们把资金投向国民经济中最有效的领域，促进有关国家按比较优势进行专业化生产，提高劳动生产率；（3）出口使得一国得到比起单独的狭小的国内市场更能容纳得下大规模的生产。（4）世界市场上的竞争会给一国的出口工业造成压力，以降低成本，改良出口产品的质量，并淘汰那些效率低下的出口工业。（5）一个日益发展的出口部门还会鼓励国内外的投资，并刺激加工工业或所属工业以及交通运输、动力等部门的发展，同时促进国外先进技术和管理知识的引进。① 但是，以普雷维什（R・Prebisch）和辛格（H・W・Singer）为代表的一些发展经

90

---

① 参见张二震：《国际贸易的发展利益及其实现机制》，《南京大学学报》（哲学、人文、社会科学）1995年第4期。

济学家，否定了对外贸易是"经济增长发动机"的命题。他们认为，贸易非但不是经济增长的发动机，反而是造成发展中国家经济不发达的原因。他们认为，发展中国家过分依赖于这种比较优势理论可能失去实现工业化的动力和手段，发展中国家应实行进口替代工业化，改善贸易条件。欧文·克拉维斯（1970）提出了对外贸易不是增长的"发动机"，而只是增长的"侍女"（Handmaiden）的著名见解。他明确指出，19 世纪经济取得成功的国家几乎都不是以出口主导型增长为其标志，而经济发展不成功的国家在 19 世纪倒有过相当大的出口扩展，其规模不亚于一些温带地区国家在 20 世纪 50—60 年代的出口扩展。他认为，一国的经济增长主要是由国内其他因素决定的，外部需求只构成了对经济增长的额外刺激，这种刺激在不同国家的不同时期有不同的重要性；外贸既不是增长的充分条件也不是必要条件，而且还不一定必然对经济增长有益。

91

刘易斯、马克斯·科登等经济学家对对外贸易与经济增长关系问题也做过比较深入的论述。刘易斯（Lewis，1954）提出的二元经济模型，把一个发展中的经济划分为工业部门和传统农业部门。工业部门通过积累和吸收传统农业部门的剩余劳动力，必然会推动整个经济的增长，尤其是在剩余劳动力尚未吸收完毕，工业部门工资不断上升的情况下，利润和积累在国民收入中的比重将不断上升，经济增长将加速。如果工业部门生产的是出口产品，传统部门生产的是进口产品，对外贸易无疑将有助于扩大工业部门的市场和需求，并降低劳动力的工资，从而进一步增加工业部门的利润和积累，促进经济增长。凯恩斯（John Maynard Keynes，1936）在《就业、利息和货币通论》中提出投资乘数理论。凯恩斯的追随者把凯恩斯的"乘数理论"应用到对外贸易中，形成对外贸易乘数理论（Foreign Trade Multiplier Theory）。

该理论认为，一国的出口与国内投资一样，有增加国民收入的作用，一国的进口与国内储蓄一样，有减少国民收入的作用。贸易顺差的增加或减少会引起国民收入成倍的增加或减少。马克斯·科登论述了对外贸易对经济增长率的影响效应。科登认为，一国进行对外贸易，将对宏观经济发生以下五个方面的影响：第一，收入效应。即通过贸易，提高了收入水平，贸易的静态利益转化为国民收入总量的增加；第二，资本积累效应。当派生性贸易利益的部分收入增加被用于投资时，该国的资本积累就会增加；第三，替代效应。如果投资品是进口含量较大的产品，则由于贸易的开展，会使投资品对消费品的相对价格下降，这将导致投资对消费的比率提高；第四，收入分配效应。贸易的发生将会使收入转向生产大量使用的生产要素，这些生产要素的报酬大大提高。如果各个生产部门或各种生产要素所有者的消费倾向是不同的话，则这种收入分配的变化又会影响储蓄率的高低，影响资本的积累率；第五，要素加权效应。假定生产要素的劳动生产率增长不一致，那么产出增长率就可视为各种生产要素增长率的加权平均数。当出口扩大，并且出口生产使用的是那种增长更快的生产要素时，出口生产的增长率往往会提高得更快。科登认为，所有上述效应都是积累性的，这意味着贸易对经济增长的贡献作用随着经济的发展逐渐得到强化。①

20 世纪 80 年代中期以来，以罗默、卢卡斯和斯文森等人为代表的新增长理论，对国际贸易与经济增长的关系给予全新的解释。Dixit 和 Stiglitz（1977）首次将规模报酬递增和不完全竞争的市场结构形式化，构建了 D—S 模型，为新贸易理论和新增长

92

---

① 参见张二震：《国际贸易的发展利益及其实现机制》，《南京大学学报》（哲学、人文、社会科学）1995 年第 4 期。

理论解决了技术上的难题。[1] Ethier（1982）构建的模型中，国家规模报酬和国际规模报酬同时存在。国际贸易使市场范围扩大，从而使劳动分工进一步加深，并导致了经济增长。[2] Grossman 和 Helpman（1991）认为，贸易的开展促进了国内资源在物质生产部门和知识产品生产部门之间的要素优化配置，从而促进了经济增长。[3] Keller（1997，1999）分析了国际贸易对提高生产率的作用，结果表明，国际贸易是国际技术转移的重要渠道。[4] River—Batiz 和 P. Romer（1991）把贸易与增长的关系分解为三种效应，即一体化效应、冗余效应和分配效应。新增长理论构造了一系列模型，将技术变动内生化，来研究国际贸易与技术进步及经济增长的关系。该理论认为，技术变动有两种源泉：一种是被动的，是通过经济行为学来的，被称为"干中学"（Learning by Doing）；另一种是主动的，是自己创造出来的，被称为技术革新（Innovation），它是研究和开发（R&D）的结果。而国际贸易可以通过"技术外溢"和外部刺激，促进一国的技术变动和经济增长。新增长理论认为，各国之间开展贸易可以使知识与专业化人力资本在贸易伙伴国内迅速积累，从而使贸易国的总产出水平提高，经济加速增长。其次，由于知识传播和人力资本的外部效应，各国之间开展国际贸易还可以节约一大部分研究

93

①　Dixit，A. and J. E. Stiglitz，1977，"Monopolistic Competition and Optimum Product Diversity"，American Economic Review，67：297—308.

②　Wilfred J. Ethier，1982，"National and International Return to Scale Modern Theory of International Trade"，American Economic Review，72：389—405.

③　Gene M. Grossman，Elhanan Helpman，1991，"Trade，Knowledge Spillovers and Growth"，European Economic Review，Vol. 35 Issue 2/3，p. 517—526.

④　Keller，w.，1997，"Trade and Transmisson of Technology". NBER Working papers，No. 6113，JEL Nos. O3，O4，F12，F2；Keller，w.，1999，"How trade patterns and technology flows affect productivity growth"，NBER Working papers，No. 6990，JEL No. O3，F12，F14.

与开发经费，避免许多重复劳动，这对于发展中国家来说特别有意义。发展中国家通过引进先进技术设备等产品，边干边学、消化吸收，加速专业化人力资本积累，从而加速国家经济长期增长。因此，新增长理论认为，思想的跨国流动是贸易促进经济增长的最重要原因，单纯的贸易开放或静态的比较优势只有水平效应（Level effect）而没有增长效应（Growth effect）。国际贸易量越大，将更有机会与更多的人们进行交流，从而在信息知识交换过程中获得新的知识、观点和启示。进口产品的数量越多，本地的研究人员越可以发现新知识，或模仿创新，进行增值创新，提高区域经济发展的绩效。但是，当贸易促使一国经济分工于某些未获得足够规模或其他收益的部门时，可能导致经济增长率的降低。贸易和经济增长的理论关系基本上是模糊的，这是内生增长理论未受到广泛欢迎的原因。

二、国内外学者的实证研究

有关对外贸易与经济增长关系的研究文献，大都集中在出口是否带动经济增长的问题上。在这个问题上存在不同的研究结论。有些研究表明，出口与经济增长存在因果关系。Balassa（1978）通过对 11 个国家出口贸易与经济增长的关系的实证分析，发现出口和经济增长存在正相关关系。[1] Helpman 和 Krugman（1985）认为，贸易开放促进经济增长的渠道，主要来源于贸易带来的规模经济效应。[2] Kruger（1985）认为，贸易开放度会通过提高国内的资源配置效率来实现经济增长。Helpman 和 Krugman（1995）认为，出口和经济增长之间存在着双向的互为

---

[1] Balassa, B., (1978), "Exports and Economic Growth: Further Evidence", Journal of Development Economics, Vol. 5, pp. 181—189.

[2] Krugman, P. And E. Helpman, 1985, "Market Structure and Foreign Trade", The MIT Press.

反馈的因果联系。有些研究显示，出口与经济增长不存在因果关系。Jung 和 Marshall（1985）通过对 37 个发展中国家和地区出口与 GDP 的关系的实证分析，发现有 23 个国家的出口增长与经济增长之间不存在因果关系，只有以色列存在双向因果关系。[①]也有学者认为，出口对经济增长的促进作用视具体条件而定。Michaely 的研究表明，出口促进增长有一个临界发达水平，高收入国家出口促进增长的作用较明显，而低收入国家出口增长与经济增长的相关性几乎为零。[②]

　　另外，国外学者也关注进口对经济增长的作用。Keller 用 8 个 OECD 国家 1870—1991 年的机械产品进口和生产率的关系来验证贸易模式对生产率的影响，研究结果显示，一国从国内 R&D 中受益比从国外更多，当一个国家不是产业的领先者时，其进口来源的组成非常重要。Frankel 和 Romer（1999）还研究了贸易对经济增长的影响机制，该研究吸收了贸易引力模型，利用地理因素拟合出贸易工具分析变量，然后从水平量角度出发将人均产出分解为三个要素，最后利用拟合得到的贸易变量并据以分析贸易通过哪些途径影响人均产出。Rodrik，Dani. 认为，开放的好处在于进口而非出口方面，从更先进的国家进口新的思想观念、投资品和中间产品能够显著地促进经济增长。[③]

　　近年来，国内有关贸易与经济增长关系的研究文献，主要集中在出口是否带动我国经济增长的问题上。国内有关这一问题的研究文献的结论大致可以分为三种。第一种观点认为，出口促进

95

　　① Woo S. Jung and Peyton J. Marshall，"Exports，Growth and causality in Developing Countries"，Journal of Development Economics，1985，(18) pp. 1—12.

　　② Michael，Michaely，1977，"Exports and Growth：An Empirical Investigation，Journal of Development Economics"，4，49—54.

　　③ 参见 Rodrik，Dani 著，熊贤良等译：《让开放发挥作用——新的全球经济与发展中国家》，中国发展出版社 2000 年版，第 126 页。

经济增长。林毅夫、李勇军（2001）用联合方程组分析得出，出口增长对经济增长有较大推动作用。刘小鹏（2001）用协整分析、误差修正模型（ECW）分析得出，进口增长对经济增长具有较大的拉动作用。周申（2001）用时间序列模型与线性回归模型相结合的方法，估计和度量了我国贸易对收入的影响。研究结果显示，贸易自由化可以对中国的国民经济增长产生明显的促进作用。[①] 杨全发（1998）将 Balassa 模型和 Feder 模型运用到中国数据上，得出的结果是：在一定条件下，出口贸易对一国（地区）的经济增长有促进作用，但未得出出口扩大是通过刺激技术进步来促进经济增长的结论。[②] 第二种观点认为，出口对经济增长的作用不显著。尹翔硕（1997）研究表明，我国出口制成品结构的变化与制造业生产结构的变化并不一致。[③] 赖明勇（1998）用简单线性回归方法得出出口贸易对经济增长的推动作用较弱的结论。[④] 孙焱林（2000）的研究发现，经济增长和出口的关系没有统计显著性，即使在 50% 的水平上仍不显著。[⑤] 第三种观点认为，出口与经济增长间存在互为因果的关系。沈程翔用 Granger 因果检验等方法，根据 1977—1998 年中国的出口与 GDP 等统计数据，利用格氏因果性检验及协整性检验等计量研究方法，检验了"中国经济增长的出口导向性"这一假说。结果发现，中国的

---

① 参见周申：《贸易与收入的关系：对中国的案例研究》，《世界经济》2001 年第 4 期。

② 参见杨全发：《中国地区出口贸易的产出效应分析》，《经济研究》1998 年第 7 期。

③ 参见尹翔硕：《中国出口制成品结构与制造业生产结构差异的分析》，《国际贸易问题》1997 年第 4 期。

④ 参见赖明勇：《中国出口贸易对经济增长作用的实证研究》，《预测》1998 年第 4 期。

⑤ 参见孙焱林：《我国出口与经济增长的实证分析》，《国际贸易问题》2000 年第 2 期。

出口与产出之间存在着互为因果的双向联系，尽管无法发现两者之间长期稳定的均衡关系，但足以证明中国经济增长确实是出口导向型的。[1] 另外，有些学者对进口与经济增长关系、贸易对人均产出的影响机制等方面进行了实证研究。陈家勤（1999）认为，进口增长对经济增长作用较大。[2] 沈坤荣、李剑（2003）对我国贸易和人均产出之间的影响机制进行了分析。中国改革开放以来的经验数据证实，国际贸易通过提升国家要素禀赋结构和加快制度变革进程，对人均产出产生了正面影响；但国内贸易则相反，国内市场分割的加剧，阻碍了国内市场的一体化进程，进而对经济产生负面影响。[3]

三、贸易与区域经济发展的理论和实证研究

与区域贸易理论密切相关的是经济基地理论，该理论认为，任何一个区域的发展是其基础产业增长的一个函数。这些产业都是出口产业，它们被吸引到某一区域的主要原因不是利用该区域的市场，而是因为该区域能够为产品出口到其它地区提供一个有利的基地，从而为出口产业提供了一种比较优势。该模型过分强调了出口部门对区域经济增长的影响，而对现实经济的研究结果表明，出口行为在解释区域收入增长方面只有较低的预测价值。

97

道格拉斯·诺思（Douglass North）认为，一个区域综合的商品（或服务）的出口是决定区域经济增长的关键因素。诺思的出口基地模型包括五个阶段：（1）短暂的自给自足阶段；（2）对发达区域出口大宗商品作为区域经济发展基础的快速发展阶段；

① 参见沈程翔：《中国出口导向型经济增长的实证分析：1977—1998》，《世界经济》1999 年第 12 期。
② 参见陈家勤：《适度增加进口的几点思考》，《国际贸易问题》1999 年第 7 期。
③ 参见沈坤荣、李剑：《中国贸易发展与经济增长影响机制的经验研究》，《经济研究》2003 年第 5 期。

（3）由于外部经济、资本流入、出口导向、基础设施的提供等因素，区域出口能力进一步加强；（4）区域经济的进一步扩张导致服务于当地市场的本地产业的建立；（5）本地产业的扩张和"松脚型"产业的发展使这些产品进入出口市场，区域出口基地的多样化阶段出现。出口部门对其他经济部门产生连锁效应。连锁效应包括：后向效应、前向效应、消费效应、社会间接资本连锁、人才培养连锁、财政连锁等。

贸易与区域经济发展关系应该包括两个方面，即区际贸易与区域经济发展关系和对外贸易与区域经济发展关系。一个国家或地区经济运行中，对外贸易和国内贸易处在同一层次，两者相互作用相互影响，这种关系主要表现在两个方面：一是国内贸易和对外贸易的相互替代，二是两者的互补关系。高国力（1999）认为，区际贸易作为一种影响区域经济增长的主要贸易形式，通过使地区间要素价格的均等化，提高贸易区域的实际收入，有效地使用每个区域的资源赋有量，最终实现区域的经济增长。[①] 熊贤良（1994）指出，大国不同于小国的重要方面，就是大国一般可以划分为多个具有相当规模的地区。如果这些地区之间缺乏贸易往来，那么大国就像多个封闭小国的简单"加总"，与小国无异。在贸易条件和交易成本都相同的情况下，区际贸易机会转化为对外贸易，将带来贸易剩余的损失，因为区际贸易的双方都是本国人，而对外贸易中只有一方是本国人。贸易剩余的存在也表明，为了获得更多剩余，必须首先降低区际贸易的交易成本。[②] 钟昌标（1999）对我国 30 个省份的实证分析表明，出口对东部省份

①　参见高国力：《经济增长与区际贸易变动的理论分析》，《当代经济研究》1999 年第 5 期。

②　参见熊贤良：《国内区际贸易与对外贸易关系的理论及在我国的表现》，《财贸经济》1994 年第 12 期。

经济增长的促进作用比较明显，对中西部省份经济增长的贡献较弱。[①] 钟昌标（2001）认为，国际贸易通过促进区域分工演进、要素积累、结构优化和机制创新等途径，加速区域经济的发展。[②]

四、评价与思考

综上所述，自古典经济学产生以来，对外贸易与经济增长之间的关系问题一直是经济学界研究和争论的一个焦点。这一问题又主要集中在出口与经济增长的关系上，主要观点可归结为三种：第一种观点认为出口带动经济增长；第二种观点认为出口不利于经济增长；第三种观点认为出口与经济增长的关系不大。第一种观点的主要理论有：亚当·斯密的"剩余产品出口"模型；D·H·罗伯特逊的对外贸易是"经济增长的发动机"（Engine for Growth）命题；凯恩斯的对外贸易乘数理论；20 世纪 80 年代以罗默、卢卡斯和斯文森等人为代表的新增长理论，对国际贸易与经济增长的关系给予全新的解释。第二种观点的主要理论有：普莱维什的中心—外围理论和贸易条件恶化论。一些发展中国家经济学家认为，发展中国家的对外贸易是造成经济不发达的原因。但是，由于一些实行外向型战略的国家和地区成功地实现了较高的经济增长率，自 70 年代末期以来人们对这种观点提出了质疑。第三种观点的主要理论是克拉维斯提出的，对外贸易不是增长的"发动机"，只是增长的"侍女"的著名见解。

亚当·斯密有关"剩余产品出口"（vent for surplus）模型以及罗伯特逊提出的"对外贸易是经济增长的发动机"（Engine for Growth）命题，都是基于当时的落后国家存在大量的农产品

99

---

① 参见钟昌标：《出口贸易与经济增长的省际分析》，《数量经济技术研究》，1999 年第 10 期。

② 参见钟昌标：《国际贸易与区域发展》，经济管理出版社 2001 年版。

以及原料等闲置资源的现实，后进国家的出口增长不影响国内经济活动，因而能带动本国经济的增长。刘易斯的二元经济模型，则是基于农业部门存在大量的剩余劳动力的特点，出口部门在不断扩展中吸收农业部门的过剩劳动力，出口部门的扩张不会导致工资的上涨，从而推动国民经济的增长。凯恩斯对外贸易乘数理论的出发点，也是基于本国就业不足的前提，即存在劳动力以及资本的过剩，需要通过扩大出口来增加国内需求，从而刺激经济增长，实现充分就业。因此，一旦出口部门的扩张不是建立在利用剩余资源的基础上，而是挤占了其他部门的资源，出口带动经济增长的作用就将减弱。所以对外贸易对经济增长的作用是有条件的，不同的国家或地区，不同的经济发展阶段，对外贸易对经济增长的作用是不一样的。

对外贸易和经济增长关系的问题，是过去 20 年来应用经济领域的一个重要课题，研究的论著繁多。经济学家尽管已经做了大量工作，但对外贸易和经济增长之间的关系仍没有定论。由于不同的样本或不同的计量方法，现有的实证研究得出了不同甚至相反的结论，没有足够的证据说明出口带来经济增长。由于对外贸易与经济增长之间的关系十分复杂，对外贸易与经济增长的关系受到许多条件的影响。因此，现有的计量分析可能并没有把影响经济增长的出口因素与其他因素分离开来。而现有的分析技术和统计资料难以做到这一点。现有的计量模型主要集中在相关关系研究上，对因果关系研究比较少见。对外贸易与经济增长关系需要进一步明确，可能是经济增长推动了进出口的增长，也可能是进出口的增长推动了经济增长，也有可能存在两者互动关系，也有可能是由于其他开放经济政策促进了经济增长。但目前还没有为理论界普遍接受的理论模型证明出口带动经济增长的机制。

现有的贸易理论大多以国家为分析单位来考察贸易的影响效

应，并且总是假设无论小国还是大国，其国内贸易机会都已充分利用。俄林在《区际和国际贸易》中，把"地区"当作一个比"国家"更一般的分析单位，认为国际贸易与区际贸易有共同的基础。我国的贸易发展经历了与西方国家不同的发展道路，对外贸易发展是在国内贸易机会没有充分利用的情况下发生的。因此，需要重新审视我国区域贸易发展与经济增长的关系。而且，现有的研究主要集中在对外贸易和经济增长的关系上，却较少关注国内贸易与经济增长的关系。在贸易和经济增长关系研究上，主要集中在贸易和经济增长的相关性研究上，而对两者影响机制的研究较少，更少考虑区际贸易对区域经济发展的影响机制。

第二节　贸易开放促进区域经济发展的机制和条件

101

　　贸易开放对区域经济发展既有正面的影响，也有负面的影响，这一问题已在理论上和实践上得到证明。现在的问题是，怎样使贸易开放对区域经济发展产生更大的正面影响，抑制其负面影响。这需要通过揭示贸易对区域经济发展的影响机制来加以说明。

一、对外贸易促进区域经济发展的机制

　　图 3—1 表示贸易开放促进区域经济发展的机制。贸易开放主要通过分工深化、要素积累、技术进步、产业升级、制度创新等途径促进区域经济发展，贸易开放与区域经济发展具有累积效应，对外贸易和区际贸易间既有替代效应又有互补效应。

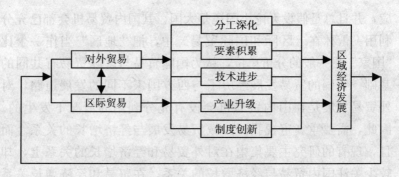

图 3—1　贸易开放促进区域经济发展的机制

1. 分工深化

从深层次看，分工演进是区域经济发展的根本动力之一，分工的两重性——专业化和多样化是实现区域经济发展的基本机制。[1] 外贸促进区域分工深化进而促进区域经济增长的机制为：市场范围的扩大→区域分工深入→区域劳动生产率提高→产出水平的提高 。

（1）对外贸易扩大了区域经济的市场范围，能使本地企业在更大的规模上经营，并在一定程度上提高经济效率，促进生产可能性边界的外移。区域对外出口能给区内企业提供新的市场需求，使区域内过剩的生产能力得到充分的利用，吸收过剩的劳动力。进口国外先进的技术设备能增强区域生产部门的生产能力，促进区域经济增长。

（2）对外贸易能使区域在世界范围内建立比较优势，凸显比较优势的强度，从而提高区域经济福利水平。福利水平本身就是一个显示区域经济发展水平的重要指标。[2]

---

① 参见钟昌标：《国际贸易与区域发展》，经济管理出版社 2001 年版，第 31 页。

② 同上书，第 31 页。

（3）分工促进区域生产专业化的形成，有利于促进劳动专业化，提高劳动生产率，加快人力资本的积累，为区域经济的发展提供动力，促进生产可能性曲线的外移。

（4）对外贸易推动区域内产业部门不断分解，衍生出越来越多的新产业，促进产业结构转换并向更高产业层次演进，加快区域经济发展。

2. 要素积累

对外贸易是我国改革开放以来区域要素积累的重要途径，是沿海地区资本积累的重要来源。要素积累主要通过以下途径实现：

（1）物质资本积累。对外贸易可以弥补区域的储蓄缺口，促进区域资本积累。这一机制通过出口增加区内储蓄，进口增加区内投资实现。我国传统部门存在大量的剩余劳动力，对外出口吸收了传统部门的剩余劳动力，增加经济剩余，使传统部门的储蓄增加，储蓄进一步转化为投资，促进区域经济增长。进口资本品将提高进口资本品部门劳动生产率水平，提高进口部门的产出水平。由于我国属于国际贸易理论中的"大国"，各地区竞相出口劳动密集型产品，结果导致国际市场上出口商品价格的下降，降低了区域福利水平，对区域资本积累带来不利的影响。对外贸易方式影响区域资本积累，一般而言，一般贸易能够带动区域产生比较完整的产业链，贸易收益可以大部分留在本地，而加工贸易则大部分流出本地。

（2）人力资本积累。对外贸易对区域人力资本积累的影响，主要在于"干中学"的效应和增加了对职工的培训等教育投资。首先，对外贸易提高了企业家开拓国际市场的能力，增强了企业家的冒险精神、风险意识等，激发企业家精神，产生世界级的企业家；其次，对外贸易迫使企业更加重视对员工的培训，提高他们的业务素质，培养适应国际市场竞争的贸易、会计、法律、商务人才、技术工程人才；再次，区域对外贸易规模的扩张会吸收其他区域的人才，提高本地的人才集聚效果；最后，通过与其他国家和地区贸易人员的交往，获得技术、知识等溢出效应，提高区域人力资本存量。

（3）知识积累。对外活动伴随着知识的流动，区域内企业在对外贸易过程中需要与外商交流谈判，开展市场调研等活动。外贸人员在从事这些活动时，可以不断地获得新思想、新知识，并通过知识的扩散效应，形成区域的公共知识，加快区域知识的积累。国外客商对商品提出的新建议和改进方法，可以使企业获得新的知识，伴随着贸易和相关技术知识的扩散，有助于提高本区域的知识积累水平。

3. 技术进步

104

区域技术进步是区域经济增长的主要源泉。技术进步能突破要素资源报酬递减的约束，促进区域经济长期增长。改革开放以来，对外贸易成为我国许多地区技术进步的重要途径：

（1）通过国外需求的刺激与诱导，实现区域自主创新。国外对新产品的需求，诱导企业对产品的创新，使企业寻找最适销的产品用料、产品型号、产品包装等。这一过程会促使企业新技术和新管理方法的产生。新技术和新管理方法的外溢效应，会进一步推动非出口行业的技术创新。

（2）通过进口先进的硬件和软件，实现区域技术水平的跨越式发展。通过进口国外先进技术设备对传统产业进行技术改造，是我国区域技术进步的主要途径。不少地区的传统产业在引进先进的技术设备后，产品的技术含量和知识含量明显提高，产业层次得以提升。

（3）通过对进口产品的模仿创新，缩短技术发展的时间。对外贸易使人们有更多的机会接触到新的技术和知识，可以更快地积累知识，进行模仿创新。本地研究人员可以通过对进口产品的研究，获取先进的技术或信息，节约了大量的研究资金和时间。

4. 产业升级

产业结构的高度化是区域经济发展的显性指标。开放条件下区域产业结构演进的一般路径为：初级产品出口→劳动密集型产品出口→要素（尤其是资本）不断积累→资金密集型产品出口→知识密集型产品出口。在我国区域经济发展中，外贸对产业结构的影响常与外商直接投资结合在一起（见图3—2），区域外贸往往以资源、劳动密集型开路，通过增加资本品的进口、人力资本的积累和引进优质外资等途径，促进产业从劳动密集型向资本技术密集型升级。

105

（1）外贸出口积累资金、技术、人才等要素，为发展资本密集型产业创造条件。外贸出口直接增加外汇收入，并有一部分转化为资本积累。出口地区利用国外市场优势，在更大范围内组织生产和贸易，吸引区域外的要素资源，包括原材料、中间产品和技术人才等，集聚区域创新要素。出口部门的扩张带动上下游相关产业的发展。出口部门在国外消费需求的牵引下，改进技术水平，提高产品质量，提升产业层次。

（2）外贸出口促进资本品进口。进口的推动效应主要体现在进口能刺激区域供给机制发挥作用。出口贸易的发展使进口先进设备和技术的能力提高。进口具有较高技术含量的中间产品、投资品和技术，能够改变区域的生产函数，提高生产技术水平，促进产业结构的升级。新产品的进口能够对国内消费者起到示范作用，影响消费者的偏好，产生对新产品的消费需求，促使国内企业投资新产品的研发，提升产业技术水平。

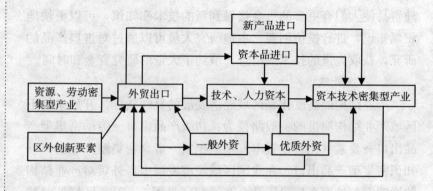

图3—2 对外贸易促进区域产业结构升级的机制

（3）外贸出口还能带动外资的进入，从一般的外商直接投资到具有雄厚技术实力的跨国公司的投资，可以加快区域产业结构的调整。跨国公司不仅加快区域技术和人力资本的积累，还通过投资技术密集型产业和研发机构，发展区域新兴产业，或对传统产业进行改造。

5. 制度变迁

外贸对区域制度变迁的影响体现在宏观层面和微观层面。世界贸易组织要求其成员国接受一套固定的制度规范，包括在贸易和工业政策领域互不歧视、贸易法规的公开出版以保持透明度，以及在版权和专利保护方面与WTO的要求保持一致性等。对外贸易使企业对地方政府提出更高的要求：推进政府转变职能，推动贸易管理制度的创新，形成区域间制度落差。这种制度落差能够使区域产生经济活力，吸引区域外优质资源，促进区域竞争力的进一步提高，推进区域的进一步开放。区域外贸制度的创新往往走在其他制度创新的前面。

外贸能够促使微观经济主体的制度创新和居民思想观念、社会习俗等的改变。对外贸易扩大了企业与国外交流的机会，在边干边学与边看边学中增加模仿和创新行为，增加市场的竞争压力,迫使企业加快制度创新,包括产权制度创新、组织制度创新和管理制度创新。对外贸易能够使居民接受国外先进的文化,改变居民落后的思想观念,促进区域更加开放。对外来思想观念的开放程度是区分"文化"是否带来物质繁荣的关键。对外贸易更能激发区域的创业精神,形成良好的创业氛围,增强区域经济发展的动力。

二、区际贸易促进区域经济发展的机制

我国是一个大国,区际贸易发挥着十分重要的作用。特别是在从计划经济向市场经济过渡时期,各地区的区域开放程度存在较大的差异,区际贸易对区域经济发展具有重要的影响。区际贸易主要通过以下途径影响区域经济发展:

1. 分工的深化

我国在计划经济条件下形成的区域分工并不符合市场经济的准则。随着市场力量在资源配置中作用不断加强,区域间分工发生了很大的变化。没有区际贸易是不可能实现这一转变的,如农村专业市场的形成和发展对农村社会分工产生了深刻的影响。在专业市场形成初期,市场范围不大,市场分工还不明显。在专业市场超越区域范围,向全国市场甚至国际市场发展时,农村分工不断深化,围绕专业市场形成了专业镇、专业村,推动了农村的工业化进程,带动了区域经济的发展。

2. 要素积累贡献

区际贸易对区域的要素积累主要表现在资本的原始积累和人力资本的积累。改革开放初期,我国许多地区工业基础薄弱,缺乏工业化所需的资本原始积累,而区际贸易的资本壁垒相对较低,而且当时是短缺经济,产品市场发育不完善,区域市场间价格差异大,区际贸易利润丰厚,这对区域资本原始积累发挥了重要作用。农村专业市场的发展便是很好的例证。农村专业市场的进入壁垒较低，吸引了大批农民进场交易。这些进场交易农民的资金很多从亲戚、朋友处借得，而专业市场的大发展使这些农民在短期内积累了可观的资本。许多地域产业集群中的民营企业家，曾直接或间接地通过市场完成资本原始积累过程。因此，区际贸易的发展培养了大批市场经营人才、企业管理人才和产品营销人才，为区域经济的迅速发展奠定了坚实的资本和人才积累的基础。

3. 产业结构调整

贸易活动能使区域经济在更大范围内配置资源，促进产业结构的升级，经济结构的优化。区际贸易的不断扩张是企业规模不断做大的过程。企业在区际贸易中规模不断扩大，提高了区域产业集中度，提高了产业的技术创新能力，提升了区域产业层次。区际贸易的扩张带动了第三产业的发展，围绕贸易活动的相关产业，如物流、餐饮、宾馆、金融、信息等产业得以扩张，三次产业结构得到优化。农村专业市场的发展，使一些农村地区迅速实现工业化和城市化，产业结构发生急剧变化。

4. 制度变迁

贸易活动推动着区域制度变迁，促进人们观念、风俗习惯的改变。改革开放以来，我国贸易领域的制度创新十分活跃，出现了专业市场、期货交易所等市场交易制度的创新举措。这些交易制度的创新，有些属于强制性制度变迁，有些是诱致性制度变迁。专业市场创建的初期，大多属于诱致性制度创新。改革开放初期，大量存在的家庭作坊、中小企业，其产品销售受到体制内商品流通渠道的排挤，自建销售网络又受到成本的约束。这时，以共享销售网络为特征的专业市场应运而生，专业市场也随着市场环境的变化不断发生变迁。专业市场的变迁是在贸易活动中通过边际调整实现的。我国农村专业市场大致经历了以下几个阶段：

　　第一阶段，市场范围不广，经营者资金少，产品质量不高。当时其商品主要来源于农村家庭工业、乡镇企业，商品大多没有商标，假冒名牌现象比较普遍。经营者主要以个体户为主，资金实力弱，商品销售方式以零售为主，物流和商流基本是合一的。市场建在县以下城镇，市场是摊位的集合，市场的服务设施较差，市场制度不完善。

　　第二阶段，市场范围扩大，经营者实力增强，产品质量明显提高。随着专业市场影响力的扩大，商品的销售已突破区域范围，一些大型的批发市场已经在全国形成影响力。随着我国计划体系下建立的商业批发体系的逐步瓦解，具有全国影响力的一些专业市场逐渐承担起批发职能。经过一段时间的资本原始积累，一些经营户开始具有较强的资本实力，从事较大规模的批发贸易。代理制是重要的贸易经营形式，许多经营者成为大企业或公司的代理商。有些专业市场由于机会主义问题严重而又缺乏相应的制度创新而走向衰落。不少专业市场开始设计各种制度安排，抑制市场的机会主义倾向。这时专业市场商品中大中型企业的产品增多，一些名牌企业入场交易。专业市场开始出现在大中城市，甚至特大城市。

　　第三阶段，市场走向国际化，交易主体公司化，功能多元化。专业市场的影响力进一步扩大，吸引外国客商进入市场采购，市场向国际化方向发展。同时，在其他零售业态的挑战面前，专业市场向多功能方向发展，以吸引更多的消费者。这时品牌企业的交易活动不在集中的摊位中进行，而是从集中的摊位中转移出来，形成专业街，促使专业市场向现代商贸城发展。经营者以公司或公司的代理商为主，商流和物流分离，市场交易以商流活动为主。市场提供的服务从原来以物流活动为主，转向以商流活动为主，物流职能由专业化的物流企业承担。

三、对外贸易与区际贸易的相互关系

我国作为一个大国，区际贸易具有十分重要的作用。熊贤良（1994）对区际贸易和对外贸易的关系作过理论分析。他用模型说明了在资本不跨区流动且劳动力区际分布不均的情况下，区际贸易与对外贸易的替代关系。分析表明，在劳动力均衡分布而资本不均衡分布的情况下，这种替代关系同样存在，只不过区际贸易和对外贸易形式将相应有所改变。他进而又说明了区际贸易和对外贸易的互补关系。客观上，对外贸易与区际贸易的这种替代和互补关系确实存在，且表现得比较明显。[①] 造成这一现象的主要原因是：

1. 地方政府的对外贸易偏好

我国许多地方曾以外汇收入最大化为目标，导致制度安排偏向于鼓励企业出口创汇。在鼓励出口制度安排的激励下，企业的部分出口成本被财政消化，企业的出口将增加。图 3—3 表示出口鼓励政策对对外贸易和区际贸易的影响。假设区内企业对国内市场和出口国市场的商品价格不产生影响，国内市场的价格为 P_d，出口国市场的价格为 P_f，出口国内市场的边际成本曲线为 MC_d，出口国际市场的边际成本曲线相对较高，用 MC_{f1} 表示。企业面临着区际贸易和对外贸易的选择问题，如果选择出口，最佳产量为 Q_{f1}，如果选择国内贸易，最佳产量为 Q_d。如果政府出于对外贸易的偏好，采取出口鼓励政策，将引起企业边际成本向右下方移动，假设移动至 MC_{f2}。这时，企业选择出口比较有利，形成对外贸易对区际贸易的替代，这时选择出口贸易的最佳产量变为 Q_{f2}。

---

① 参见熊贤良：《国内区际贸易与对外贸易关系的理论及在我国的表现》，《财贸经济》1994 年第 12 期。

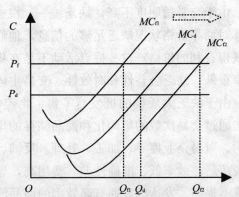

图3—3 鼓励出口制度安排下对外贸易与区际贸易关系

对外贸易偏好的结果导致地区间竞相高价收购原材料，并对外低价竞销，造成国家整体利益的损失。对外贸易偏好使各区域的比较优势建立的各地区而不是全国的基础上，导致对外贸易发展迅速，国内市场开拓不足。

2. 区际贸易交易成本过高

由于我国处于从计划经济向市场经济的过渡时期，完善的商品市场体系尚未建立，国内统一市场尚未形成，造成区际贸易交易成本过高，使企业转向对外贸易。造成区际贸易交易成本过高的原因：

（1）国内市场的分割。由于历史原因，我国各地区尤其是省级行政单位内自给自足现象很严重，国内市场分割为许多狭小的区域性市场，区际贸易规模不大。有些地方采取地方保护的贸易政策，阻止外地商品进入本地市场，对非规范性竞争手段采取熟视无睹的态度或变相进行保护，对经济纠纷、银行结付等采取歧视性政策，这些无疑增加了外地企业的交易费用和风险，抑制了区际贸易。

（2）商品流通体系的效率较低。在从计划经济向市场经济过渡的转型期，传统的流通体系被打破，跨区域的市场组织处在重

111

新整合时期。由于交易透明度不高，缺乏统一、权威的价格等信息，交易主体对商品价格状况缺乏足够的信息，他们只有增加搜寻次数才能获得有利的价格。这些搜寻活动不是在集中的市场上进行的，效率很低，缺乏公益性和时效性，交易主体需支付高昂的信息成本。由于缺乏大规模的批发、零售、物流等流通组织，生产企业无法通过交易次数的集约化和商品储存的集中化实现交易费用的节约。贸易企业搜寻、加工、处理、反馈、贮存商品信息的手段比较落后，效率低、准确性差，费用高，导致区际贸易的市场交易成本提高。发达国家拥有高效率的商品流通体系，商品交易效率高，是许多企业选择对外贸易的重要原因。

（3）信誉主体缺位。交易主体信用差，违约现象严重。一段时间曾出现供方"不付款，不发货"、需方"不见货，不付款"的现象。这无疑增加了交易主体等待和搜寻时间，扩大了交易风险，使交易费用递增。交易主体为防止交易过程中另一方的"道德危害"，必须对交易对象作更加深入细致的调查分析，以判断是否诚实可靠。这样，一方面使潜在的交易对象减少；另一方面对交易对象考核费用大大增加。正如阿罗所说：对人们相互之间的话要有一定的信任度，这对个人是有好处的。如果缺乏这种信任，安排可选择的制裁措施和保证人的费用将变得十分昂贵，而许多相互有利的合作将不得不丢失殆尽。

（4）额外交易费用高。现行制度对交易人员约束软化，企业在销售过程中需要支付特殊的交易费用，如企业在销售过程中或处理其他纠纷时需要请客送礼或给"回扣"。这种"回扣"被交易组织的个人攫走了。没有特殊的"好处费"很难开拓市场，办不成事。有些购销人员为了"寻租"有意回避公开交易，使交易过程的谈判成本大量增加，阻碍了我国商品市场的发育，增加了企业的销售成本，导致企业的成本曲线移动，形成对外贸易对区际贸易的替代。

四、贸易开放促进区域经济发展的条件

贸易开放促进区域经济发展受到多种因素的影响，贸易开放有可能会在一定时间内影响区域间发展的收敛速度，也有可能会影响区域经济的产业升级。外贸促进区域经济发展的机制可能使区域经济发展产生累积效应，更早开放的地区可以获得更强的国际市场竞争能力，能够吸引区外的优质资源，使出口竞争力进一步提高。相反，相对落后地区由于进入国际市场时间比较晚，出口竞争力比较弱，在优质资源被不断吸走的情况下，与先行开放地区的差距进一步扩大。贸易开放对区域经济发展的影响与以下条件有关：

1. 市场体系的发育程度

完善的市场体系和竞争的市场结构能使生产要素自由流动，贸易的扩张能使区域内生产要素加速流动，提高要素的使用效率和边际产出水平。完善的市场体系能使出口市场的信息及时、有效地传递给出口部门，出口部门通过与非出口部门间紧密的生产、技术和交换方面的联系，把信息进一步传递给非出口部门。在市场机制的作用下，区域要素资源将从效益差的部门向效益好的出口部门转移，使区域的优势资源集中在效益好的出口部门，提高区域生产效率，促进经济增长和产业结构调整。如果市场发育程度较低，出口部门与非出口部门之间、要素市场之间、商品市场之间、商品市场与要素市场之间的联系程度较低，出口部门的市场信号不能及时、有效地传递到非出口部门，市场对非出口部门的刺激就会减弱，出口对区域经济增长的带动就不明显。极端地，如果一个区域的要素市场扭曲，要素价格信号不能反映要素的稀缺程度，就有可能背离自身的比较优势，出口反而阻碍区域经济的发展。同样，一个有竞争活力的市场结构也是生产要素

113

是否有效流动的关键因素，对区域经济发展的影响十分重要。

2. 区位条件和人力资本存量

区位条件是区域经济竞争优势的最初来源。区位条件优越的地区能够更好地受惠于贸易开放，形成贸易中心、金融中心、物流中心甚至经济中心。人力资本存量的大小，影响着一个区域在贸易开放条件下提升区域竞争优势的能力。技术、管理、贸易等方面人才丰富的地区，能更好地吸收贸易活动中的知识、技术，实现更多的技术创新、制度创新，获得更大的动态比较优势，提升区域竞争优势，实现区域经济的长期增长。企业家资源丰富的地区，能够对国际市场作出更灵敏的反应，通过整合区域内外的要素资源，在开拓国际市场中获得更大的利益，并通过创新推动区域产业结构不断向高级化演进。而在缺乏企业家和人才群体的地区，就有可能因为在贸易开放的过程中没有及时提升竞争力而出现经济增长的停滞不前。因为，在开放条件下，区域内技术含量比较高的产业或产品，会遇到进口产品或跨国公司强有力的竞争，导致产业升级的时间延迟，有可能使本地产业在国际分工中处于低端，形成路径依赖。例如，外商直接投资形成的"飞地"经济或"孤岛"经济，给区域经济发展的影响存在很大的不确定性。

3. 出口部门与进口部门

一个区域出口部门生产函数的性质对区域经济发展有重要的影响。如果出口部门的技术水平与非出口部门技术水平差异程度高，且能在出口的扩展中获得技术进步，出口部门就能对区内非出口部门产生技术外溢效应。否则，如果出口部门的技术水平与其他部门相差不多，或出口的扩张仅仅是外延规模的扩大，没有伴随着技术进步和创新，出口部门对非出口部门的技术外溢效应就差。

对外贸易对区域经济结构的影响，往往是出口进口联动机制作用的结果，对外贸易对区域经济的影响不仅与出口部门有关，还与进口部门有关。实践证明，出口部门与进口部门协同形成相互促进的机制，才是推动区域经济增长的关键。如果进口区域内比较稀缺的生产要素产品，特别是先进的技术设备等，并能够消化吸收，进而促进进口部门技术进步和劳动生产率的提升，就能极大地促进经济增长。

4. 制度安排

区域制度安排会影响企业交易成本，刺激或抑制贸易活动，影响贸易活动对区域经济发展的作用。以鼓励出口收入最大化为导向的制度安排，将刺激出口企业扩大出口，注重量的扩张。如果制定相应的产业政策，鼓励高技术设备的引进和高技术含量产品的出口，就有利于产业升级。因此，地方政府应有一种政策导向和激励，引导企业调整产品结构，提升技术水平，使对外贸易产生更大的促进区域经济增长的效果。制度安排应与区域经济发展阶段相适应，超前或滞后都会带来不利影响。

115

第三节　贸易开放与江浙经济发展

一、贸易对江浙经济增长的影响

改革开放以来，特别是 90 年代以来，江浙两省贸易发展各具特色，形成了具有明显差异的贸易发展模式。江苏省外贸发展模式的主要特征是：外资企业变为外贸的主体、加工贸易成为主要的贸易方式、高新技术商品出口增长迅速、地域外贸发展极不均衡。浙江省外贸发展模式的主要特征为：民营企业成为外贸增长动力、贸易顺差一直处于较高水平、地域外贸发展相对均衡。

为了检验外贸对江浙经济增长的影响，笔者选取 GDP、出口（X）、进口（M_{-1}，滞后一期）三个变量，分析所使用的数据样本江苏为 1985—2003 年，浙江为 1986—2004 年，数据来源于相应年份《江苏统计年鉴》、《浙江统计年鉴》。进出口额分别用当年平均汇率换算为以人民币为单位的进出口值。为了消除数据中存在的异方差，对变量进行对数变换，分别表示为 lnGDP、lnX、lnM_{-1}。运用 ADF 检验法对各变量进行单位根 F 检验，结果显示，浙江的 lnGDP、lnX、lnM 都是 1 阶单整序列，而江苏的 lnGDP、lnX 是 1 阶单整序列。采用 EG 法对变量进行协整分析，得到的协整方程如下：

江苏： $\ln GDP=4.0516+0.66031nX$ （3—1）

$R^2=0.984$　s.e.$=0.128$

浙江： $\ln GDP=4.6153+0.27551nX+0.32871nM_{-1}$

（3—2）

$R^2=0.991$　s.e.$=0.095$

分别对两个协整方程的残差序列 e 做单位根检验，模型估计式（3—1）的 e 的 ADP 统计量为-2.7024，小于 10% 显著水平的临界值-2.6672，模型估计式（3—2）的 e 的 ADP 统计量为-2.9320，小于 10% 显著水平的临界值-2.6745。因此，可以认为变量间存在协整关系。模型估计式（3—1）各变量的 Granger 因果关系不显著，模型估计式（3—2）各变量的 Granger 因果关系检验如表 3—1 所示。

表 3—1　浙江 lnGDP 与 lnX、lnM_{-1}因果关系检验

NuI I Hypothesis	0bs	F—Statistic	Probability
X does not Granger Cause Y	16	6.75822	0.01218
Y does not Granger Cause X		0.13911	0.87164

NuI I Hypothesis	Obs	F—Statistic	Probability
M$_{-1}$ does not Granger Cause Y	16	1.85070	0.20286
Y does not Granger Cause M$_{-1}$		8.43405	0.00602

从上述计算结果可以看出：

（1）出口对浙江经济有较大的正向拉动作用，对江苏的作用不显著。江浙两省外贸出口的高速增长拉动了两省出口部门的扩张，促进了经济增长。Granger 因果关系检验表明，出口对浙江经济增长的作用显著，对江苏经济增长的作用不显著。（2）进口贸易与浙江 GDP 存在长期稳定的均衡关系，滞后一年的进口贸易与经济增长之间存在单向的 Granger 因果关系，进口贸易对经济增长的作用不显著。浙江外贸存在较大的顺差，说明进口对经济增长的作用没有很好地利用。

二、贸易对江浙要素积累的影响

不论是区际贸易还是对外贸易，都在江浙地域要素积累中发挥了重要的作用。贸易活动对江浙地域要素积累的作用主要体现在以下几个方面：

1. 物质资本积累

江苏、浙江乡镇企业的发展是在市场范围的不断扩张中实现的，贸易在江浙地区农村工业化中的作用不可替代。乡镇企业在发展初期，产品的销售较难进入正规的流通渠道，只有依靠大量的供销人员建立体制外的流通渠道。江浙两省物资企业在保证乡镇企业物资供应上发挥了关键性作用。有关资料显示，1990 年江浙两省物资供销企业购进物资占全国购进总值的 22.0%，销售物资占全国销售总值的 21.9%，物资部门购进物资占全国购进总值的 24.2%，销售物资占全国销售总值的 23.6%。"走遍千山万水、想尽千方百计、说尽千言万语、吃尽千辛万苦"的精神是当时对乡镇企业供销人员的真实写照。正是在全国范围内拓展市场，江浙地区乡镇企业获得了大发展，积累了大量物质资本。面对日益激烈的市场竞争，江浙两省外贸企业积极帮助乡镇企业开拓国际市场。1994年，苏、锡、常三市共完成外贸收购额910.3亿元，其中乡镇工业出口产品729.49亿元，占80%。[①]1990年，经国家农业部、经贸部联合批准，苏、锡、常25家乡镇企业成为全国首批"贸工农"联合出口商品基地企业，全国大多数省口岸公司与苏南乡镇企业建立了业务联系。

专业市场是江浙商人制度创新的重要之举，为江浙两省积累了大量的物质财富。借助专业市场，大量家庭作坊、中小企业顺利实现了产品销售，许多创业者完成了资本的原始积累。这些经营者在完成资本原始积累后往往开始创办实业，开始第二次创业。因此，专业市场是江浙企业家的孵化器，是浙江资本积累的重要来源。浙江专业市场从20世纪80年代中期起就开始向省外拓展，出现了"温州村"、"温州街"、"浙江村"等浙江籍商人比较集中的商品集散地。专业市场还为浙江民营企业开拓国际市场搭建了平台，主要表现在：（1）在境外开办分市场。浙江省企业已在巴西、南非、阿联酋、俄罗斯、马来西亚、科特迪瓦等国兴办分市场，这些境外专业市场带动了民营出口商品生产加工企业的蓬勃发展。（2）向国际性市场转变。近年来浙江专业市场的外向度正快速提高，带动了大量民营企业开展国际贸易。来自美国、德国、意大利、韩国及中东、南亚等100多个国家和地区的企业或商社，在义乌设立了代表处，义乌中国小商品城正成为外商重要采购基地。在绍兴中国轻纺城，每天有200到300个外商在市场寻觅商机，外贸业务量迅速提升。

---

① 参见徐伟荣等：《异军突起在苏南》，江苏人民出版社1996年版，第15页。

进入20世纪90年代中期，江浙两省外贸出口迅速发展，为江浙地区物质资本的积累发挥着更重要的作用。2004年，江苏纺织服装业规模以上企业出口交货值占销售产值的30％，家具制造业、皮革及其制品业均占47％，文体用品业占55％。从江浙地区对外贸易的方式看，江苏以加工贸易为主，而浙江以一般贸易为主。从1997年开始，江苏加工贸易比重超过一般贸易，2005年加工贸易已占出口的66.8％，一般贸易占出口总额的33.2％，外资企业是江苏省外贸出口的主体，其出口额占出口总额的76.0％。在浙江出口贸易中，一般贸易一直占主导地位，20世纪90年代初以来，其比重均在70％以上，2003年这一比重上升至82.2％，2005年为60.8％，高于全国平均水平（42.3％）。浙江外贸带动的整个产业链条是相对完整的，这使得浙江的一般贸易拉动经济增长产生的收益，大部分可以留在本地。

2. 人力资本积累

据有关资料显示，20世纪80年代的苏南，乡镇企业的推销员在15万—20万人。大量供销人员在产品销售过程中"干中学"，提高了区域人力资本的积累。这些人中有很大一部分成为农村的能人，不少人成为民营企业家，在区域经济发展中发挥了重要作用。这些能人还通过对周边亲戚、朋友产生知识的扩散效应，促进区域人力资本的积累。

进入20世纪90年代，江浙地区对外贸易快速发展，增强了整个区域对外贸人才的需求。截止2005年底，浙江拥有18008家外贸企业，江苏新增外贸经营主体中，私营企业占92.4％，有出口实绩的私营企业数超过6000家。外贸企业的快速增长对外贸等方面的人才产生大量需求，除了本地高校毕业生外，外贸企业还需要大量从区域外招聘。大量外贸人才的输入，无疑提高了江浙地区的人力资本存量。同时，出口部门的扩张，有力地带

119

进速度很快（图3—5、图3—6）。第一产业总体趋势下降，江苏省在1978—1985年期间，第一产业比重在30％左右徘徊，1986年以后逐渐下降，至2004年为8.5％，浙江省除1979年比重比1978年上升外，第一产业比重逐年下降，至2004年为7.3％。第二产业总体上升，浙江省的上升幅度大于江苏省，这与浙江省的工业基础相对薄弱有关。第三产业呈上升趋势，上升的幅度大于第二产业，浙江省第三产业高比重的时间比江苏省更早，这与浙江省发达的专业市场有关。

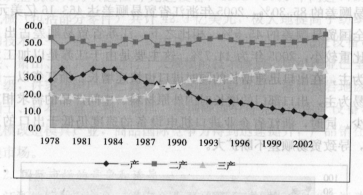

图3—5　1979—2004年江苏产业结构变化

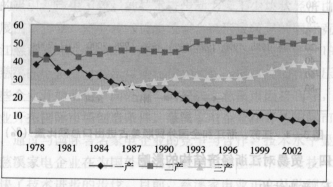

图3—6　1979—2004年浙江产业结构变化

为了进一步分析外贸对江浙产业结构演进的影响，我们在分析时采用以下半对数回归方程[1]：

$$\text{Ln}(Y_i S) = C_{i0} + C_{i1}\text{Ln}Y + C_{i2}\text{Ln}N + C_{i3}(\text{Ln}N)^2 + C_{i4}\text{Ln}X$$

$$(i=1,2,3) \tag{3-3}$$

$$\text{Ln}(Y_i S) = C_{i0} + C_{i1}\text{Ln}Y + C_{i2}\text{Ln}N + C_{i3}(\text{Ln}N)^2 + C_{i4}\text{Ln}M$$

$$(i=1,2,3) \tag{3-4}$$

式中，Y_i（$i=1,2,3$）分别表示第一、二、三产业国内生产总值占 GDP 的比重，Y 为人均 GDP（元），N 为年底总人口（万人），X、M 为出口、进口贸易量（亿美元）。本书选用浙江省 1986—2004 年统计数据，回归结果见表 3—2、3—3。回归结果表明：

浙江省第一产业的比重与进出口呈负相关，说明在开放条件下，进出口贸易使第一产业的资源向其他产业转移。进出口贸易均与第二产业的比重呈正相关，说明对外贸易使区域资源向工业移动，促进了工业化进程。

123

表 3—2　1986—2004 年浙江三次产业比重变化因素分析（出口）

	C	LnY	LnN	$(\text{Ln}N)^2$	LnX	R^2	F	DW
第一产业	−1281.11 (−2.97)	−0.42 (−3.49)	308.38 (2.97)	−18.53 (−2.97)	−0.05 (−2.97)	0.99	550.46	1.33
第二产业	−618.66 (−4.10)	0.22 (5.20)	150.32 (4.14)	−9.17 (−4.19)	0.05 (1.14)	0.97	108.87	1.98
第三产业	9.63 (0.04)	−0.08 (−0.99)	−7.59 (−0.12)	0.76 (0.19)	−0.05 (−0.62)	0.97	111.55	1.39

---

[1]　参见钟昌标：《区际贸易与区域发展》，经济科学出版社 2001 年版，第 101 页。

表3—3　1986—2004 年浙江三次产业比重变化因素分析（进口）

	C	LnY	LnN	$(LnN)^2$	LnM	R^2	F	DW
第一产业	−1668.88 (−4.41)	−0.40 (−5.58)	400.18 (4.46)	−23.97 (4.50)	−0.07 (−1.60)	0.99	646.48	1.32
第二产业	−387.56 (−2.93)	0.23 (9.43)	95.04 (3.04)	−5.86 (−3.150)	0.03 (2.01)	0.97	129.01	2.18
第三产业	−66.20 (−0.25)	−0.12 (−2.41)	11.29 (0.18)	−0.41 (−0.11)	0.005 (0.15)	0.97	108.70	1.36

　　对外贸易的发展对江苏产业升级的作用比较明显。江苏省20 世纪90 年代中期以来，机电产品和高新技术产品增长迅猛，远超过传统产业的增长速度，外贸出口商品结构迅速优化，2004年，机电产品、高新技术产品出口分别占全部出口的 66.33％、40.38％。江苏省机电产品出口已占全国的 17.95％。以通信设备及计算机制造为代表的高新技术产业迅速崛起，2004 年江苏省电子行业规模以上企业出口交货值占销售产值的 67％，仪器仪表及办公机械制造业占 53％。在参与国际竞争中，江苏省的机械、家用电器、船舶修造、医药等产业不断发展壮大，国际竞争力不断提高。

　　对外贸易也促进了浙江产业结构的升级。2004 年浙江省机电产品、高新技术产品出口占全部出口的比重分别为 37.32％、6.5％。机电产品出口占全国出口总额的 6.7％。浙江省出口结构中传统产业产品的比重一直占主导地位，1991 年纺织、丝绸、服装、工艺品、轻工业品出口占全部出口的比重为 56.91％，1995 年机电产品出口占全部出口的比重仅 22％，2005 年机电产品的出口比重已达 37％，机电产品的出口已超过纺织业。浙江省机电产品出口主要集中在汽车零件、摩托车、电动机和发电机、集装箱、船舶，而且以一般贸易为主。出口结构的变化反映了浙江省产业结构正在向高级化方向发展。在日益增多的国际贸易壁垒等不利因素下，浙江省企业不断创新，向更高层次的市场发展。尽管如此，浙江省产业仍以劳动密集型为主，进出口贸易主要属于产业间贸易，2003 年，纺织、服装、鞋类、箱包、床具、寝具、玩具之类轻纺产品占 50.07%。

2. 空间结构

改革开放以来，贸易对江浙地区经济空间布局产生了显著的影响。江浙地区不少过去经济发展相对落后的地区，通过专业市场和出口贸易的带动，在短期内迅速从一个农业地区成为经济发达地区。内外贸发展的差距成为区域经济发展差距的重要因素。江苏省外贸进出口不断向苏南地区集中，2003 年江苏省进出口总额中，苏州占 57.76%（表 3—4），南京、无锡分别为 12.94%、12.65%，苏中、苏北 7 市仅占 5.13%，外贸呈现出"没有苏南就没有江苏"的格局。

表 3—4　2003 年江苏分地区外贸比重（%）

地区	苏州	南京	无锡	常州	南通	镇江	其他 7 市
进出口比重	57.76	12.94	12.65	4.62	4.54	2.35	5.13
出口比重	55.18	12.96	12.39	5.97	5.55	2.18	5.77

资料来源：根据 2004 年《江苏统计年鉴》，江苏省外经贸厅外贸统计数据整理。

与江苏省相比，浙江省外贸发展的地域分布相对均衡，浙北、浙中、浙南外贸发展的差距相对较小，2003 年，浙江省 11 个市中除舟山、衢州、丽水、湖州出口量相对较少外，其他 7 市外贸出口量均占相对的比重（表 3—5）。浙江省贸易发展相对均衡，促进了区域经济的相对均衡发展。

表 3—5　2003 年浙江各市出口相对份额（%）

地市	杭州	宁波	温州	嘉兴	绍兴	金华	台州	其他四市
比重	17.43	32.49	9.22	9.74	12.21	6.26	7.14	5.51

资料来源：根据 2004 年《浙江统计年鉴》，浙江省外经贸厅外贸统计数据整理。

五、贸易对江浙制度变迁的影响

贸易活动对江浙地区制度变迁产生了深远的影响。贸易活动对江浙制度变迁的影响在第八章有更深入的阐述，在此仅作简要的分析。

贸易活动，特别是对外贸易活动，推动了政府管理制度的创新。出于鼓励外贸出口的需要，江浙两省贸易体制改革、贸易企业转制等方面的制度创新活动活跃，在全国处于领先地位。贸易管理制度的创新带动了相关领域的制度创新，使江浙地区的贸易环境不断改善，促进了江浙区域经济的快速发展。

江浙地方政府制度创新推动了民间贸易制度创新。改革开放以来，许多贸易制度创新发生在江浙地区。贸易制度创新降低了交易成本，使江浙贸易行业具有很强的竞争力，促进了生产企业的进一步扩张和区域经济的高速发展。浙江金融市场制度创新处在全国的前列，成为国家金融改革的试点地区。

尽管如此，江浙两省需要不断进行制度创新，才能实现区域经济的可持续发展。江苏省需要解决企业家生成的制度环境。江苏省外贸的可持续发展，不仅仅取决于中国经济的发展和当地政府的亲商程度，更取决于当地民间创业力量的激发和企业家精神的勃发。如果缺乏一个强大的民间企业家群体，就很难完成新兴产业的本土化，只能是附属而无法独立。因为，江苏省外贸发展对外资的依赖程度正不断加深。由于苏南加工贸易存在"大进大出"的特点，外贸与本土产业的关联度不大。外资企业以苏南为基地，扩大自己的市场，并占有了苏南最有利的投资场所和资源。因此，苏南地区在加工贸易迅猛增长的同时，社会成本也在不断增长，民营企业的市场和资源在逐渐丧失，2004年，江苏省私营企业机电产品出口仅占全部机电产品出口的2.9%。浙江省外贸发展也存在路径依赖问题。由于现有的企业家在市场、知识等方面存在"路径依赖"，他们从传统产业转向新兴产业的成本将很高，即使是第二代企业家也仍然大多从事同样的行业。正如史晋川教授指出的，在经济转型的起步和发展阶段，通过人格化交易方式（在亲戚朋友等熟人间的交易方式）比较容易保障交易的顺利进行。一旦这一方式被确立，就会产生惯性和路径依赖，造成"代际锁定"，即一代又一代产业格局与交易方式的固化。

127

第四章 技术转移、技术扩散与区域经济发展

技术进步是一国或地区实现经济长期增长的根本推动力，实现技术进步的三个主要途径包括技术创新、技术扩散和技术模仿。在开放条件下，国际间（包括区域间）技术转移和扩散怎样促进区域经济发展？这种机制的实现需要什么条件？技术转移和技术扩散对江浙经济发展产生了怎样的影响？这些是本章关注的主要问题。

128

第一节 技术转移、技术扩散与区域经济发展关系相关文献述评

一、技术进步与经济发展

最初的经济增长理论，假定经济系统的技术水平不发生变化，认为经济增长仅仅是由资本与劳动力数量的增长所引起的，这与现代经济增长的事实不相符。熊彼特创新理论的提出，为技术进步的研究开辟了一个新的领域。除了技术进步对社会经济发展的巨大影响外，创新理论区分了技术进步的两种不同状态：发明和创新，后者才算是经济意义上的技术进步。所谓发明是指新

的技术的发现，是一个工艺上的概念。创新则是指对生产要素进行新的结合，把发明应用到市场的生产活动中去，是一个经济上的概念。随着经济增长因素分析的兴起，对技术进步的研究也进入了实证的核算分析阶段。熊彼特（1942）和库兹涅茨（1953）首先将技术进步作为经济增长和经济结构变化的源泉，其后，经济学家们提出了各种有关经济发展过程中技术进步与技术创新的理论模式。对技术进步与经济增长关系的简单解释是，技术进步促进了生产可能性曲线的外移或等产量线的内移，导致了资源和产出的增加或降低了单位产出的成本，或新技术阻挡了边际递减规律的作用。1957 年索洛在《技术变化和总量生产函数》一文中引进外生的技术变化，以解释可能的正的人均收入的长期增长。索洛指出，经济的加速和减速、劳动力教育质量的改进、各种各样移动的因素，都可归入"技术变化"之中，从而经济增长不仅取决于资本和劳动要素的投入，还取决于技术变化因素。索洛根据美国 1909—1949 年的统计数据发现，这期间美国的产出增加了一倍，其中只有 12.5％源于资本和劳动的贡献，而87.5％的增长剩余都归于技术变化。"索洛残差"的出现，使人们认识到技术进步的重要性，在经济增长的过程中，在除了要素投入的作用外，技术进步起了巨大的作用。

20 世纪 60 年代中期，索洛（solow，R.）、斯旺（Swan，T）、丹尼森（Denison，E.）等人提出的技术进步论，为外生经济增长构造了一个比较完整的框架。索洛和斯旺在 1956 年各自独立地提出了一个经济增长模式，合称为索洛—斯旺模式。该模型克服了哈罗德—多马模型中的"刃锋均衡"问题，经后来经济学家们从理论和实证方面不断修正并扩展，日益精细化。但是，新古典增长理论中，假定人均投资收益率和人均产出增长是人均资本存量的递减函数，随着时间的推移，各国工资率和资本产出比将会趋同。因此，如果不存在外生的技术变化，经济就会收敛于一个人均水平不变的稳定状态。因此，在新古典增长模式中，技术进步被假定为外生给定的，长期人均增长率完全依赖于外生的技术进步率。

20世纪80年代中期以来，以罗默（Romer，P.）、卢卡斯（Lucas，R.）等人为代表的新增长理论完全将技术内生化，有意识的创新和发明在经济增长中发挥了重要作用。新增长理论大体沿着五条大的思路进行：（1）知识外溢和边干边学内生增长思路；（2）内生技术变化增长思路；（3）线性技术内生增长思路；（4）开放经济中的内生增长思路；（5）劳动分工和专业化内生增长思路。新增长理论将知识和人力资本等内生技术变化因素引入经济增长模式，提出了要素收入递增的假定。新增长理论认为，人均产出可以无限增长，并且增长率可能随时间变化而单方面递增。随着资本存量的增加，投资率和资本收益率可以递增而不是递减。不同国家的人均产出可以不收敛于不变的均衡状态。新增长理论已在经济理论和经济实践中产生了广泛的影响。目前，这一理论还处于发展和完善中，尚未形成一个非常完整和规范的理论体系。

美国著名经济学家丹尼森和库兹涅茨曾对经济增长的要素进行了分析。丹尼森通过对1929—1969年美国经济增长数据的分析后认为，知识进展的作用明显增强，资本等其他要素也在发挥重要作用，但要素总投入所起的作用在下降。库兹涅茨通过对不同国家经济增长中要素作用的比较分析也得出了相同的结论。

二、技术转移、技术扩散与经济发展

国外学者对技术转移、技术扩散与经济发展的关系进行了许多富有成效的研究。美国哈佛大学经济学家维龙（R. vernon）创导的产品生命周期模式、马库森（A. Markusen）创导的利润周期模式和库姆斯（R. coombs）等人创导的技术模型，均对技术扩散进行了研究。在理论研究的基础上，国内外很多学者就跨国公司技术转移和技术扩散对东道国技术进步的影响进行过深入的实证分析。一般认为，FDI 可以成功地向东道国进行技术扩散，提高东道国的技术和生产效率水平，促进东道国的经济增长。MacDougall（1960）在对 FDI 的福利分析中，首次将技术溢出效应视为 FDI 的一个重要现象。Caves（1974）通过对两个国家的实证研究发现，跨国公司的竞争迫使国内企业提高生产效率和加速跨国公司对它们的技术转移。[1] Findlay，R.（1978）最早建立了通过 FDI 扩散先进技术的模型，检验了技术差距、外资份额等因素对技术扩散的影响。[2] Das（1987）从理论上证明，跨国公司的国际技术转移对东道国经济和人民都是有益的。[3] R. Barrell 和 N. Pain（1997）的模型分析表明，国际投资是思想和技术扩散的重要渠道。[4] 但是，实证研究也得出不同、甚至相反的结论。Haddad 和 Harrison（1993）在对摩洛哥的研究中，没有发现任何跨国公司对摩洛哥制造业技术溢出的迹象。[5] Kokko（1994）认为，跨国公司的技术转移也可能导致东道国企业获取

131

[1] R. E. Caves, "Multinational Firms, Competition and Productivity in Host—Country Markets", Economia, 1974 (41): 176—193.

[2] Findlay. R., 1978, "Relative Backwardness, Direct Foreign Investment and The Transfer of Technology: A Simple Dynamic Model", Quarterly Journal of Economics, 92, 1—16.

[3] Das. s., 1987, "Extermalities and Technology Transfer Troug MNCs", Journal of International Economics, 22, 171—182.

[4] Barrell, R., and N. Pain, 1997, "Foreign Direct Investment, Technological Change and Economic Growth within Europe", the Economic Journal, 107, 1770—86.

[5] Haddad, M. and A. Harrison, 1993, "Are there Positive Spillovers from Direct Foreign Investment? Evidence from Panel Data for Morocco", Journal of Development Economics 42, 51—74.

技术的高成本，甚至会阻碍东道国的技术进步，大的技术差距和高的外资市场份额形成了重要的障碍。[①]

一些学者研究了影响技术转移和技术扩散的因素，正是这些因素导致不同的技术转移和技术扩散效应。Keller（2001）指出，国际贸易、外商直接投资和语言技能对技术扩散有重要影响。[②] Kokko（1992）认为技术转移和技术扩散效应，在很大程度上取决于跨国公司与东道国企业的市场特征及其相互影响。

近年来，有关开放对我国技术转移和扩散的实证研究比较活跃，得出了不同的研究结论。谷克鉴（2002）认为开放对中国经济的推进作用，最重要的形式之一，就是技术国际扩散的经济效应包括生产率变动效应。[③] 沈坤荣（1999）对外商直接投资与全要素增长率的关系进行了研究，认为 FDI 对全要素增长率有正向的影响。[④] 江小涓（2002）认为，外商投资企业大量引进先进技术，而且通过技术外溢效应，对国内企业的技术进步产生积极的推动作用。一些研究结论也显示，外资对我国的技术进步没有多大影响。赖娟（2003）指出，跨国公司引进的技术在我国的消化率极低，技术溢出效益几乎为零，难以通过消化引进的技术来提高本国的研发能力。[⑤]

不少学者也开始注意开放对区域技术转移和技术扩散的影响，得出的研究结论并不一致。何洁（2000）借鉴 Feder 的计量

① Ari Kokko, "Technology, Market Characteristics, and Spillover", Journal of Development Economics, 43: pp. 279—293.

② Keller, W., 2001, "The geography and channels of diffusion at the world's technology frontier", NBER working paper No. 8150.

③ 参见谷克鉴:《开放中技术扩散对地区间劳动生产率变动的影响》,《中南财经政法大学学报》2002 年第 3 期。

④ 参见沈坤荣:《外国直接投资与中国经济增长》,《管理世界》1999 年第 5 期。

⑤ 参见赖娟:《FDI 与中国技术进步》,《云南财贸学院学报》2003 年第 6 期。

方法，利用生产函数建立回归方程，发现 FDI 对中国区域经济增长存在显著外溢作用。[①] 谷克鉴（2002）就开放中的技术扩散对地区间生产率变动的影响进行了研究。殷醒民（2004）认为，在开放经济条件下，技术进口对长江三角洲地区技术升级要比出口的作用更大。[②] 曾刚（2002）通过对浙江金昌模式分析，得出三点启示性结论：①对于发展中国家和地区而言，在经济发展水平较低、企业装备技术水平较低的地区，首先应注意接受区外同行业先进企业的技术转移，通过引进先进技术装备，大幅提升现有产业设备的技术水平，从而为全方位接受区外高新技术扩散创造良好的物质条件。②在区域企业已经拥有较为先进的技术装备的条件下，企业技术引进的重点对象，应该从区外同行业先进企业向代表技术最高水平的高校和研究院所转移，以保证引进技术的领先性，同时培养区域高新技术开发与产业化的人才队伍，达到建设区域产业技术高地的目的。③维持区域产业技术高地地位，必须建立开放灵活的技术保障体系，并通过合理竞争，维持区域经济的活力与生机。也有研究显示，外资对区域技术进步没有产生显著影响，并有可能存在对外资的技术依赖风险。[③] 张海洋（2005）通过构建衡量外资技术扩散计量模型，从时间和空间的角度检验了以 FDI 为载体的技术扩散，对中国区域经济增长的影响。研究发现，在改革开放以来的不同阶段，尽管外资对中国区域经济增长有明显的促进作用，但各地区并没有能够通过引进大量外资获得内含在外资中的先进技术，外资技术扩散对地区经济

133

①　参见何洁、许罗丹：《中国工业部门引进外商直接投资外溢效应的实证研究》，《世界经济文汇》1999 年第 2 期。

②　参见殷醒民：《长江三角洲经济发展中的技术扩散效应》，《金融管理与研究》2004 年第 4 期。

③　参见曾刚：《技术扩散与区域经济发展》，《地域研究与开发》2002 年第 9 期。

增长没有显著的影响。① 朱华桂（2003）对苏、锡、常三个科技园区内企业的研究表明，跨国公司子公司技术溢出效应非常有限，并可能导致对跨国公司的技术依赖，使我国与发达国家的技术差距固定化。② 殷醒民（2004）认为，长江三角洲经济的快速发展就是以接受和运用国际先进技术为基础的，大量的新技术信息在区域内流动，诞生了新的工业部门，改变了传统工业部门的技术，这一发展战略推动了长江三角洲地区的经济起飞。

三、评价与思考

技术是促进一个国家或地区经济增长的发动机，这种趋势在近年的经济增长中表现得越来越充分。经济学家很早就认识到技术进步在经济增长中的作用。技术进步对经济增长的作用的研究，经历了从外生到内生的思路。技术进步对经济增长的作用正在被许多国家和地区的实践所证实。成功的工业化，不仅意味着物质能力增加或生产的增加（在一个短期中），还意味着这种能力的建立和利用是有效的，而且从长期看，由于生产率和竞争力的提高，增长将是持续的。发展中国家的"效率"也包括生产率同步提高和工业技术的多样化。成功的工业化发展一般将引起本国制造业增长所需要的专业与技术人员比例的提高。一个成功的工业化国家，表现出以日益增长的本国物质、人力和技术投入来不断使制造业活动深化和复杂化。阿罗（Arrow，1962）提出了著名的"从干中学模型"，最早用内生技术进步来解释经济增长。此后，许多经济学家都致力于技术进步内生化的研究，如罗默（Romer，1986）在其知识溢出形模型中，用知识的溢出效应说

---

① 参见张海洋：《人力资本吸收、外资技术扩散与中国经济增长》，《科学学研究》2005年第2期。

② 参见朱华桂：《跨国公司在华子公司技术溢出效应实验研究》，《科研管理》2003年第2期。

明内生的技术进步是经济增长的唯一源泉，强调知识的外部性对经济的影响。技术进步包括新思想的产生，而新思想的产生在某种程度上是非竞争性的，因此，新思想具有公共产品的性质。Arrow（1962）、Sheshinski（1967）认为，思想是生产投资中无意产生的副产品，这种思想被称作干中学。如果思想没有出现耗尽趋势，那么在长期内经济就能保持正的增长率。

　　有关技术转移、技术扩散等概念，不同的学者有着不同的认识，因此对技术转移、技术扩散等概念的定义、内涵等存在不少的差异。对于技术转移的定义，学术界一直有不同的理解：联合国国际转让行动守则会议认为，技术转移就是指转移制造某种产品、应用某项工艺或提供某种服务的系统知识的发明（包括新产品和新技术），转移到另一国的过程；罗斯布鲁姆认为，技术转移就是技术通过与技术起源完全不同的路径被获取、开发和利用的技术变动过程；斯培萨提出，技术转移就是在有组织的工作中，为了实现组织目标，使必要的技术、信息得以有计划的合理移动。他把技术转移限定为政府和企业的有计划、合理的技术移动，强调技术转移的有序性和制度性。对于技术扩散的定义，也有许多说法，主要观点有：斯通曼把一项新的技术的广泛应用和推广称为技术扩散；吉（Gee）认为技术扩散应是以期给新使用者带来预期经济效益的技术新应用；一些学者认为技术扩散是一个"学习"的过程，即在模仿的基础上还有不断的自主创新活动，巴林森认为比传授知识和生产能力更为重要的，是将能力和意愿嫁接到当地的工程和设计能力上去，使之具有进行技术变革的能力。

　　技术转移与技术扩散既有联系又有区别，对两者的关系，不同的学者有着不同的理解。陈念文（1987）认为技术转移与技术扩散不同，前者是一种以技术应用为目的，有意识、有计划、有组织的活动，而后者则是指技术的自然传播，具有自发性特征。[①] 魏心镇等地理学者则认为，扩散是一种创新在空间传播或转移的过程，这种创新可能是一种观念、技术、时尚或其他人类文化特征等。一般认为，技术转移和技术扩散的主要区别是：（1）技术扩散是一个纯技术的概念，是为研究技术传播而提出来的，扩散的对象就是纯粹的新技术。技术转移最早是为解决南北差距而提出来的，不仅仅包括纯技术，而且还包括与技术有关的各种知识信息等。在特定情况下，技术扩散也被看作是技术转移，而这时的技术扩散和技术转移都是针对新技术而言的，是新技术的再次应用。（2）技术转移主要是一种有意识的自主经济行为，并且技术的接受方往往是一个明确的对象，而技术扩散不但包括有目的的技术转移，还包括无意识的技术传播，且技术接受方往往是不确定的多个对象。与技术转移和技术扩散相关的另一个概念是技术溢出。技术溢出是经济学意义上的外部效应，是指技术主体不能产生直接的技术扩散。因此，通过正式契约实施的技术转让的行为不属于技术溢出。从这个意义上看，技术溢出是技术扩散的一个构成部分。技术转移和技术溢出效应的研究比较复杂，给定量研究带来很大的困难。

定量地测量技术转移和技术扩散对经济增长的效应，一直是经济学家努力的方向。国外学者已做了比较有成效的工作，得出了许多有影响的结论。近年来，国内学者在技术转移和技术扩散对区域经济增长效应的研究方面也取得了长足的进步。FDI是否对中国或区域经济增长产生技术溢出效应，是近年来国内学者研究的重点。通过运用比较先进的计量方法，许多研究得出了比较有启发意义的结论。从现有研究结论看，FDI对区域经济增长的

136

---

① 参见陈念文等：《技术论》，商务印书馆1987年版，第55—67页。

技术溢出效应是不确定的。一方面说明技术外溢效应的复杂性，FDI 对区域经济增长的溢出效应受到许多变量的影响。另一方面也确实存在数据运用上的问题。在数据处理上的差异将直接导致研究结论的不同。因此，在不断改进计量方法的同时，还需要结合其他方法，研究开放条件下技术转移和技术扩散对区域经济发展的影响机制。

第二节 技术转移、技术扩散促进区域经济发展的机制和条件

在开放经济中，区域经济不但可以获得来自本国其他区域的技术转移和技术扩散，还可通过国际经济活动，从其他国家或地区获得技术转移和技术扩散。技术转移和技术扩散能使区域经济发展突破资本报酬边际递减的约束，实现区域经济长期增长。

137

一、技术转移、技术扩散促进区域经济发展的机制

1. 促进技术进步

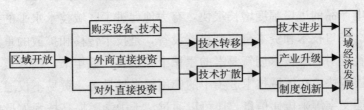

图 4—1 技术转移、技术扩散促进区域经济发展的机制

在开放条件下，技术转移、技术扩散促进区域经济发展的机制表现为（图 4—1）：

（1）通过贸易所获得的技术转移和技术扩散。发达国家技术进步的重要源泉是研究和开发所产生的知识。对于一个地区来

说，仅依靠自己的财力，既没有能力从事基础科学研究，也没有足够的资源大规模投资于迅速开发这种能力所必需的科技研究。但可以依靠技术引进来替补有限的研究和开发能力，实现追赶式发展。几乎对于所有的后发国家来说，其工业化过程中的技术进步，首先表现为一种学习模仿和引进先进国家已有技术的过程，其技术进步的任务即为引进先进国家现有技术中对他们来说经济适用的部分，这是"后发利益"最为显著的表现。

通过贸易获得技术转移和技术扩散的方式主要包括：①从国外进口成套设备、关键设备和生产线；②从国外购买专有技术、专利技术，在区内企业组织生产；③向国外咨询技术，请外国工程咨询公司提供咨询服务，解决设计和生产中遇到的技术难题；④对外贸易活动过程诱发"干中学"。2004 年，成套设备、关键技术、生产线引进费用占我国技术引进总费用的 37.2%，专有技术、专利技术费用占 27.3%，技术咨询、技术服务的费用占 25.0%，三项合计占 89.5%。

从国外引进新设备进行技术改造，是提升区域技术能力的主要途径之一。随着各地出口能力的增强，进口能力的不断提高，机电产品的进口幅度增长很快，有力地促进了区域技术水平的提高。进口技术和资本密集型机器设备，是技术转移和扩散的重要途径，对区域技术创新要素的累积十分重要。近年来，技术贸易发展很快，在区域技术进步中的作用越来越显著。贸易不仅通过书面文字等来传递信息，还可以通过"干中学"提高技术人员的创新能力，如在进口机电设备和技术的过程中，本地技术人员与外方技术人员的合作交流，能产生明显的知识和技术溢出效应。

表 4—1 显示了 1999 年我国大中型企业技术改造等其他技术活动经费支出情况。从表中可以看出，我国工业企业技术活动呈现以下特征：①工业企业技术改造等其他技术活动主要集中在技

术改造和技术引进上，占总费用的 97.1％，购买国内技术的经费较少，仅占技术引进费用的 6.7％。不同区域技术来源具有不同特征，东中西部地区购买国内技术经费占技术引进费用比值分别为 4.7％、13.9％、9.7％，说明中西部地区从国内获得技术的比例高于东部地区，这也在一定程度上反映了东中西部地区的技术差距。②东西部地区工业企业技术改造等其他活动经费支出呈现较大的差异，东部地区技术改造、技术引进费用分别占全国的 63.5％、74.4％，东部地区技术改造等技术活动经费远高于中西部地区，东部地区更倾向于利用国外技术。东部地区消化吸收费用占全国的 75.5％，说明东部地区具有更强的技术吸收能力，能接受更多的技术转移和技术扩散。

表 4—1 1999 年我国各地区工业企业技术改造等其他技术
活动经费支出比较 　　　　　　　　　　（亿元）

地区	技术改造费用	技术引进费用	消化吸收费用	购买国内技术
东部地区	537.2	154.4	13.7	13.8
中部地区	202.2	31.7	2.9	7.3
西部地区	106.2	21.4	1.5	2.1

资料来源：《2000 年中国科技统计年鉴》。

　（2）通过内外资所获得的技术转移和技术扩散。我国区域间技术水平存在着很大的差距，区域间技术转移和技术扩散也很普遍。20 世纪 50 年代，我国大力加强东北、西北等地区的战略部署，一些国家重点项目上马，大量的设备、技术、人才由沿海地区向这些地区流动。60—70 年代国家"三线地区"的工业建设，是又一次大规模技术转移和技术扩散过程。这两次大规模技术转移和技术扩散是在计划体制下由行政力量推动的。进入 80 年代以后，一些"三线地区"企业向沿海地区移动，形成由西向东的设备、技术、人才流动，这次流动是在市场机制的作用下形成的，是对计划体制形成的技术区域分布的一种市场矫正。东部沿海地区利用灵活的机制和较强的技术转化能力，吸引中西部地区的设备、技术和人才。进入90年代中后期，随着中央西部开发、振兴东北战略的实施，东部沿海地区企业开始向这些地区投资兴业，启动了新一轮的较大规模技术转移和扩散。

20世纪90年代始，我国开始大量接受外商直接投资，沿海地区是外资的主要集聚地。外商直接投资主要通过在制造业新建企业实现技术转移和技术扩散。外资进入东部沿海地区的初期，企业规模小、技术层次低，技术转移和扩散效应较弱。进入90年代中后期，沿海地区注重吸引大型跨国公司特别是世界500强。不少跨国公司在新建企业时，开始将研发中心移至这些地区，技术转移和技术扩散效应开始显现。外资企业的技术转移和技术溢出效应主要表现在：①大量技术开发活动对区内其他企业产生竞争和示范效应，逼迫和引导其他企业实现技术进步。资料显示，1999年，外资企业比较集中的上海、江苏、浙江和广东三省一市，其大中型三资企业技术开发费、技术改造费、技术引进费已分别占全国大中型三资企业的68.9％、76.7％、86.5％。上述地区大中型三资企业的技术开发活动，有力地促进了区域的技术进步，加快了企业技术进步的步伐。②通过前、后向关联推动区内其他企业的技术进步。大型跨国公司具有比区内企业更高的技术优势，他们通过配套协作，向本地企业技术扩散，提高本地企业的技术水平。但是，跨国公司的技术转移，是严格按照技术的寿命周期进程及其全球战略需要来安排的。所以，跨国公司进行一定的技术转移，也往往是跨国公司比较落后的技术，最多是非核心技术，比如生产操作与装配性技术，或其他零散性技术。并且，跨国公司的进入，可能会影响区域内企业的技术创新，影响区域内企业的技术进步进程。

（3）通过对外投资、区际投资所获得的技术转移和技术扩散。对外直接投资、区际投资，是区域经济发展到一定阶段后获取国外（区外）先进技术的重要途径。由于跨国公司一般引进标准化、适用技术，当地较难获得较先进的技术。区内企业在对发达国家的直接投资中，通过与具有先进技术水平的企业合作、合资或并购，获取发达国家先进的技术知识，实现技术转移和扩散。这些企业可使技术进一步在母国扩散，实现技术溢出，带动技术进步，促进区域经济长期增长。对外直接投资企业能否获得国外先进技术并及时向区域技术转移和扩散，是这一机制能否实现的关键。

2. 促进产业结构的提升

技术转移和技术扩散主要通过以下途径提升区域产业结构：①传统产业的技术改造。区域内传统产业通过引进国内外先进的设备、技术，提高产业的技术装备和技术水平。如我国沿海地区的纺织业，近年来通过大规模的技术改造，技术水平有了很大的提升，大幅度提高了产品的国际竞争力。纺织业的技术改造克服了资本边际收益递减规律的影响，提高了劳动生产率，实现了区域经济发展。②技术转移、技术扩散促进了新技术的普及和新产品的推广，其产生的巨大经济效益会刺激更多的厂商加入到新行业和新产品的生产中来，从而激发企业家的投资热情，促使区域新增固定资产和资本存量向有技术创新活动的产业集中。同时，新的行业又会带动众多相关行业的发展，推动区域经济增长。③外商直接投资产生的技术转移和技术扩散，将促使高新技术产业的形成，提升区域产业层次，加快区域产业结构向高级化发展。我国许多地区的高新技术产业集群，正是在国际技术转移和技术扩散的影响下形成的。

141

3. 引发制度创新

技术转移、技术扩散对区域制度创新的影响，主要通过以下方式实现：

（1）引发正式制度的创新。技术转移、技术扩散导致的区域技术进步，将会引起企业组织形式、管理理论与管理方法的变革，从而促进企业制度、经济运行规则以及经济管理体制的变迁。如信息化改造改变了企业管理方式，促进了企业管理制度的变革；电子商务技术的发展，改变了企业贸易交易方式，促进了交易规则的变革。

（2）引发非正式制度创新。拉坦曾指出：导致技术变迁的新知识的产生，是制度发展过程的结果，技术变迁反过来又代表了一个对新制度变迁需求的有力来源。技术转移、技术扩散能直接或间接引发生活方式的改变，促进人们价值观念、道德观念、风俗习惯等非正式规则的变迁，进而引发人们改变对消费、知识、资源利用、环境保护等问题的认识，形成对经济发展有利的行为习惯。

二、技术转移、技术扩散促进区域经济发展的制约条件

技术转移、技术扩散促进区域经济发展的机制，主要受到以下条件的制约：

1. 市场环境

开放的市场环境有利于技术等要素的流动，加快技术转移和技术扩散的速度。如果存在国际间贸易壁垒，就会影响先进设备和技术的引进，阻碍技术的跨国流动，限制区域的技术来源。区域市场环境影响外资引进的质量，市场环境越好，吸引跨国公司前来投资建立研发机构的可能性就越大，就会获得更大的技术溢出效应。公平的市场环境有利于激发企业技术创新的动力，提高企业研发、引进技术的投入，促进区域技术转移和技术扩散。如果区域内对知识产权的保护不力，企业就缺乏技术创新的动力，将抑制区域的技术转移和技术扩散。20世纪90年代中期以后，

我国的市场环境有了较大的改善，知识产权保护的力度不断加强，企业技术创新的动力不断增强。企业追求利润的渴望，引发了区域技术转移和技术扩散，促进了区域经济发展。

2. 技术和知识存量

技术转移、技术扩散对区域经济发展影响效应大小，取决于区域的初始技术和知识存量。区域产业的技术初始水平，对于技术转移和技术扩散的效果有较强的制约作用。我国是一个大国，区域发展差距较大，不同的地区不仅在具体技术种类和技术领域方面存在差异，而且在技术的总体水平和知识存量上也存在差别，对 FDI "技术外溢" 效应的吸收存在较大的差距。企业在接受技术转移和技术扩散时，自身必须有一定的技术和知识水平，能够通过自己对新技术和知识的学习，实现通用知识的转移。同时，企业还必须投入技术力量，对技术进行消化和吸收，实现特有知识的转移。只有这样才能进一步实现技术创新，促进区域技术进步。技术水平和知识存量高的企业，往往能够与技术密集型的外资企业建立紧密的联系，承接外资企业技术开发中的一部分业务。本地企业的技术水平和获得创新资源的难易程度，影响着区域接受技术转移和扩散的能力。技术和知识的存量与企业的规模和人力资本存量有关。丰富的人力资本禀赋使得一国容易适应外国技术（Nelson 和 Pheips，1966；Benhabin 和 Spiege，1994）。东亚的经济发展实践表明，在人力资本达到一定程度后，技术引进对经济增长是有效的。

143

3. 企业家的意识

区域内企业家群体对技术进步的态度，在很大程度上决定一个区域接受技术转移和技术扩散的能力。企业家们如果能够意识到技术溢出效应的存在，并能够对这种溢出效应的大小作出估计，就能够加大企业技术开发经费的投入，增强区域吸收技术转移和技术扩散的能力。企业家的意识与产权结构、企业家素质等相关。企业产权制度的缺陷，会使管理层短期利润最大化倾向严重，导致对企业技术进步的漠视，影响企业对技术引进和开发的投入，削弱接受技术转移和技术扩散的能力。企业家素质低，会使企业缺乏长远的战略安排，失去接受技术转移和技术扩散的机会，导致区域整体技术创新能力的下降。

4. 经济政策和技术政策

贸易政策影响区域对机电产品和技术的进口。如我国曾实行的出口留成和人民币严重高估、进口限制政策，使各个地区拥有不同的进口能力。各地区在主要将出口留成外汇用于购买技术密集型进口物品的思想指导下，形成了特定条件下出口能力与进口能力的联系机制，决定了不同的接受技术转移和扩散的能力。一些沿海开放城市和省份，有着数倍于内地的外汇留成水平，这一政策的结果是，在购买高技术含量的进口品扩大技术引进能力上，沿海开放地区同内地存在着巨大差异（谷克鉴，2002）。中央和地方共同负担的出口退税政策，造成了不同地区出口鼓励政策上的差异，影响不同地区的出口能力，进而影响进口能力。

区域科技政策及执行情况，对区域技术转移和技术扩散有重要影响。良好的政策环境便于企业从外部引进技术，注重对新技术的吸收。区域科技政策包括政府经费资助、税收优惠、创新基础设施建设的投入等。尽管国家制定一定的优惠税收政策，鼓励企业的技术创新活动，但由于不同地区的意识、资金约束等因素的影响，实际执行情况并不一致。比较而言，上海、青岛、大连等地区这一政策执行情况较好。影响政策执行的主要问题来自三个方面，即税务部门的问题、企业管理方面的问题和政策设计本身的问题（任慧玲，2004）。

第三节 技术转移、技术扩散与江浙经济发展

一、技术进步与江浙经济发展

本章采用常用的生产函数，对江浙地区技术进步进行估算。为避免多重共线性，假设规模报酬不变，即 $\alpha+\beta=1$。该模型的数学方程式为：

$$Y_t = A_0 e^{\lambda t} K_t^{\alpha} L_t^{\beta} e^u \tag{4—1}$$

两边取对数：

$$Ln\ (Y_t/L_t) = LnA_0 + \lambda t + \alpha Ln\ (K_t/L_t) + u \tag{4—2}$$

（4—1）式中，Y_t 表示 GDP，K_t 为资本存量，L_t 是劳动投入，λ 是综合生产率系数，u 是随机误差项，数据的选取与第二章相同。计算结果见表4—2。

从回归结果看，江浙两省综合生产率系数与 GDP 存在正相关关系，说明技术进步促进了江浙地区经济增长。

表4—2 1985—2004年江苏、浙江 Ln (GDP/L) 回归结果

江苏	估计系数	T统计量	浙江	估计系数	T统计量
常数项	−0.741	−3.40	常数项	−0.870	−2.630
Ln (K/L)	0.707	5.015	Ln (K/L)	0.535	3.140
t	0.037	2.709	t	0.041	1.780
$R^2=0.991$, F=973.34, DW=0.510			$R^2=0.989$, F=782.55, DW=0.323		

二、技术转移、技术扩散与江浙技术进步

改革开放以来，江浙两省技术进步处于全国领先水平。2005年江苏省、浙江省综合科技进步水平位于全国第二、四位。这除了加大科技投入、实现自主创新外，主要依靠接受国内外技术转

移和技术扩散。

1. 区际技术转移与扩散

20世纪80年代，江浙地区主要接受上海和其他地区的技术转移和技术扩散，进入90年代，江浙地区主要接受来自海外的技术转移和技术扩散。江浙地区主要通过以下途径接受技术转移和扩散：

（1）各种形式的联合与协作。改革开放初期，"横向联合"、"星期日工程师"和技术设备转让，是当时江浙地区乡镇企业接受上海技术转移和技术扩散的主要途径。上海国有企业的工程技术人员，利用节假日等业余时间对乡镇企业进行指导，培训技术人员，提高乡镇企业的技术水平。当时乡镇企业设备来源主要有：国有企业淘汰产品；模仿自制；聘请技术人员指导自制。乡镇企业对技术服务往往支付比较低的价格，技术进步在低成本下实现。除了从上海获得技术转移和技术扩散外，江浙地区乡镇工业利用自身所拥有的制度上优势，广泛与国内国有企业开展跨地区的横向联合。当时上海的一些知名品牌，如"凤凰牌"自行车，"蝴蝶牌"缝纫机，都在浙江省找到了零部件生产厂家和"OEM"厂家（陈建军，2005）。1985年，苏州全市乡镇企业已与全国20多个省、市建立各种形式的横向经济联合，建成各种联合企业2000多家，占全市乡镇企业总数的15%。乡镇企业还利用其制度优势，直接从国有企业、科研机构吸引技术人才或获得专利技术。苏南、浙北在上海的强辐射下，已与上海形成了紧密的产业联系，接受上海的技术转移和技术扩散。2004年，嘉兴已有1500多家企业与上海建立了多种形式的合作关系，两地协作项目超过1000个，每年有300多亿元产值的工业品为上海配套。借力上海的技术优势，江浙地区培育了电子、光机电、精细化工、汽车零部件、生物医药等新兴产业。

　　江浙地区乡镇企业还通过跨地区的产学研联合开发，不断提高技术水平。苏南乡镇企业与大专院校、科研院所合作，不仅为时悠久，而且底蕴深厚。这种合作为建立地区技术创新体系奠定了很好的基础。苏南科技开发的主力军，是拥有雄厚实力的国有、集体大中型企业或企业集团。苏南企业主要瞄准国内重点高等院校和大的研究所，全方位开展挂靠合作，尤其是与中科院分院、各大研究所的合作，作为横向联合的新领域，充分利用院所的人才资源、成果资源、信息资源，吸引和鼓励他们以转让专利、参股合作等形式，与企业结成紧密的利益共同体，实现了产业资本与科技资本的有机结合。至 1999 年，昆山市约有 200 多家企业与 100 多家院、校、所建立了技术合作关系。

　　（2）引进内资和对区外直接投资。20 世纪 80 年代是上海工业结构大调整时期，苏南、浙北吸引了一些上海企业的投资，如昆山经济开发区的第一家企业，是生产金星牌电视机的上海电视机一厂昆山分厂。资料显示，当时有 50％的上海企业和江苏、浙江有经济技术合作关系。上海向周边地区，如对江苏、浙江地区的产业区域转移，不是通过直接投资，而是主要通过企业之间的技术经济合作进行的。这种技术经济合作导致了技术的转移，进而导致了产业转移（陈建军，2005）。三线企业是江浙地区接受技术转移和扩散的又一渠道。改革开放初期，苏南、浙北利用其区位优势，从江西、贵州、四川等地引进一批国有企业，提高了一些产业的工业装备和技术水平。如 1984 年，对外地迁嘉兴的工厂、科研、设计单位，嘉兴市政府出台了十条优惠政策，吸引了江西等地的电子工业企业落户，提高了电子工业技术水平。进入 90 年代，江浙企业对外直接投资开始增多，利用上海、北京等大城市丰富的技术资源，加大研发力度，提高企业技术水平。

147

（3）利用资本市场。江浙企业利用资本市场，通过投资、收购、兼并、参股、控股等方式，进入新的市场、新的产业，或建立高技术产业，实现技术创新机制与资本经营机制的密切配合，促进了支柱产业的技术进步。江阴市的上市公司，多数不仅是江阴市的龙头企业，有的甚至是全国的行业龙头。经过多年的结构调整、产品开发和技术创新，江阴市上市公司创建了阳光牌精纺呢绒、法尔胜钢丝绳、双良牌溴化锂制冷机、澄星牌磷酸盐、申达牌塑料包装膜等省级名牌产品 23 个，1999 年实现销售 174 亿元，利税 17.8 亿元，分别占全市的 27.6％和 37.1％，其中，有 9 个产品在全国同行业中市场占有率位居第一（高波，2001 年）。

（4）购买设备、技术和引进人才。20 世纪 80 年代前期，江浙地区乡镇企业、私营企业的技术装备主要来自城市工业的淘汰设备。进入 90 年代，江浙工业企业从国内外引进先进设备、技术和人才，进入了大规模技术改造时期。有关资料显示，1995 年，流向江苏、浙江的技术成果分别为 2.2 万项、2.0 万项，1999 年增长到 3.7 万项、2.6 万项。图 4—2 显示，1999 年流向江苏、浙江的技术合同金额分别是 1992 年的 3.0 倍、4.4 倍。江浙地区技术市场交易额迅速增长（表 4—3），1999 年江苏、浙江技术市场的交易额分别是 1990 年的 12.1 倍、13.9 倍。技术市场的不断成熟，有力地促进了科技成果的转化，表 4—4 显示了 1999 年江苏、浙江与全国大、中型企业，在技术改造与技术引进方面的经费比较。从表中可以看出，江苏、浙江的技术改造费分别为 78.2 亿元、81.7 亿元，占全国的 18.9％；从国内购买技术分别为 1.5 亿元和 1.2 亿元，占全国的 19.6％。大规模的技术改造活动，提高了江苏和浙江两省的技术装备水平，促进了企业的技术进步。

148

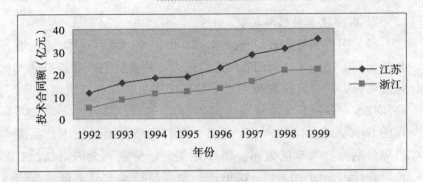

图 4—2 1992—1999 年技术市场流向浙江地区的合同金额

表 4—3 若干年份江浙地区技术市场交易情况 单位：亿元

地区	1990	1995	1998	1999
江苏	3.45	18.16	33.071	41.67
浙江	1.36	9.78	16.23	18.85

资料来源：2000 年《中国科技统计年鉴》。

表 4—4 1999 年江苏、浙江、全国大中型企业技术改造与引进经费

单位：亿元

地区	技术改造	技术引进	消化吸收	购买国内技术
江苏	78.2	21.6	1.0	1.5
浙江	81.7	17.3	0.7	1.2
全国	845.6	207.5	18.2	13.8

资料来源：2000 年《中国科技统计年鉴》。

近年来，各地加大对人才的引进力度，从国内外大量招聘技术人才，实现了以人才为媒体的技术转移。有关资料显示，2005年江苏从海外引进人才 1405 人，从省外引进人才 4.69 万人，接收毕业生 17.81 万人。在苏州、无锡等地，还有许多上海的候鸟式人才在江苏工作，仅昆山市就有这样的上海候鸟式人才 1800多人。

2. 国际技术转移与扩散

（1）引进国外先进设备技术。20 世纪 90 年代以来，迅速增长的出口，增强了江浙两省的进口能力，两省机电产品进口量大幅度增长，对提升两省技术水平的作用明显。江苏省机电产品、高新技术产品进口比重分别从 2000 年的 54%、28% 提升到 2005 年的 69%、38%。2004 年，江苏、浙江两省的高新技术产品进口额分别为 284.6 亿美元、46.1 亿美元，分别列全国第二、七位，合计占全国 20.5%。机电产品和高新技术产品进口的高速增长，促进了新兴产业的发展和传统产业的技术改造。江浙两省的电子信息产业、家电业、生物制药业等，通过引进国外先进设备，提升了加工制造能力和水平。大量纺织机械的进口，促进了纺织业的技术进步，为纺织服装出口持续快速增长创造了条件。

150

90 年代以来，浙江大中型工业企业购买国外技术，包括购买设计、流程、配方、图纸、工艺、专利，以及引进国外的关键设备、仪器、样机，所支出的经费达 300 多亿元。省内许多高新技术企业，主要关键技术基本从国外进口。① "十五"时期，江苏省技术引进合同金额累计 52 亿美元，外商作为投资进口的设备共计 293 亿美元。近年来，江浙地区技术进口一直处于全国领先地位，江苏、浙江两省技术进口额，2003 年分列全国第一、三位，2004 年分列第一、二位，2005 年分列第三、一位。2005 年，上海、北京技术进口合计占全国引进总额的 41.4%，其他省区的比重相对较低。从表 4—5 可以看出，江浙地区技术进口合同数增长较快，2005 年与 2003 年相比，技术合同数分别增长 36.9%、132.6%，而浙江合同金额增长 73.2%。

---

① 参见陈红等：《浙江高技术产业年均增长 24.6% 主要呈现四大特征》，国家统计局 2006 年 1 月 12 日，www. stats. gov. cn。

表 4—5　2003—2005 年江苏、浙江和全国技术进口情况

单位：亿美元,%

项 目		合同数量	合同金额	技术费	金额占比	金额同比
2003	全国	7130	134.5	95.1	100	−22.8
	江苏	374	9.4	9.3	7.0	−64.7
	浙江	144	5.6	5.6	4.2	75.6
2004	全国	8605	138.6	96.3	100	3.0
	江苏	478	4.8	4.4	3.4	−49.0
	浙江	211	4.8	4.6	3.4	−15.3
2005	全国	9902	190.5	118.3	100	37.5
	江苏	512	5.9	5.7	3.1	24.5
	浙江	335	9.7	9.4	5.1	103.9

资料来源：商务部网站资料整理。

　　绍兴县纺织业，是通过技术转移和技术扩散成功实现纺织产业升级的典型，只用短短四五年时间，就走完了国外化纤行业三十年的技术升级历程，成功地抢占了国内乃至世界化纤行业的制高点。纺织业是绍兴县的支柱产业，占该县七成以上的工业产值和财政收入。20 世纪 90 年代初，绍兴县年产布匹达 15 亿米，相当于全国人均一件衣，出现了"乡乡闻织机，村村织布忙"的情景。从 1993 年开始，随着全国纺织行业的滑坡，外地和国外产品大量进入轻纺城，对当地产品造成很大的冲击。日本、韩国、台湾面料的大量进口，对绍兴轻纺业形成巨大的挑战。为了保持纺织业的竞争优势，绍兴县从发达国家大规模引进各种先进纺织设备和技术，兴起了以发展无梭织机等为标志的技术改造热潮。从 1993 年到 1996 年，绍兴县完成工业投入 140 亿元，其中绝大部分用于技术改造，淘汰了 15000 多台陈旧的有梭织机。绍兴县纺织设备进口，一度占我国进口的同类先进纺织设备总量的 70%，国外最先进的各种织机在绍兴县基本上能够找到。大规模

151

先进设备和技术的引进，极大地促进了绍兴纺织业的技术进步，新产品不断涌现，产品开发的多样化居全国之冠。

（2）引进外资。引进外资是江浙地区实现技术进步的重要途径。苏南通过吸引外商直接投资，谋求与海外大财团、大公司合作，购买世界上最先进的机器设备，通过消化、吸收和创新，逐步构筑起高科技产业的高地。一些从村办小厂发展起来的集团公司，主动同国际大公司的成熟技术、先进技术进行动态合作，使企业走在国际科技前沿，不断提高国际竞争力。苏南是江苏省高新技术产业密集的地区，比重占全省80％以上。大量外资的进入，加快了苏州的技术进步，2004年科技进步对工业的贡献率达到50％。吴江市原来是苏州市引进外资相对落后的地区，技术进步相对较慢。但通过引进外资培育新兴产业，高新技术发展迅速，至2000年先后引进了七家龙头企业在该市开发区落户。其中，诚洲电子以生产显示器为主，其产量位居世界第三；台达电子生产电源感应器，产量位居世界第一，供货量达全球的70％；华宇电脑生产笔记本电脑，在台湾排名前五位，而台湾生产的笔记本电脑占全球产量的40％；全友电脑是世界上生产扫描仪品种最多、产量最大的公司之一。其他还有美齐、大同、华渊等企业，都在台湾乃至全世界有一定知名度。①

浙江省通过"嫁接"外资，有力地促进了产业集群的技术进步。通过把引进外资与推进产业集群的技术进步结合起来，浙江许多地方的发展取得了明显的成效。通过引进外资，弥补了产业链的薄弱环节，带动了本土企业技术进步，提升了产业的整体技术水平。例如，嘉兴市的丝织业、木业、皮革、经编等产业通过嫁接外资，有力地推进了技术进步。在家电行业的激烈竞争面

① 参见江苏省工商联：《引进外资启动民资企业改制吴江市经济勃发生机》，《中国经贸导刊》2000年第21期。

前，慈溪市主动投资进行技术改造和创新，如当地的浙江奇迪集团与美国、日本等国外先进科研机构联姻，聘请了 100 余名行业精英加盟，成立了自己的家电产品研究所。该公司在不到 5 年的时间里，在技改方面已先后投入了 3 亿元的资金。[①] 宁波市 2004年实施"以民引外"项目 352 个，占全市引进项目数的 36.5％；合同利用外资 6.2 亿美元，占全市合同利用外资总额的16.8％。[②] 温州市 2005 年新批 224 个外资项目中，民营企业对接外资的就达 145 个，约占总数的 64％，累计合同外资占全部合同外资的 35.5％，实际利用外资占全部实际利用外资的 54.2％。[③]

153

---

　　① 参见徐锦庚、王迪：《慈溪：家电之都迅速崛起》，《人民日报·华东新闻》2002 年 11 月 19 日。
　　② 参见中共宁波市委办公室：《以民引外显成效》，《政策瞭望》2005 年第 6 期。
　　③ 参见张斌：《三个模式已融合招商引资更需要创新——温州市"以民引外、民外合璧"新模式探析》，《经贸实践》2006 年第 6 期。

第五章 区际投资、对外投资与区域经济发展

区际投资和对外投资是开放条件下区域经济发展到一定程度后的必然现象。改革开放以来，区际投资和对外投资对区域经济发展产生了哪些影响？其影响机制和条件是什么？区际投资和对外投资对江浙经济发展产生了怎样的影响？这些问题是本章研究的重点。区际投资和对外投资的主要形式是直接投资，因此本章主要指区际直接投资和对外直接投资。

第一节 对外投资与区域经济发展关系相关文献述评

一、对外直接投资理论回顾

现代跨国公司理论创立于 20 世纪 60 年代，斯蒂芬·海默（Stephen Hymer）的《国内企业的国际经营：对外直接投资的研究》，对传统的国际资本流动理论提出挑战。传统国际资本流动理论是建立在要素禀赋理论基础上的，这一理论运用微观经济学关于厂商垄断竞争的原理，说明跨国公司对外直接投资的动因。该理论认为，各国的产品和生产要素市场是完全竞争的，国

154

际资本流动的主要原因是各国间资本丰裕程度的差异。利率的差异导致资本从丰裕的国家流向短缺的国家。海默指出，跨国公司可通过对外直接投资的方式来利用其垄断优势。跨国公司的垄断优势具体表现在五个方面：①技术优势，包括生产秘密、管理组织技能和市场技巧；②工业组织优势，主要包括规模经济、寡占市场结构和行为；③易于利用过剩的管理资源优势；④易于得到廉价资本和投资多元化的优势；⑤易于得到特殊原材料的优势。该理论后来经过其导师金德尔伯格（Kindleberger，1969，1975）的补充发展，现称之为"海默—金德尔伯格传统"。在"海默—金德尔伯格传统"的基础上，不少学者对该理论进行了补充和发展，主要有：核心资产论、风险分散论、寡占反应论等。

1966 年，费农（R. Vernon）在《产品周期中的国际投资和国际贸易》一文中，运用比较优势理论，提出了产品生命周期理论（图 5—1）。他把制造业的技术发展及产品周期分为三个阶段，即产品的"创新"阶段、"成熟"阶段和"标准化"阶段。产品生命周期理论将企业的垄断优势与产品生命周期和区位因素结合起来，从动态的角度考察企业对外投资的动因。在产品的创新阶段，创新国生产安排在国内，通过出口满足国外市场的需要。在产品的成熟阶段，创新国开始对外直接投资，生产安排在与创新国收入水平和技术水平相似的地区。在产品的标准化阶段，创新国通过对外直接投资，将生产安排在工资最低的国家和地区。

155

1970 年，阿利伯（R. Z. Aliber）在《对外直接投资理论》一文中提出了阿利伯模型。这一模型描述了跨国公司在外国市场上将如何利用其垄断优势，说明企业在出口、对外发放许可证和对外直接投资间的选择。

1976 年，巴克利（P. J. Buckley）和卡森（M. Casson）在

《跨国公司的未来》文中，提出了内部化理论，认为世界市场的不完全性和中间产品的性质，决定了跨国公司的内部化行为。该理论认为，跨国公司用内部化交易来替代外部市场交易，是为了克服市场机制的内在缺陷。

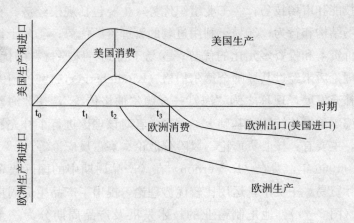

图 5—1 产品生命周期[①]

1978 年，小岛清发表论著《对外直接投资论》，提出边际产业扩张理论。小岛清认为，以垄断优势为代表的对外直接投资理论，忽略了宏观经济因素的分析，尤其忽略了国际分工原则的作用，而国际分工原则与比较成本原则是一致的。国际直接投资是以两国存在不同的生产函数为前提的，东道国因吸收外国直接投资而由投资国的生产函数所替代，并得到提高。投资国与东道国的技术差距越小，国际直接投资所导致的技术转移越容易移植、普及和固定下来。小岛清提出，日本的对外投资应该从处于或即将处于比较劣势的边际产业依次进行，这样就可以将东道国因缺少资本技术和管理经验而

---

① 参见吴先明：《中国企业对外直接投资论》，经济科学出版社 2003 年版，第 36 页。

没有发挥的潜在比较优势挖掘出来，从而扩大两国间的比较成本差距，为双方进行更大规模的进出口贸易创造条件。

1977 年，邓宁（Dunning）在《贸易、经济活动的区位与多国企业：折衷理论探索》一文中，提出国际生产折衷理论。该理论借鉴了垄断优势理论和内部化理论，并引入了区位理论，认为企业进行对外直接投资时，需要同时具备三种优势：所有权优势、内部化优势和区位优势，否则只能采取出口贸易或技术转让的方式来参与国际经济活动。之后，在 20 世纪 80 年代初期，邓宁从动态角度解释了各国在对外投资中的地位，提出了投资发展周期理论。他认为，一国的对外直接净投资随着经济发展具有周期性规律，期间将经历五个阶段（图 5—2），第一至第三阶段净对外投资为负数，最不发达国家处在第一阶段，发展中国家处在第二阶段，新兴工业化国家处在第三阶段，第四至第五阶段净对外直接投资为正数，发达国家处于这一阶段。

157

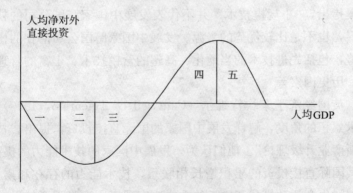

图 5—2　对外直接投资发展周期图[①]

---

① 参见高敏雪、李颖俊：《对外直接投资发展阶段的实证分析——国际经验与中国现状的探讨》，《管理世界》2004 年第 1 期。

随着发展中国家对外投资的兴起，从 20 世纪 70 年代开始，一些学者开始关注发展中国家的对外直接投资问题，提出了有价值的理论观点。其中的代表性观点有：

1983 年，威尔斯（Louis T. Wells）在《第三世界跨国企业》一书中，提出了"小规模技术理论"，被学术界认为是研究发展中国家跨国公司的开创性成果。威尔斯认为，小规模制造技术是发展中国家跨国企业最重要的竞争优势。其竞争优势表现在灵活性较高、"当地采购和特殊产品"、低价产品营销战略优势等。这种技术是投资企业本国市场环境的反映，因而使发展中国家跨国企业，具有在更穷的国家的发展过程中发挥作用的巨大潜力。

1983 年，拉奥（Sanjaya Lall）在《新跨国公司——第三世界企业的发展》一书中，提出了技术地方化理论，用以说明发展中国家跨国公司竞争优势的来源。拉奥认为，发展中国家的跨国公司能够形成和发展自己的特定优势（Proprietary Advantage）。拉奥指出，"小规模技术"并不代表发展中国家跨国公司的技术边界，也不是比较优势的来源。发展中国家跨国公司潜在的比较优势，包括先进技术的当地化、高超的营销技术、丰富的管理经验、历史因素等。

158

英国经济学家坎特维尔（Cantwell & Telentino，1990）从技术累积的角度，解释发展中国家的国际直接投资，提出"技术创新产业升级理论"。他们认为，发展中国家的技术能力的提高，与其国际直接投资的累积增长相联系，技术能力的存在和累积，是国际生产活动模式和增长的重要决定因素，也是重要结果。该理论认为，发展中国家对外直接投资的产业分布和地理分布，会随着时间的推移而逐渐变化，显示出技术对本国产业转换和升级的推动作用。

近年国外对外直接投资的研究，大多以发达国家的实证研究为主，包括 FDI 对母国经济产生效应的研究（如：Lipsey，1994、2002；Feldstein，1994；Saltz，1992）。国外学者检验了对外投资对母国出口、就业、国内投资、国民收入、经济结构调整、经济增长、公司增长等方面的影响。[①]

近年来，我国对外直接投资的理论研究也比较活跃。冼国明、杨锐（1998）把发展中国家的对外直接投资分为：发展中国家对发达国家的逆向投资（FDI-Ⅰ）和发展中国家对其他发展中国家的投资 FDI（FDI-Ⅱ）。发展中国家（企业）为实现有利的国际分工地位，可以在前期采取学习型策略（FDI-Ⅰ），在后期采取竞争型策略（FDI-Ⅱ）。通过前期的学习型 FDI 策略加强技术累积的速度和效果，以增加后期时刻的所有权优势，进而通过后期的策略巩固"OIL"结构和市场份额。当技术差距小于某个特定的值时，FDI-Ⅰ向 FDI-Ⅱ转换。一些技术累积程度较高的发展中国家，一开始就表现为 FDI-Ⅱ。发展中国家企业家阶层的形成，企业和市场制度的培植，对其 FDI 沿真正动态比较优势方向进行起决定性的作用。[②]马亚明、张岩贵（2003）通过模型的分析认为，技术落后的厂商可能会将 FDI 作为获得技术的手段；相反，技术先进的厂商为了避免技术优势的耗散，可能会选择昂贵的出口方式；当两厂商的生产率水平相似时，受空间限制的外部性将推动 FDI，使得只要创建成本不是太高，FDI 就总会发生。[③]吴先明（2003）认为中国企业对外投资的动因是多元的，包括寻求新的市场机会、绕开贸易壁垒、跟踪先进技

159

---

① 参见项本武：《中国对外直接投资：决定因素与经济效应的实证研究》，社会科学出版社 2005 年版，第 3 页。

② 参见冼国明、杨锐：《技术累积，竞争策略与发展中国家对外直接投资》，《经济研究》1998 年第 11 期。

③ 参见马亚明、张岩贵：《技术优势与对外直接投资：一个关于技术扩散的分析框架》，《南开经济研究》2003 年第 4 期。

术、获得短缺的原材料等。从中国企业对外投资的模式看，在经济全球化的条件下，对外直接投资不再以垄断优势为先决条件，拥有局部竞争优势的企业，也可以通过对外直接投资形成新的竞争优势。①

我国对外直接投资的实证研究也开始起步。魏巧琴、杨大楷（2003）的研究表明，现阶段我国经济增长与对外直接投资的因果关系并不明显，随着对外直接投资的快速发展，两者之间的因果关系将趋于明显。② 高敏雪、李颖俊（2004）的实证检验表明，中国直接投资目前正处于对外投资五阶段论中的第二个发展阶段，中国对外直接投资存在着滞后发展。③ 项本武（2005）通过建立计量模型，检验了中国对外投资决定因素的独特性和经济效应的独特性。徐剑锋、方建民（2004）运用邓宁的"四阶段理论"，对浙江省对外直接投资进行实证分析，预测在2005—2009年期间，浙江省对外投资将出现高潮。同时认为，浙商对省外投资同国际间的投资有着很大的不同，主要表现在：在同一发展阶段，区间投资相对于国际投资，其利用当地劳动力廉价资源以及避开贸易壁垒型投资的动力减弱或推迟，而以开拓当地市场、树立企业与产品品牌形象、进行横向与纵向一体化专业分工协作等为目的的投资，其需求增加，资本流动的相对容易也促进了区间投资的相对较快发展。④

160

---

① 参见吴先明：《中国企业对外直接投资论》，经济科学出版社2003年版，第84—93页。
② 参见魏巧琴、杨大楷：《对外直接投资与经济增长的关系研究》，《数量经济技术经济研究》2003年第1期。
③ 参见高敏雪、李颖俊：《对外直接投资发展阶段的实证分析——国际经验与中国现状的探讨》，《管理世界》2004年第1期。
④ 参见徐剑锋、方建民：《浙江对外投资将进入一个大发展时期》，《浙江经济》2004年第22期。

二、评价与思考

垄断优势理论、内部化理论、产品生产周期理论、国际生产折衷理论等，从微观的角度，以比较优势为基础，分析企业对外直接投资的动因。垄断优势论虽可以解释美国式的制造业对外直接投资，但不能解释日本与发展中国家的迅速增长的对外直接投资。现代跨国公司理论较难对我国的区域对外投资行为作出贴切的解释。因为我国企业并不具备垄断优势，不具备技术优势和管理水平。内部化理论强调管理因素对企业国际化的意义，但对国际生产的必然性和国际生产的地理分布的解释比较困难。邓宁"三优势范式"的研究对象是发达国家的跨国公司，没有涉及发展中国家企业对外直接投资问题，对发展中国家的对外直接投资不能作出全面、贴切的解释。美国经济学家弗农（R. Vernon）的产品生命周期理论和日本经济学家小岛清的边际产业扩张理论，阐述了对外直接投资与技术转移的关系。弗农认为，产品从"崭新"阶段到"成熟"阶段再到"标准化"阶段，发达国家的技术垄断优势逐渐丧失，产品的生产也逐渐从创新国家转向发达国家再转向发展中国家。该理论把比较优势理论运用于对外投资问题，把比较优势研究动态化。弗农的产品周期理论能较好地解释美国当时的对外直接投资，并不代表普遍规律。小岛清的边际产业扩张理论，指出了日本对外投资的独特发展道路，对日本对外直接投资的发展具有重要的指导意义。小岛清则认为，发达国家的对外直接投资应从已经处于或正处于边际的产业依次进行，而将优势产业保留在国内。边际产业扩张理论虽然可以解释日本战后对外投资的一段历史，但无法解释日本 20 世纪 80 年代之后对外直接投资的历史。但是，边际产业理论对指导我国对外投资仍有重要意义，我们不仅要重视我国具有比较优势产业的对外投资，也要重视目前处于比较劣势的产业的对外投资。关注引进外

161

资和对外直接投资与推动技术进步关系的理论，是英国经济学家邓宁。投资发展周期理论将一国吸引外资和对外投资能力与经济发展水平结合起来，认为一国的国际投资地位与人均国民生产总值成正比关系。世界上发达国家和发展中国家国际投资地位的变化，大体上符合这一趋势。

随着发展中国家对外投资活动的开展，一些学者开始关注针对发展中国家的对外直接投资问题，提出了许多有价值的理论和观点。20世纪80年代以前，传统的对外投资理论能够很好地解释发达国家跨国公司的对外投资行为。但随着发展中国家对外投资的兴起，传统的对外投资理论受到挑战。因为发展中国家跨国公司并不像发达国家那样具有垄断优势，但他们的投资依然比较活跃，不仅对发展中国家有投资，在发达国家也有投资。邓宁（Dunning）在80年代初提出的投资发展周期理论，是其国际生产折衷理论在发展中国家的运用和延伸，该理论旨在从动态角度解释一个国家经济发展水平与国际直接投资的关系，对发展中国家对外直接投资有指导意义。威尔斯的"小规模技术理论"，对传统的对外投资理论提出挑战，为经济落后的发展中国家对外投资提供了理论根据。小规模技术理论强调，发展中国家跨国公司具有的竞争优势不是绝对优势，而是相对优势。这一理论对我国的民营企业对外投资具有重要的指导意义。"小规模技术理论"认为，发展中国家的竞争优势来源于小规模生产技术，有可能使发展中国家锁定于国际生产体系的边缘地带和产品生命周期的最后阶段。技术地方化理论以发展中国家跨国公司为研究对象，对发展中国家对外直接投资具有重要的指导意义。

随着我国对外投资进入新的发展阶段，有关对外投资的理论分析和实证研究也显得日趋活跃。我国学者致力于对外直接投资理论的理论创新，使其更适合于解释发展中国家对外直接投资问

162

题。有关对外直接投资的实证分析也有新的进展，项本武（2005）在《中国对外直接投资：决定因素与经济效应的实证研究》中，通过数学建模与计量分析，检验了中国对外投资的经济效应，得出了有启发性的研究结论。但是，由于我国对外直接投资的统计制度滞后，相关数据比较缺乏，给实证分析带来了很大困难。特别是区域对外投资的数据更加缺乏，制约了实证分析方法的运用。因此，我国的对外投资理论和实证研究仍处于起步阶段，需要研究手段、方法的创新。目前，有关我国对外直接投资的理论和实证分析，主要集中在解释对外直接投资的动因和影响因素上，缺乏对外直接投资对经济发展影响机制的研究。在研究对外直接投资对我国经济发展的影响机制时，需要把握以下两点：

（1）区分两类不同的直接投资。作为一个大国经济中的一个区域，对区外直接投资不仅包括对国外（或经济独立地区）的投资，还包括区际直接投资。这是两类不同的投资，对区域经济发展的影响机制也存在着差异。现有的对外直接投资理论，以国与国（或经济独立地区）之间的直接投资为分析对象，重点探寻对外直接投资的一般规律。我国地区经济呈现非均衡发展的特点，区际直接投资活动趋向活跃。因此，需要以一个大国的一个经济区域作为分析对象，深入考察区际投资对区域经济发展产生的影响。

（2）将宏观变量纳入分析框架。现有的对外直接投资理论，从微观层次分析对外直接投资的行为，缺乏从宏观层面的影响分析，忽略了政府的干预性作用。"比较优势理论"基本上以企业作为一个独立的经济主体，普遍把利润最大化作为企业对外投资的唯一因素。在经济全球化背景下，企业对外直接投资不仅是关系企业微观主体利益的行为，更是涉及一个地区和国家的竞争实力和长远发展的战略选择。企业对外直接投资，影响一个地区资源的供应、技术的获得等，影响到一个地区的可持续发展。在改革开放初期，我国对向海外投资的审批比较严格，限制了对外直接投资的发展。不仅如此，我国处在经济体制的转型时期，区域间资本流动受到各种因素的制约，区际直接投资存在不少障碍。因此，政府在对外直接投资中的作用是不能被忽视的。

第二节　区际投资、对外投资促进区域经济发展的机制和条件

一、区际投资、对外投资促进区域经济发展的机制

在大国经济中，区域对外的直接投资包括区直接投资和对国外直接投资。本书在论述时，将两者结合在一起加以阐述。图5—3显示，区际直接投资、对外直接投资，主要通过市场扩张、结构优化、技术进步、资本积累、制度创新、企业家成长等途径促进区域经济发展。区域经济发展，又进一步带动区际投资和对外投资。两种投资对区域经济发展影响的具体途径和传导机制，存在着差异。区际直接投资更侧重通过区域市场扩张、资本积累、结构优化等途径促进区域经济发展，对外直接投资更侧重技术进步、制度创新、企业家成长等途径促进区域经济发展。

1. 市场扩张

区内企业的发展往往经历从区内市场向全国市场和国际市场的扩张过程。企业在扩张过程中，会遇到各种各样的市场壁垒问题，而对外直接投资是突破区际、国际市场壁垒的有效方式。例如，在受到纺织品出口配额的困扰时，许多纺织企业通过向东盟国家的投资，绕过出口配额的壁垒打开出口渠道。由于产品市场的扩大，增加了子公司所在地对母公司的半产品与材料需求，提

高了母公司产出水平,促进了区域经济增长。

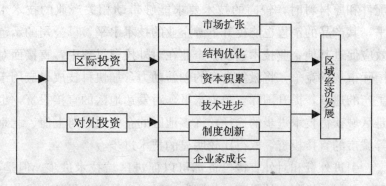

图5—3 区际投资、对外投资促进区域经济发展的机制

2. 结构优化

在区域产业升级的过程中,传统产业可能会遇到专业性资产和沉没成本的问题,对外直接投资可以较好地解决这一问题。在多数条件下,原有行业缩减的同时,往往会向其他产业转移,从而导致区域产品结构或产业结构的调整。对外直接投资资本收益的回流,也能增加区域的投资,进而增加 GDP 和国民收入。一般情况下,短期内区域对外直接投资会减少生产总值、税收与就业,但 GNP 将有所增加。从长期看,区际投资和对外直接投资,将促进区域剩余生产要素和剩余生产能力的国内外流动与配置,并从全球范围引进区域经济发展所需的稀缺生产要素,提高资本的边际产出和社会总产出水平,增加区域福利水平。

3. 技术进步

区际投资、对外投资促进区域技术进步的机制,主要通过对发达国家和地区的直接投资实现。首先,对外直接投资企业能够有效利用其贴近国外市场的优势,取得国外最新的生产技术、管理经验。这种新的技术和管理经验传给国内母公司,促进母公司提高技术和管理水平;其次,母公司通过技术进步的溢出效应,促进区域内其他企业的技术进步。母公司或子公司在区域内采购配件和原材料时，较高的技术要求能够带动相关产业的技术水平，其产品的销售也能提升下游企业的技术水平，母公司的示范效应促进其他企业技术进步。企业在对外投资过程中，直接面对国际市场的竞争，将激发自身的创新动力，加快科技成果应用于生产的速度，提升国际竞争力水平。对发达地区的直接投资，也是区域获得技术进步的途径，许多地区的企业通过对上海、北京等城市的直接投资，取得比较明显的技术进步。

引进外资和对外直接投资都可以促进区域技术进步。但是，两者的影响机制和效果不尽相同。通过引进外资获得的技术，往往是标准化技术和适用技术，很难获得先进技术。发达国家在对发展中国家投资时，为获得最大的垄断利益并保持其技术优势，一般使用标准化技术和适用技术，对区域产生的技术转移和扩散效应也只能限制在这一层次。区域对外直接投资能接受发达国家先进技术的转移和扩散效应，获得国外最新技术、管理经验，实现更大的技术进步效应。

4. 资本积累

区际直接投资和对外直接投资能在一定条件下实现区域资本积累，进而促进区域经济增长。对外直接投资减少了区内过剩资本，提高了区域资本的边际产出，进而提高投资收益率。在短期内，对外直接投资会减少区域资本存量，降低总产出水平。但是，当资本收益率提高引起的经济发展增量与在海外收益回流部分之和，超过资本流失造成的经济发展损失时，对外直接投资将增加资本积累。对外直接投资可以带动区域内相关商品，如机器设备、技术、服务贸易等产品的出口，增加区域的资本积累。对外直接投资还通过提高人们的知识、管理、技术水平和积累国际化经验，从而提高人力资本水平，提高企业生产率水平，促进区域经济增长。

5. 制度创新

对外直接投资需要直接面对国际市场的竞争，满足不同文化背景消费者的市场需求。企业在国际竞争中通过"边干边学"，按照现代企业的运作机制、制度设计、国际通行的惯例和标准，实现自身制度创新。发达国家和地区具有较强的制度供给能力，降低了企业制度创新成本。子公司的制度创新活动带动母公司制度创新，降低了母公司的制度创新成本，进而影响区域制度创新。子公司在产品的设计、市场销售过程中，需要深入了解当地文化，接受新的理念和生活方式。这种新的理念和生活方式将向母公司传递，对区域文化产生影响，促进区域非正式规则变迁。

6. 企业家成长

对外投资有利于打造一批企业家，造就企业家队伍。对发达国家的投资，能够锻炼和造就一支能经受国际市场考验的企业家队伍。发达国家的消费者处在世界消费品市场的高端，他们对商品的偏好和服务的要求，反映了世界的潮流。占领发达国家商品市场，对培养企业家的战略眼光和经营能力十分重要。与发达国家企业的竞争，有利于培养企业家的胆识和素质，产生世界级的企业家。对发达地区的投资，也能锻炼企业家队伍，促进企业家的成长。例如，国内企业在上海的投资，有利于企业家综合素质的提高。因为上海云集了国内一流的企业家，而且集聚了200多家世界500强企业，使企业家获得更大的舞台，施展才华。

二、区际投资与对外投资的关系

区际投资和对外投资存在较大差别，主要表现在：

1. 要素流动的差异

区域间要素流动障碍比国际间小得多，特别是劳动力的流动在区域间比较容易，而在国际间流动则比较困难。当发达地区由于经济发展对劳动力需求增加，导致劳动力价格上升时，可以从欠发达地区输入劳动力，抑制劳动力价格的过快上涨。劳动力在区域间的流动，使发达地区因劳动力价格上涨而产生的对外投资压力减弱。我国改革开放以后出现的"民工潮"，缓解了沿海地区劳动力价格上涨的压力，延迟了沿海地区对中西部直接投资的时间。国际间资本流动比劳动力的流动容易些，但由于存在金融政策差异、利率差异、汇价差异等，国际间投资比区际投资难度更大。但考虑到不少国家对外资采取了比较优惠的政策，这种差异又会缩小。区际投资和对外投资间存在替代关系。一般而言，以实现开拓当地市场、纵向一体化和横向联合为目的的投资，可能形成区际投资部分替代对外投资，但以实现获取先进技术为目的的投资，则仍很难实现区际投资对对外直接投资的替代。

2. 产品流动的差异

相比较而言，一国区域间商品的流动不受关税、非关税壁垒的限制。因此，区域间在理论上基本不存在为绕开贸易壁垒而产生的投资需求。但是，由于原材料和中间产品的较自由流动，厂商更容易按照全国市场一体化的原则来确定产业分工的区域布局，促进区间投资的发展。考虑到我国区际投资仍存在较高的交易费用，容易发生对外投资对区际投资的替代问题。

3. 制度差异

制度包括正式规则和非正式规则，无论是正式规则还是非正式规则，区域间的差异小于国际间的差异。由于区域间制度差异小，企业不需花费很大的制度转换成本，区际投资的制度成本相对较低。但是，对发达国家的投资，则会降低企业的交易成本，促进企业的制度创新，提高企业竞争力。我国沿海发达地区，已逐渐进入对外投资加快发展的阶段，不少投资流向海外，而中西部地区缺乏投资机会，便是很好的例证。

目前，我国东部沿海地区已面临区际投资和国外投资的选择问题。东部沿海地区企业投资的去向，不仅影响到区域自身的经济发展，也会影响中西部地区的经济发展。客观上，我国中西部地区要与越南、菲律宾等许多发展中国家竞争东部沿海地区的投资，如果东部沿海地区企业选择更多的海外投资，将对中西部地区产生不利的影响，进而影响东部地区自身的经济发展。

三、区际投资、对外投资促进区域经济发展的条件

1. 经济发展阶段

在经济发展的初始阶段，资本相对短缺或绝对短缺，资本的外流会导致区域投资不足，影响区域经济增长。这具体可分为两种情况，一种情况是资本的合法流出导致区域投资不足，另一种情况是资本的外逃，导致区域经济发展的衰退。在经济发展到一定阶段后，某些产业逐渐失去竞争优势，选择区际投资和对外投资能促进区域经济发展。但是，区际投资和对外投资毕竟是资本的外流，在经济发展的初期，过多的资本外流会对区域经济产业不利的影响。因此，与经济发展阶段相适应的对外投资规模，可以使区域获得最大的经济利益，而与经济发展阶段不相适应的过度对外投资，则会损害区域经济的发展。

2. 投资区域

不同的投资区域对区域经济发展的影响机制有所不同。企业对欠发达国家或地区的直接投资，主要利用其廉价的劳动力成本，降低投资企业的生产成本，提高价格竞争优势。企业对发达国家的投资，更多是为了接受发达国家先进技术的扩散，跟踪发达国家的先进技术，提高企业的竞争优势和创新能力，这有利于提升区域技术水平，促进区域经济的稳态增长。对资源和能源丰富地区的投资，能使区域获得稳定的资源和能源供应，促进区域经济的稳定发展。

3. 制度成本

企业进行区际投资和对外直接投资时，面临与本地不同的制度环境。区域间和国际间制度落差的大小将影响企业的投资收益。在比本地更差的制度环境内投资，将使企业支付额外的制度成本，降低企业的投资收益，有可能导致企业投资的失败。在比本地更好的制度环境内投资，将降低企业的交易费用，使企业获得更好的投资收益。同时，投资也能促进区域制度创新，降低区域内的交易成本，促进区域经济的发展。目前，中西部地区需要进一步改善投资环境，才能吸引东部地区更多的直接投资。一个区域也可以通过一定的制度安排，影响区际投资和对外直接投资的规模，形成与区域经济发展阶段相一致的投资规模。

4. 投资产业

区际投资和对外投资所涉及的产业不同，对区域经济发展的影响也不同。开展对外直接投资的产业，如果与区域其他产业相关度比较高，在对外直接投资过程中，通过吸收先进的技术或者同发达国家具有先进技术水平的企业合作、合资或并购，能够获取发达国家先进的技术知识，实现技术的转移和扩散，带动其他产业的发展，促进区域产业结构的调整。对外投资的产业如果与区域内其他产业的联系比较弱，则对外直接投资对区域经济发展的影响较小。

5. 企业规模

区域跨国公司规模大小决定了其资金和技术实力，也决定了其吸收先进技术并向区内传递的能力。大企业对国外先进技术和管理经验的吸收能力强，能产生更好的技术转移和技术扩散效应，带动区域产业的技术创新。中小企业的技术能力相对较弱，难于承担技术转移和扩散的任务，一般在贸易、餐饮等领域投资。

170

6. 投资方式

企业区际直接投资和对外直接投资的方式，对区域经济发展带来的影响也是不同的。以开拓市场为目的的区际直接投资，对外直接投资会促进母公司的产品销售、企业规模的扩大和企业知名度的提升。以占领稀缺资源为目的的区际直接投资，对外直接投资会促进母公司获得可靠的原料供应，提高本地企业的可持续发展能力。以参与行业重组为目标的区际直接投资，有利于本地企业的做大做强。企业如果发生整体性移动，直至投资者迁移至投资地，虽与区域内产业联系不大，仍会对本地经济产生影响。区域如果出现大量企业的外流，同时又没有区外资本和外资的大量流入，就会导致"产业空洞化"。

第三节　区际投资、对外投资与江浙经济发展

一、江浙区际投资、对外投资的基本特征

1. 江浙区际投资、对外投资的基本特征

区际投资、对外投资是江浙经济发展中引人注目的新现象，反映出江浙地区开放进入新的发展阶段。总体看，江浙两省的区际投资先于对外投资。浙江省的区际投资和对外投资更加活跃，对经济发展的影响也更大。由于区际投资和对外投资的准确数据难以获得，本章的分析也显得比较粗略。尽管如此，本章的分析仍然能说明江浙区际投资、对外投资对江浙经济发展的影响。

江浙地区区际投资可以分为两个阶段：

第一阶段是改革开放初期到 20 世纪 90 年代中期。江浙企业对内地的投资在 80 年代中后期已经开始。江浙地区的乡镇企业

为了开拓市场和获取资源，向内地投资。当时区际投资企业的规模不大，投资量较少。

第二阶段是20世纪90年代中后期至今。进入90年代中后期，随着"西部大开发"战略的实施，西部地区的投资环境明显改善。江浙地区对中西部地区的投资企业数量增多，投资的动机较多，但主要是为了开拓市场和获取资源。进入21世纪，江浙两省对中西部、东北地区投资规模也不断增大。相对而言，浙江省企业区际投资更加活跃。浙江省工商局统计资料（2004）显示，在全省100强民营企业中，已有1/3的企业实行跨省投资。据浙江省有关部门的专项调查，浙江省区际投资规模达到6000亿元。期间，江浙企业对以上海为主的沿海地区形成投资高潮。但面对日益增长的商务成本和激烈的市场竞争，也有不少企业在上海投资不久开始撤出。浙江省有关部门曾对浙江企业在上海的投资和创业状况进行了调查，有将近3000家在沪创业的浙江省企业因缺乏竞争力，而被迫从上海市场退出或转产。

江浙两省对外直接投资也可以分为两个阶段：

第一阶段，改革开放初期到20世纪末期。这一时期对外直接投资数量少，企业规模小，主要是积累对外直接投资经验，对区域经济发展的影响较小。有关资料显示，到1999年底，浙江在境外投资各类项目和开办企业603个，居全国第三位，总投资3.5亿美元，中方投资2.2亿美元。在对外投资规模上，浙江省开办的境外贸易型企业平均投资规模仅为32万美元，生产型企业平均投资规模也只有95万美元，其中中方投资平均仅为47.7万美元[1]。这一阶段，江浙两省经济发展水平没有达到大规模对外投资的阶段。民营企业的规模相对较小，缺乏对外投资的所有

————————

① 参见方元龙：《不失时机地实施"走出去"战略——对浙江实施"走出去"战略的若干建议》，《浙江经济》2000年第5期。

权优势等综合竞争优势。同时，江浙两省也缺乏有效促进企业对外直接投资的政策保证体系。

第二阶段，2000 年以来。进入新世纪，江浙两省对外投资进入了一个快速发展阶段。"十五"期间，江苏省境外投资增长迅猛，累计批准境外投资项目 356 个（含机构），比"九五"期间增长 138.9%，中方协议投资总额 4.19 亿美元，是"九五"期间的 4 倍多。"十五"期间，浙江省累计批准境外投资项目 1484 个，中方投资额 4.9 亿美元。2005 年，江苏、浙江两省对外直接投资分别为 0.97 亿美元、1.84 亿美元，位列全国第五、二位。来自浙江省统计局的数据表明，2005 年，浙江省民营企业境外投资项目 426 个，约占境外投资项目总数的 90%，主要集中在温州、金华、台州等民营经济比较发达的市。投资方式已由一般性的贸易投资逐步转向加工贸易、资源开发、参股与并购、设立研发中心等。

2. 江浙区际投资、对外投资区域分布

江浙两省区际直接投资主要集中在东部沿海地区。资料显示，浙江省东部沿海地区投资总额约 3700 亿元，占浙商外省投资的 62%；中西部地区投资总额约 1800 亿元，占浙商外省投资的 30%；东北地区投资总额约 500 亿元，占浙商外省投资的 8%，"浙商"已成为全国最活跃的企业家群体。江浙地区区际投资可分为对发达地区的投资和对欠发达地区的投资。对发达地区的投资以上海、北京、香港为代表。有资料显示，截止 2004 年，浙江省在上海的企业至少也有 7 万家以上，约占上海企业的 1/6，浙江民营企业在沪的注册资金为 700 多亿元人民币，仅上海市浙江商会的会员企业注册资金便高达 500 亿元。浙江省企业对上海的投资，是为了获得市场优势和信息优势，主要进入第三产业和制造业；对欠发达地区的投资，主要是为了贴近市场和资源地区，开拓新的市场和获取自然资源和原材料。

江浙两省对外直接投资分布很广，亚洲是重点投资区域。江苏省外经贸厅资料显示，"十五"期间，江苏省批准的境外企业（机构）分布在全球 66 个国家（地区）。从项目数看，亚洲为 178 个，占 49.9%，其次分别为北美洲、欧洲、非洲、拉丁美洲和大洋洲。从中方协议投资额看，亚洲为 1.3 亿美元，占 31.1%；大洋洲为 0.75 亿美元，占 17.9%；北美洲为 0.75 亿美元，占 17.9%；拉丁美洲为 0.6 亿美元，占 14.1%；欧洲为 0.54 亿美元，占 12.8%；非洲为 0.26 亿美元，占 6.2%。亚洲是江苏省对外直接投资的重点区域。2003 年，浙江省对外直接遍及世界 107 个国家和地区，其中对美国的投资最大，总投资额 1.25 亿美元（表 5—1）。

表 5—1　2003 年浙江省境外投资额累计前十位国家（地区）

(万美元)

国家/地区	中方投资额	总投资额	项目数
美国	12455	13310	283
中国香港	4944	5419	61
印尼	2486	4154	20
德国	1371	1492	60
阿联酋	1302	1448	73
泰国	1242	2419	29
澳大利亚	1241	1322	36
俄罗斯	1239	1424	89
意大利	1057	1596	29
巴西	914	928	25

资料来源：浙江对外投资促进网。

3. 江浙区际投资、对外投资的行业分布

浙江区际投资主要集中在二、三产业。据对省内外 1500 家浙江省企业的抽样调查，从事第一产业的投资总额约 10 亿元，占总额的 2.3％；从事第二产业的占总额的 33.6％；从事第三产业的占总额的 64％。据上海办事处调查，浙江省在上海的投资，三产比重达 70％以上；据温州市统计，温州人在外从事三产的比重约为 83％。[1]另一项浙江省企业迁移与投资环境调查结果表明，浙江省外迁企业虽涉及多种行业，但劳动密集型产业占有较高的比重。

江苏省企业境外投资项目涉及纺织服装、能源、电子设备、医药制造、商务服务、广播电视、电信传输等。江苏油田、沙钢集团、徐州胜阳集团等企业，在开发境外油气、矿产、林业资源等方面取得重要突破。[2]浙江省企业区际投资也涉及商业、房地产、饮食业、外贸业等行业。浙江省企业境外投资项目已涉及轻纺、机械、电子、化工、医药、建筑、专业市场等优势行业。温州、台州等地的民营企业已经呈现大规模投资东盟地区矿产资源的趋势。

175

二、区际投资、对外投资对江浙经济发展的影响

江浙企业区际直接投资和对外直接投资，对经济发展产生了影响，这种影响随着投资规模的逐步扩大而不断增强。从目前看，这种影响主要表现在以下几个方面：

1. 扩大市场

江浙企业面对国内日益激烈的市场竞争，通过在消费比较集中的地区投资建厂的方式，贴近消费市场，提高市场的占有率。如杭州娃哈哈企业在重庆的投资，使娃哈哈产品迅速打开了西南地区市场，拥有了最高的市场占有率。浙江省永嘉县的阀门泵业

---

①　参见郑妍、罗凤凤：《浙商省外投资大摸底》，浙商网（http：www. zjsr. com）2005 年 2 月 24 日。

②　参见《江苏境外投资五年增四倍》，《江苏商报》2006 年 1 月 25 日。

通过对上海同行的收购、兼并，占领了整个上海市场。

　　浙江企业还通过对外直接投资占领国外市场。浙江省 2002 年境外投资 226 个项目，其中有 210 个项目是市场及营销网络。浙江万向集团、杉杉集团等在美国的直接投资，对占领美国市场起到了重要作用。杉杉集团收购了美国威克公司 51％ 的股份，利用威克公司在美国的市场网络，销售杉杉系列服装，取得了较好效益。[①] 江苏大亚集团收购美国凯普公司，取得了该公司 70％ 的股权，通过利用凯普的销售网络拓展美国家具市场，成效斐然。浙江省纺织企业在越南等亚洲国家投资寻找海外市场、绕开贸易壁垒和配额限制，扩大了销售市场。

　　2. 促进技术进步

　　江浙企业在对上海、北京等技术力量雄厚的大城市投资的过程中，通过各种途径，获得先进技术，提升企业的技术水平。浙江省不少民营企业将总部搬到了上海，加强企业的研究开发能力，大力提升企业技术水平。调查显示，在 196 家已跨省迁移的企业中，半数选择上海为迁入地。从迁移类型看，在总部迁移企业中，迁到上海的最多，占 88.9％；在研发基地迁移的企业中，迁到上海的也最多，占 71.4％。[②] 浙江宁波雅戈尔、杉杉集团，温州的正泰、均瑶将总部迁往上海。[③] 宁波杉杉集团自 1999 年初将总部从宁波迁到浦东，就从单一的服装业进入服装、科技和投资三业并举，通过"品牌经营、资本运作"，资产规模迅速膨胀，技术水平迅速提升。无锡兴达与杜邦采取了在境内外整体合资合

---

　　①　参见方元龙：《不失时机地实施"走出去"战略——对浙江实施"走出去"战略的若干建议》，《浙江经济》2000 年第 5 期。

　　②　参见徐海彪：《正确看待企业迁移现象——浙江企业迁移的态势及其影响研究》，《浙江经济》2004 年第 21 期。

　　③　参见庞家主等：《借势南博会，南宁牵手总部经济》，《广西经济》2005 年第 10 期。

作方式，实现了"引进来"和"走出去"互动，首次与著名跨国公司在境外投资方面开展合作。

3. 实现资本积累

江浙企业的对外投资，提高了资本的效率，不少企业以利润的形式或返回投资的形式反哺当地。相当一批企业将部分利润汇入浙江，或做强做大后返回浙江投资。据统计，在黑龙江省的浙江创业人员，汇入浙江的现金总额近几年累计达 22.4 亿元；在山东省的浙江创业人员，近几年返回浙江省的投资累计约 15.5 亿元。

4. 获取能源和资源

进入 20 世纪 90 年代中后期，江浙经济发展中的能源与资源问题逐步显现。江浙企业敏锐地发现了其中的商机，不少企业开始在国内外能源、资源比较丰富的地区，通过收购、合作或兼并等方式，大规模介入能源、资源等领域的开发。卡森集团 2000 年以来，已相继在甘肃、新疆设立制革企业 4 家，稳定了皮革原料基地。浙江温州等地的企业大规模投资东盟地区矿产资源的苗头已经呈现。江苏省 2005 年批准的 5 个境外资源开发类项目，全部为民营企业投资，中方协议投资 4131 万美元，涉及铁矿、林业、农业等项目的资源开发利用。

177

5. 参与产业重组和进入新的行业

江浙企业充分利用西部开发和振兴东北的机遇，参与国内企业改制和企业重组，进入新的行业。近年来，浙江企业进驻东北投资明显增多，如娃哈哈集团在东北建立了六家企业。在抚顺，有三家浙江企业租赁经营处于困境的国有纺织厂、化工厂和钢铁厂。[①] 奥克斯集团在辽宁收购了当地一家汽车生产企业，实现了

---

① 参见郭占恒、雷朝林：《东北振兴与浙江的机遇——关于振兴东北老工业基地的调查》，《浙江经济》2003 年第 21 期。

多年来参与汽车产业的梦想。浙江水晶厂积极参与西部国有企业的改制改组，与内蒙、云南、陕西等省区发展多种形式合作，在当地合资或承包了十多家水晶生产企业，使年生产规模达到500吨，占世界水晶总产量的1/5。[1]

6. 提升企业家和管理人员的素质

江浙企业的区际投资和对外投资造就了一批企业家，使江浙民营企业家的素质得到进一步的提升。同时，也提高了企业高层管理人员的整体素质。江浙地区一批民营企业在上海、香港和发达国家的大城市经营跨国公司，接受了先进的企业经营管理的理念，提高了企业的决策能力，也培养了一大批具有跨国公司管理经验的高级管理人才，为江浙企业在国际市场上的进一步发展，积累了人力资本。

应该看到，江浙企业的区际投资和对外直接投资，也会对两地经济带来一定的负面影响。较大规模的区际投资和对外直接投资，已经使一些地区的经济增长速度降低，负面影响开始显现。我们应当更加理性地看待两省在经济发展过程中出现的区际投资和对外直接投资现象，把握其内在规模和本质特征，采取相应的对策，使区际投资和对外直接投资能够促进区域经济的持续发展。

① 参见李卫宁、王东祥等：《浙江参与西部大开发：思路·重点·措施》，《浙江经济》2000年第12期。

第六章 产业转移与区域经济发展

产业转移是开放条件下区域经济发展过程中的必然现象。产业转移对我国区域经济发展产生了哪些影响？这些影响是通过什么途径和机制传递的？产业转移对江浙经济发展产生了怎样的影响？以上问题是本章研究的重点。

第一节　产业转移与区域经济发展
关系相关文献述评

一、国际产业转移与国际直接投资

产业转移，是由于资源供给或产品需求条件发生变化后，某些产业从某一地区或国家转移到另一地区或国家的一种经济过程，是一个包含区域间投资与贸易活动的综合过程，是区域间产业分工形成的重要因素，也是转出地和转入地产业结构调整和产业升级的重要途径。根据转移的范围，产业转移可分为国内区域间的产业转移和国际间产业转移。国际产业转移是指产业在国与国之间的移动，它主要是通过资本的国际流动和国际投资实现的。国际产业转移是发达国家和发展中国家产业结构调整的重要途径。区域间的产业转移是指产业在区域之间的移动。根据转移主体的性质、转移的动机等差别，产业转移可分为扩张性产业转移和撤退性产业转移。扩张性产业转移指原区域的成长性产业出于占领外部市场、扩大产业规模的动机而进行的空间的主动移动；撤退性产业转移是指区域的衰退性产业主要由于外部竞争与内部调整压力而进行的战略性迁移。

国际产业转移已经出现过四次。第二次世界大战后，形成了连绵的国际转移浪潮，一些产业的生产从部分发达国家转移到一些发展中国家和地区，再转移到其他发展中国家，典型现象发生在 20 世纪后半期的东亚。东亚地区的梯形产业转移有三次大的浪潮，第一次以 60 年代日本等国向亚洲"四小龙"转移以纺织产业等为代表的劳动密集型产业为标志；第二次以 70 年代的亚洲"四小龙"倡导发展资本密集型产业，并向泰国、马来西亚、印度尼西亚等国转移劳动密集型产业为标志；第三阶段以 80 年代后期的日本向东盟和亚洲"四小龙"转移电子装配产业，以及亚洲"四小龙"发展以电子为代表的相对技术密集型产业为标志；进入 90 年代以后，伴随着经济全球化和知识经济的到来，全球制造业或劳动密集型产业由发达国家或地区向发展中国家或地区转移的速度明显加快，呈现出新的变化趋势，即国际产业转移规模扩大化、国际产业转移结构高度化、国际产业转移区域内部化、国际产业转移方式多样化。

改革开放以来，我国港澳台地区与大陆间也出现了产业转移现象。20 年前，香港、澳门的加工业向附近的珠江三角洲地区转移，带动了深圳、珠海及其附近地区产业结构的调整，推进了该地区的工业化进程。产业转移使珠江三角洲地区与亚洲"四小龙"之间的经济发展差距大大缩小了。

产业转移与国际直接投资是相互联系又不尽相同的两个概念。从两者联系的角度看，产业转移主要通过相关国家或地区间的投资、贸易以及技术转移活动等形式表现出来，有时很难将两者作明显的区分。从两者区别的角度看，差异主要表现在以下几个方面：（1）从结果看，产业转移将导致转移国或地区与转移对象国或地区之间相对稳定的产业分工关系的形成，引起产业结构的转换，促进产业转出国或地区与转移对象国或地区的产业升级。所谓直接投资，其本质不仅仅是资本的移动，更是经营资源的重新配置。（2）从时间看，产业转移往往发生在长期的国际贸易、国际投资或区域间贸易及区域间投资活动之后。（3）从企业行为看，产业转移是企业的战略行为，是与企业发展战略层面上的对外扩张行为相联系的，而一般的国际投资、区际投资和国际贸易、区际贸易可以是战略性的，也可以是战术性的。

二、产业转移与区域经济发展

欧美学者较早地开展了产业区域转移的经济动因的研究。刘易斯（W. Arthur Lewis）最早从发展经济学的角度，分析了劳动密集型产业的国际转移现象。他认为，发达国家由于人口自然增长率的下降，导致非熟练劳动力不足，引起劳动力成本上升，其劳动密集型产业的比较优势逐步丧失，于是发达国家将部分劳动密集型产业转移到发展中国家，产生产业的跨国转移现象。20世纪30年代，一些学者通过总结英国的区域经济发展现象，创立了梯度转移理论。该理论认为，每个国家和地区都处在一定的经济发展梯度上，处在高梯度上的区域，经济发展的关键在于不断地创新，通过发明新产品，建立新产业，保持区域在技术上的领先地位；处在低梯度上的区域，首先应该发展那些具有较大比较优势的初级产业和劳动密集型产业，积极引进外资和先进技术，通过接受从高梯度区域转移出来的产业，加速区域经济发展，进而从较低的经济发展梯度向上攀登，最终进入发达区域行列。费农（R. Vernon，1966）提出了产品周期论，对产业转移理论作出了贡献。该理论认为，产品生命周期可分为新产品、成熟产品和标准化产品三个时期，不同时期产品的特征存在很大差别。随产品由新产品时期向成熟产品时期和标准化产品时期的转移，产品的社会特性发生变化，将由知识技术密集型向资本或劳动密集型转移。相应地，在该产品生产的不同阶段，引起产品的生产在要素丰裕程度不一的国家间转移。

日本学者结合日本国情，提出了产业转移理论。20 世纪 30 年代，日本经济学家赤松要（Kaname Akamatsu，1936）在对日本棉纺工业史研究的基础上，提出了雁行发展模式。他认为，落后地区幼小产业要变成有强竞争力的出口产业，应当遵循"进口—国内生产—出口"的模式，产业发展呈雁行形态。雁行发展模式反映了产业转移对发展中国家产业结构升级的巨大推动作用。小岛清（（Kiyoshi Kojima，1978）根据日本对外直接投资的实践，提出边际产业扩张理论。该理论认为，投资国从具有比较劣势的产业开始对外直接投资，而接受投资的国家接受并采用先进的生产技术，从而使潜在的比较优势显现出来。因此，从边际产业开始进行对外直接投资，对于投资国和受资国都有利。日本学者关满博（1993）从产业分工的角度论述产业转移，他从"技术群体结构"概念入手，分析东亚各国和地区的产业技术发展水平。他以各国技术结构的差异性为切入点分析产业转移，即由技术差异导致了产业分工，又由产业分工导致了产业转移。

劳尔·普雷维什（Raul Pobisch）从发展中国家的视角来研究产业转移现象。他认为，发展中国家出于发展的压力，被迫实行用国内工业化替代大量进口工业品的替代战略，这是产业转移发生的根源。因为正是后者，为发达国家产业的移入打开了大门，发达国家跨国公司转让的技术，在发展中国家的工业生产中起到主导作用，但由于跨国公司只为获取巨额利润，阻碍了发展中国家的资本积累。

　　国内对于产业区域转移的研究起步较迟。张驰（1993）分析了跨国公司的海外生产，对母国制造业的生产、资本形成、产业结构调整和第三产业发展的影响。他认为，跨国公司的海外生产，不仅不会对母国原有生产造成冲击，反而会促进后者的发展。① 卢根鑫（1994）认为，国际产业转移对发展中国家的影响既有积极的一面，也有消极的一面。就推动发展中国家经济而言，主要表现在五个方面：要素转移效应、结构成长效应、引起就业结构变化效应、提高社会平均资本的有机构成、加速国民生产总值的提高。产业转移成为经济发展动力的五种可能，能否转变为现实性，有赖于发展中国家的独立与完整，政治环境的稳定，一个强有力的以经济发展为目标的，廉洁、高效的政府及其各种适宜配套的经济政策。② 潘未名（1994）认为，跨国公司的海外生产是否会影响母国制造业的发展，取决于跨国公司分工方式及其经营战略模式，跨国公司的海外生产对母国制造业的国际竞争力产生了不利的影响，从而对母国的"产业空洞化"起到了推动作用。③ 石东平、夏华龙（1998）以东亚为例，探讨了发展中国家能否利用国际产业转移来实现本国的产业升级。④ 周起业（1990）对区域分工和区域经济联系展开了研究。陈建军（2002）

183

---

　　① 参见张驰：《论跨国公司的海外生产与母国的产业空洞化》，《世界经济文汇》1993 年第 5 期。

　　② 参见卢根鑫：《试论国际产业转移的经济动因及其效应》，《上海社会科学学术期刊》1994 年第 104 期。

　　③ 参见潘未名：《跨国公司的海外生产对母国产业空洞化的影响》，《国际贸易问题》1994 年第 12 期。

　　④ 参见石东平、夏华龙：《国际产业转移与发展中国家产业升级》，《亚太经济》1998 年第 10 期。

比较系统地论述了国内外对产业区域转移问题的研究状况，区分了产业区域转移和对外直接投资的相同和不同之处，并从国家和地区两个层面，揭示了近年来中国的对外直接投资和产业区域转移状况，探讨了中国现阶段产业区域转移的动力机制。① 汪斌（2001）以经济全球化为背景，首次从国际区域间立体、多向辐射和多边反馈角度，将国际贸易、国际直接投资、国际金融、技术与信息的跨国转移与传递、跨国公司和经济周期，作为国际区域产业互动的传导机制，从理论上揭示了六大机制的不同传导作用及其相互关系。② 另外，国内学者也注意到了产业转移对区域经济发展的影响。孙自铎（2004）认为，通过梯度转移消除经济发展中的区际差别，比通过政府的转移支付或地区倾斜政策来平衡区际矛盾，更符合市场经济的一般原则。③ 陈红儿（2002）认为，产业转移对欠发达区域发展的作用主要体现在：要素注入效应、技术溢出效应、关联带动效应、优势升级效应、结构优化效应、竞争引致效应、观念更新效应。④

184

近年来，浙江的学者致力于浙江产业转移问题的研究。查志强（2002）认为，现阶段浙江产业转移到上海，主要以构筑和完善市场网络为主，以综合资源利用为辅，具体可归纳为两种模式。在产业转移的动因上，既有浙江企业追求自身发展的需要，也包括了上海国际化大都市的吸引力和上海市政府积极引导的政

① 参见陈建军：《中国现阶段的产业区域转移及其动力机制》，《中国工业经济》2002年第8期。
② 参见汪斌：《国际区域产业结构分析导论——一个一般理论及其对中国的应用分析》，上海三联书店、上海人民出版社2001年版。
③ 参见孙自铎：《劳动力跨省流动对区际经济发展的影响》，《当代中国研究》2004年第1期。
④ 参见陈红儿：《区际产业转移的内涵、机制、效应》，《内蒙古社会科学》2002年第1期。

策效应的作用。通过产业转移，浙江企业出现了两大趋势：生产型企业向大公司、集团化发展，流通型企业向市场规模化发展，提高了浙江企业的层次和产品档次，也带动了浙江省经济的发展。[①] 陈建军（2002）以浙江105家规模以上不同所有制企业的问卷调查为中心，研究了中国现阶段沿海发达地区企业，以对外投资等为主要载体的产业区域转移的发展状况。[②] 陈建军、姚先国（2003）概述了增长极理论和中心—边缘理论的应用条件和应用背景，进而证明上海和浙江共处的长江三角洲地区并非是一个二元空间，而是更近似于匀质空间，接着用浙沪间产业转移的案例证明两地之间的关系并非是"极化—扩散"，而是资源优势互补、产业分工的关系。他们认为，从要素资源流动的角度分析，上海和浙江区域经济关系应该属于邻域渗透型的区域经济关系。[③]

三、评价与思考

刘易斯比较早注意到了劳动密集型产业的国际转移现象，但没有提出比较完整的国际产业转移理论。在国际产业转移理论中，美国经济学家雷·弗农的"产品循环说"和日本经济学家赤松的"雁行形态产业发展说"最有代表性，两种理论分别从发达国家和发展中国家的角度，指出了产业从发达区域向相对落后区域的空间转移现象。"雁行形态产业发展说"是从后进国立场出发，论述后进国通过充分利用和发挥"后发优势"

---

① 参见查志强：《大都市魅力与地区经济融合——浙江产业区域转移的实证研究》，《上海经济研究》2002年第7期。

② 参见陈建军：《中国现阶段产业区域转移的实证研究——结合浙江105家企业的问卷调查报告的分析》，《管理世界》2002年第6期。

③ 参见陈建军、姚先国：《论上海和浙江的区域经济关系——一个关于"中心—边缘"理论和"极化—扩散"效应的实证研究》，《中国工业经济》2003年第5期。

实现跳跃式发展。但实践表明，其他的后进国家，并未能够重复日本的经验。梯度转移是区域经济发展理论中的一个重要学说。这一学说的政策主张是，由发达地区先行发展起来，而后向不发达地区转出资本、技术和制成品，以带动远离发达地方的区域经济发展，进而缩小经济发展中的区际差异和矛盾。普雷维什的中心—外围论，分析了国际产业转移对发展中国家造成的不利影响，但对国际产业转移给发展中国家经济发展的积极作用认识不足。

目前理论界对国际产业转移的研究出现新动向，突破传统的单一视角，从全球视角，以产业链为纽带，分析各个工序在全球的布局及在各国的国际分工中的地位，不仅研究发达国家向发展中国家的产业转移，而且分析发达国家之间、发展中国家之间以及发展中国家向发达国家的产业逆向转移问题。

尽管国内在有关国际产业转移及其相关领域的研究上已经具有一定的基础，但是有关产业转移对区域经济发展影响机制的文献较少。陈建军（2002，2003）的实证分析和案例研究富有启发性。在研究产业转移对我国区域经济发展影响机制时，不仅要分析国际产业转移对区域经济发展的影响，还要关注区际产业转移对区域经济发展的影响。以往国际产业转移研究大多以国家为分析单元，关注国家或地区间产业转移问题。梯度转移理论论述了区域间产业转移对区域经济发展的影响，但缺乏对影响机制及条件的深入分析。我国"梯度转移"论曾风行一时，但没有发生理论预期的大规模产业梯度转移现象，这说明产业的梯度转移需要一定的条件。而且，区际产业转移对转出地和承接地经济发展影响的机制和途径，仍需要做进一步的探讨。

第二节　产业转移促进区域经济
发展的机制和条件

一、产业转移促进区域经济发展的机制

区域产业转移包括区际产业转移和国际产业转移，两者对区域经济发展的影响机制存在一定程度的差异。从总体看，我国基本上处于接受国际产业转移的阶段。本章节重点探讨区域接受产业跨国转移带来的影响。

1. 国际产业转移对区域经济发展影响机制

国际产业转移对区域经济发展的影响主要表现在：

（1）增加资本存量。区域国际产业转移是产业从国外向区域转移的过程，伴随着资本、技术、知识和劳动力的转移。随着国际产业向区域转移而产生的大量直接投资，增加了区域资本存量。国际产业向区域转移过程中，也会吸引区域外配套企业的进入，进一步增加区域资本存量。当然，国际产业转移伴随的外资流入也会对区域内资本产生一定的"挤出效应"。尽管如此，国际产业转移仍将促进区域资本存量的增加。区域内资本存量的增加，将促进区域经济增长（见图 6—1），使区域产出水平从 Q_1 增加 Q_2。

187

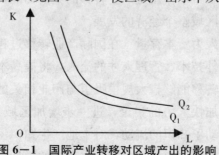

图 6—1　国际产业转移对区域产出的影响

（2）促进技术进步。国际产业转移是经济发展程度较发达的国家或地区，向经济发展程度较低的区域转移。一般来说，区域外移入产业的生产技术水平高于当地的平均生产技术水平，将提高资本和劳动的边际产出水平。国际产业转移可以通过建立生产基地、进口机器设备和技术、技术研发等途径，直接提高产业的技术水平。国际产业转移还通过技术扩散和技术创新的示范效应等途径，促进区域技术进步。国际产业转移又能吸引区域外先进技术的流入和集聚，加快提升产业技术创新能力。

（3）提升产业结构。国际产业转移对区域产业结构变动的影响主要表现为：国外相对先进产业嵌入区域产业本身，就增加了区域产业中使用先进技术的产业部门，改变了区域生产函数，推动了区域产业结构向高度化方向发展；国际产业转移通过后向、前向和旁侧关联，推动区域产业结构的升级。后向关联效应，即移入产业的发展会对各种要素产生新的投入要求，从而刺激相关投入品产业的发展；前向关联效应，即移入产业的活动能通过削减下游产业的投入成本，促进下游产业的发展，或客观上造成产业间结构失衡而使其某些瓶颈问题的解决有利可图，从而为新的工业活动的兴起创造基础，为更大范围的经济活动提供可能；旁侧关联效应，即移入产业的发展会引起它周围的一系列变化。总之，产业的关联带动作用是产业转移的重要功能，它将在很大程度上促进移入区域整个经济的发展。

188

（4）提高人力资本存量。在国际产业转移过程中，伴随着与产业相关的国外技术、管理人才的流入，将提高本地人力资本存量。国际产业转移能够较大规模吸引与产业相关的技术、管理等方面的人才，加快人力的集聚，进一步增加区域人力资本存量。人才的流动带动了知识的流动，对本地产生知识溢出效应，提高本地居民的人力资本存量。人力资本存量的增加，能有效地促进产业的技术进步，提升产业层次。

（5）推动制度变迁。国际产业转移引发的制度变迁，涉及宏观层面和微观层面。从宏观层面看，国际产业转移伴随大量企业的迁入。这需要政府加快制度创新，转变政府职能，改变管理方式，改善服务质量，建立与市场经济相适应的政府管理体制，以适应国际企业的要求。国际企业迁入的示范效应，能推进包括人事制度、管理制度等微观层面制度的变迁。

2. 区际产业转移对区域经济发展影响机制

区际产业转移对区域经济发展的影响，可以分为对转出地的影响和对转入地的影响。

（1）对转出地的影响。

①产业结构变动。随着区域经济的发展，发达地区经济收入水平提高，要素成本发生变化，土地、人力资本等要素价格上升，使劳动密集、土地密集的产业首先受到成本的压力，企业竞争力下降，导致整个产业失去比较优势。但这些产业已拥有成熟的产品和技术，仍有较大的市场。企业可以通过生产地的转移，降低生产成本，重新实现市场竞争优势。区际产业转移对转出地产业结构产生较大影响的形式有：原有产业出现缩减，不可移动的经营资源如厂房、土地等向其他产业转移，产业结构的调整向着有利于区域比较优势的方向发展；原有产业转向了关键产品的生产组装领域，或成为产品设计与贸易中心，使经营资源转向高附加值的环节，促进了产业的升级；企业的生产总部向更发达地区迁移而生产基地留在当地，如江浙地区的许多传统产业大企业的总部向上海迁移，而把生产基地留在本地。

②技术进步。产业转移对转出地技术进步的影响主要表现在：一是传统产业转移后会导致资源集中在更高层次的产业上。一般情况下，转出的产业是本地技术层次较低的产业，产业转出

189

后迫使当地发展技术层次更高的产业，加大对研发的投入力度，促进区域的技术进步；二是有些产业转移把生产过程迁出当地，而把研发中心留在当地，增加本地的研发投入，招聘科技人才，对当地的技术进步产生影响；三是向上海、北京等科技发达城市的转移。有些企业在产业转移的过程中，把信息中心和决策中心迁移至上海、北京等科技发达的城市，从而及时掌握产业前沿的技术动态，主动接受技术转移和技术扩散，提升技术水平。

③资本积累。从短期看，对外产业转移伴随着资本的流出，如果按属地原则计算，减少了资本存量和生产总量，减少了财政税收、降低了税收水平和就业水平，容易造成人才、资金的流失。区域如果在短时间内出现大量企业外迁的现象，会出现产业的衰落。如果按属人原则计算，区际产业转移并没有减少人均资本，而使产业的竞争力更强，人均产出更大，本地人均资本积累增加。转出的产业享受转入地的政策优惠，能获得比本地更丰厚的报酬。转出企业发展壮大后如果能够反哺转出地，就能促进区域资本积累。

④制度创新。产业转出对地方政府产生了制度创新的压力。产业转移是企业对市场环境的一种反应，其中包括区域制度环境。良好的制度环境有利于降低区域内企业的交易成本，延缓产业转移时间或减少产业转移带来的负面影响。因此，产业转移现象迫使地方政府加快制度创新，改善产业发展环境。

不同类型的产业转移，对区域经济发展带来不同的影响。对环境破坏大的产业，尽管边际生产率仍比较高，但影响了区域的可持续发展，产业转移能增加转出地的福利水平。"集群式"产业转移现象往往使转出地经济产生波动，容易造成转出地产业的空洞化。大企业特别是龙头企业的外迁，容易引起产业整体转移现象的发生，对区域经济发展产生较大影响。大企业或龙头企业如果在当地的产业链中占据关键环节，产业转移将对整个产业发展产生不利的影响。伴随投资者迁移发生的产业转移，往往对区域经济发展产生不利的影响。有些投资者在经济发达、生活条件优越的大城市投资后，逐渐适应当地的生活习惯，或为了子女的教育，将户籍转向投资地，将对迁出地产生比较大的影响，导致迁出地经营资源的流失，影响了区域经济的发展。

（2）对承接地的影响。承接地经济发展相对落后，资本和技术比发达地区稀缺。区际产业转移能使承接地突破要素缺口，促进经济发展。

①资本存量增加。承接区际产业转移，将直接增加承接地的生产能力，较快地增加资本存量，使区域生产可能性边界向外扩展，提高产出水平，提升资本积累水平。区域产业转移包括资本、技术、知识等综合要素的整体转移，这有利于改善区域要素结构，优化产业结构，增加税收和就业水平，增强资本积累。

②技术进步。承接地可以利用区际产业转移过程中的技术转移和技术扩散，实现技术水平的快速提升。所谓技术溢出效应是指产业转移过程中，输出的先进技术被输入方消化吸收所导致的技术进步，以及技术转移过程中所带动的输入方的经济增长。承接地在接受发达地区产业转移的过程中，自身有一个"干中学"的过程，不断地积累创新的能力和经验，提高区域自主创新能力。

③企业家精神兴起。产业区域转移的实质，是经营资源和技术资源的转移，是经营资源和技术资源从边际生产率相对较低的地区，向边际生产率相对较高的地区转移，是企业家资源的溢出。产业转移过程中伴随大量的资本、技术的转移，也伴随着企业家资源的输入，能使承接地积累更稀缺的企业家资源。区际产业转移可以使区域在较短时间内集聚更多的企业家资源，有利于

促进承接地企业家精神的兴起。

④制度创新。区际产业转移对承接地制度变迁的影响涉及宏观层面和微观层面。从宏观层面看，区际产业转移迫使当地政府创新政策、管理模式等，推动政府层面制度创新。从微观层面看，产业转移促进了承接地企业组织形式、管理制度的创新。我国区际产业转移中，民营企业比较活跃。这些民营企业给当地带来新的机制、新的理念、新的观念和新的管理方式，对承接地国有企业的改革也带来了新的动力。投资企业需要在承接地招募新的工人，把更多的当地人卷入市场经济的洪流中。大量新企业的迁入，会形成转出地文化和承接地文化的冲击、碰撞和融合，形成新的文化形态。

区际产业转移也可能对承接地带来不利的影响，主要表现为：对承接地环境产生严重破坏，影响承接地的可持续发展；承接地在垂直型分工格局中长期处在产业链和价值链的低端，形成"路径依赖"，与转出地的技术差距扩大。

192

二、区域产业转移促进区域经济发展的条件

产业转移促进区域经济发展的机制，受到以下条件的制约：

1. 产业类型和本土化程度

产业转移对承接地产业升级的影响与转入产业的类型有关。当转入的是劳动密集型产业时，投资者面临比较完全的市场结构，对技术控制也比较弱，原材料等中间产品比较容易实现本地化，承接地能比较成功地接受这些产业。当转移进一步扩展到资本—技术密集型产业时，投资者面临的市场是非完全竞争的市场结构，将控制技术的转移和扩散。这时厂商对中间产品的要求也更加严格，需要配套的产业才能实现中间产品的本地化。随着本地产业与跨国公司产业的差距越接近，越有可能引起产业向其他区域转移，产业升级越来越困难。"集群式"产业转移能在短期

内给承接地带来比较明显的经济增长效应。但是，当地产业如果缺乏与该产业的联系，没有使转入产业根植于本土产业，就会存在较大风险。一旦转入产业的发展条件发生改变，就有可能出现产业的整体性移出的风险，造成本地的经济波动。

2. 制度创新

产业承接地制度创新的程度，直接影响转入产业的规模及其以后的发展。产业承接地如果能够建立起与市场经济相适应的制度安排，就能够吸引更多的国内外企业投资，加快产业的发展；如果不能通过制度创新建立起与市场经济相适应的制度安排，就不能吸引更多的企业投资，或导致现有企业的流失，也影响企业的进一步发展，制约产业的成长。制度安排是吸引资本和激发创新意识的关键，有利的制度安排能激励更多的人去创业、创新，不断扩大产业转移给区域经济带来的利益。

193

3. 人力资本

产业转移不会天然地推动承接地的技术进步，需要承接地具有相应的人力资本存量。承接地接受资源密集或劳动密集型产业时，可以利用资源或劳动力的自然比较优势发展本地的产业，此时对人力资本存量的要求相对较低。承接地接受资本密集型产业和技术密集型产业时，需要有充足的人力资本存量。承接地如果有较高的人力资本存量，就能够有效地吸收产业转移中的知识、技术溢出，获得更高的经济增长率。

4. 经济发展的差距

产业转出地和承接地经济发展阶段的差距和产业的互补性，是影响产业转移经济效应的重要因素。转出地与承接地经济发展水平差距大，两地产业的竞争性弱，产业技术转移速度就快。随着承接地经济发展水平的提高，两地产业发展的差距缩小，就会导致两地产业的竞争性增强，竞争性的存在使转出地输出技术的速度减慢。转入的产业与本地产业有较强的互补性，就能对本地产业发展产生较大的推动作用，促进区域经济更快发展。如果转入的产业与本地产业没有互补性，对本地产业的带动则相对较弱。

第三节　产业转移与江浙经济发展

一、产业转移类型与阶段

1. 接受产业转移

历史上，江浙地区与上海市产业联系一直很紧密。改革开放初期，苏南、浙北依靠吸收上海企业的投资、设备、技术和人才，促进了乡镇企业的大发展。上海轻工企业向江浙地区的投资，在一定程度上促进了江浙轻工产业的发展。尽管如此，上海对江浙地区并没有发生大规模的产业转移现象。应该说，上海轻工产业的衰落，是受到江浙轻工产业的强有力的挑战而失去比较优势的结果，而不是产业转移的结果。

20世纪90年代中后期，国际电子信息、精密机械、生物制药和新材料、纺织等产业，加速向长江三角洲转移，江浙地区开始较大规模接受产业转移。苏南地区成为接受国际产业转移的重点，吸引了其中的大量外商直接投资。近年来，杭州湾地区接受国际产业转移的速度明显加快，呈现出追赶苏南的发展态势。在接受国际产业转移的方式上，江苏省和浙江省有一定的差别。江苏省接受国际产业转移以集群式引进外商直接投资的方式见长，苏南电子信息产业的形成与发展是典型的案例。至2003年，苏州开业投产的5000多家外商投资企业中，有1000多家是电子信息类企业，其中明基电脑、超微半导体、华硕主机板以及摩托罗拉、诺基亚、飞利浦等世界著名的品牌和企业都在苏州投资。苏州工业园区、苏州新区、昆山开发区、吴江开发区，都已成为电子产业转移的主战场。这种引进方式能在较短时间内形成新产业集群，产生显著的效果。浙江省接受国际产业转移，普遍以在现有产业集群中嫁接外资的形式出现。浙江纺织业的改造与提升便是例证。在发达国家和地区的纺织产业面临高成本和环境的压力时，浙江省以纺织产业集群的优势吸引纺织产业的转移，促进纺织业的升级。

2. 向区外转移产业

江浙地区区际产业转移的现象出现在新世纪。江浙地区产业集群发达，特别是浙江省拥有众多传统产业的产业集群，具有较强的产业竞争力。由于产业集群内企业分工协作很细、企业间联系紧密，单个企业对产业集群有较强的依赖性，产业集群具有较强的稳定性。因此，有学者断言，在中西部民工源源不断流入产业集群的情况下，东部地区产业集群不可能向中西部移动。但是，近年来浙江省能源、土地、水以及人才等生产要素匮乏对经济发展的制约日益凸显，产业集群的稳定性开始受到挑战，有些产业集群在龙头企业的带动下，出现向外转移的迹象，并呈现加速发展的趋势。有关资料显示，截止 2004 年 8 月，浙江共有 3058 家民营企业外迁（迁出省外），其中整体外迁 488 家，总部迁移 2488 家。外迁企业对外投资总额达 226.3 亿元，外迁企业在省外创造的总产值达 453.59 亿元。浙江省统计局企调队的数据表明，2000 年之前，迁移企业数占总迁移量的比重为 9.9%。进入新世纪，浙江企业外迁数量迅速增加，2001 年迁移企业数占总迁移量的 26.8%，2002 年迁移企业数占到 28.3%，2003 年迁移企业数更多，占到总迁移量的 35%。

相比之下，江苏向省外转移产业的规模小于浙江，而省内产业转移的规模大于浙江。2001年，江苏省确定苏南五市与苏北五市建立相对紧密型的对口帮扶合作关系，形成了"政府引导、企业参与、项目支撑"的合作方式，推动了省内产业转移。2001年以来，苏南累计向苏北五市产业转移500万元以上项目4770个，总投资1175亿元。[①] 江苏省内大规模产业转移现象是政府和市场共同推动的结果。江苏省地方政府的大力推动，加快了苏南向苏北产业转移的速度，扩大了产业转移的规模。但是，市场力量是推动两地产业转移的根本原因。因为，两地的经济发展差距，形成了发生大规模产业转移的客观条件。表6—1、6—2显示了两省发达和落后企业之间经济发展的差距。从表中可以看出，江苏经济发展水平按照苏南—苏中—苏北顺序，呈梯度分布。2004年，苏南、苏北人均GDP差距为4.3∶1，两地产业发展形成了很大的落差。苏南地区在经过前一阶段的工业化后，面临用地紧张、环境承载力下降和劳动力成本上升的压力，一大批占地较大、劳动密集的加工型产业，迫切要求转移出去，而北部地区具有承接南部产业转移的条件。相比较而言，浙江省经济较为均衡发展，浙西与浙东、浙南的经济发展差距较小，相对落后地区的地域面积较小，与江苏省有明显差异。

表6—1　2004年江苏南中北三大区域差距情况

单位：元

区域	人均GDP	人均财政收入	城镇居民人均收入	农村居民人均收入
苏南	42965	2813	12514	6544
苏中	15687	720	10195	4765
苏北	10004	388	9116	3906

资料来源：2005年《江苏统计年鉴》。

---

① 参见苏蓓办、王晓映：《分散转向集群化　苏北产业转移质量不断提升》，《新华日报》2005年2月15日。

表6—2　2001年浙东北和浙西南区域差距情况

单位：元

区域	人均GDP	人均财政收入	城镇居民人均收入	农村居民人均收入
浙东北	21024	1278.3	9196	4990
浙西南	11727	676.3	7783	3781

资料来源：2002年《浙江统计年鉴》。

　　江浙地区对海外直接投资的速度在加快，特别是向亚洲的发展中国家，如越南等国的投资呈现较快的发展势头。在经历一段时间的对外投资后，江浙地区有可能出现较大规模的产业转移现象。

二、产业转移对江浙经济发展的影响

　　20世纪90年代中期以来，产业转移对江浙经济发展的影响日益明显，主要表现为：

1. 促进资本形成

　　国际产业转移对江苏、浙江的资本形成产生了重要影响，外资占全社会固定资产投资的比例增大。在苏州等国际产业转移比较集中的地区，外资在区域成本形成中的作用已十分显著。表6—3显示，1995年、2000年外资占苏州市全社会固定资产投资、GDP比重比较高，2005年有所下降，但占全社会固定资产投资的比重也有26.3％，占GDP比重为12.2％。国际产业转移同样在无锡、宁波、杭州、嘉兴等地的资本形成中发挥了重要作用。

表6—3　重要年份苏州外商直接投资占全社会固定资产投资、GDP比重

单位：%

年　份	1990	1995	2000	2005
FDI/全社会固定资产投资	6.8	58.1	46.2	26.3
FDI/GDP	1.6	21.5	15.5	12.2

资料来源：根据相应年份《苏州统计年鉴》整理而得。

改革开放以来，江浙地区承接了上海产业转移，但规模不大。近年来，上海纺织业有向江苏北部转移的迹象，对加速苏北资本形成起到一定的作用。苏北地区在接受苏南产业转移的同时，也接受外省产业转移。资料显示，2003年，除了江苏本省以外，国内外其他地区向苏北转移500万元以上的项目就有1083个，总投资达到227.9亿元。国内产业转移促进了苏北地区的资本形成，加快了苏北经济增长速度。

2. 加快产业结构调整

近年来，国际产业转移对江浙地区产业结构的高度化作用十分明显。外资在江苏电子信息、光机电一体化、生物医药高新技术产业的投资力度加大，促进了江苏产业结构高度化。2004年，江苏电子机械及器材制造业和通信设备、计算机及其他电子设备制造业销售收入，分别占全部工业的9.1％和16.6％，而这两大行业"三资"企业创造的销售收入分别占全部工业的38.6％、78.5％。外商直接投资促进了江苏省机电产品出口的快速增长，2005年江苏省机电产品出口840.1亿美元，占全国机电产品出口的19.7％，其中三资企业出口占46.1％。国际产业转移也促进了浙江产业结构的高度化。2003年，浙江省外商投资的高新技术产业企业实现增加值965.17亿元，占全部规模以上高新技术增加值的36.1％，出口交货值110.2亿元，占全部规模以上高新技术企业交货值的42.5％。其中在电子及通信设备制造业中，外商投资企业实现工业增加值占该行业工业增加值的50％，出口交货值所占的比重更高，达到60％。2005年浙江省机电产品出口302.6亿美元，三资企业占40.6％。

20世纪90年代末以来，江浙地区传统产业问题凸显出来，进入了产业结构加快调整时期。苏南地区传统产业向苏北地区转移，为发展高新技术产业和新兴产业提供了更多的发展空间，促进了产业结构升级。产业转移使苏北产业结构发生变化，工业化的水平正在不断提升。浙江企业受土地、能源、环境的制约开始向外转移。据浙江省统计局的统计调查（2004），温州、台州是浙江省外迁企业较多、外迁行业较为集中的区域，其中温州的外迁行业主要以生产阀门、水泵、电机、塑料编织、皮革加工、汽车配件、服装及印刷业为主；台州的外迁行业主要集中在医药化工、塑料制品、食品、纺织、模具、泵业、工艺品、汽车配件等行业。劳动密集型产业的向外迁移，对浙江省产业结构调整起到了重要的作用。①

3. 加快人力资本积累

国际产业转移使江浙地区外商直接投资迅速增长，形成了高新技术产业集聚，促进了传统产业集群技术水平的提升。产业结构的调整，增加了对外地人才的需求，吸引了大量外地高校毕业生和技术人才，使江浙地区成为技术人才的集聚地。国际产业转移比较集中的苏南、浙北，吸引人才大幅增长。近年来，苏州每年都要吸收全国各类大中专毕业生 2 万余人，其中具有本科学历以上的有近万人，每年吸收的研究生、博士生和海外留学人才有近千人。同时，跨国公司开展了各种形式的培训活动，提高了本地技术管理人员的知识和技术水平。

199

江浙企业外迁，特别是向上海、北京等地的产业转移，锻炼了企业家队伍，提升了企业家素质。产业转移对企业的经营管理水平提出新的挑战，需要企业家具有更远的战略眼光和更强的把握机遇能力，需要对投资环境、市场变化作出更科学的判断。产业转移将进一步培养江浙企业家群体的管理能力和水平。

---

① 参见国家统计局企调总队、浙江省企调队：《浙江企业缘何纷纷外迁》，《山东经济战略研究》2005 年第 7 期。

4. 实现企业扩张

江浙企业通过设立分厂、向产业链上游延伸等手段实现企业的扩张，促进企业向大公司、大集团发展。据浙江省企业调查队（2004）对 196 家已实施跨省际迁移的企业调查显示，选择去外省投资办厂的企业达 164 家，认同率高达 83.6%；其次是生产基地迁移，认同率为 9.7%；第三是研发基地迁移，认同率为 7.1%；而选择整体迁移和总部迁移的企业，认同率仅为 5.1% 和 4.6%。数据表明，浙江现有外迁企业主要是寻求企业的扩张，延伸产业链，提升产业竞争力。浙江产业转移过程中所涉及的行业、领域比较广泛。娃哈哈、青春宝、德力西、正泰、卡森、云森、纳爱斯等企业，在新疆、甘肃等省、区投资办厂均产生了较好的经济效益和社会效益。20 世纪 90 年代初，金义集团靠食品饮料迅速壮大，到 90 年代中期，东部市场的企业竞争已到"惨烈"程度，因此，着眼长远的金义集团把目光投向了西部。① 金义集团在西部的投资，成功地实现了企业的扩张。

5. 促进技术进步

国际产业转移促进了江浙产业的技术进步。在外资的带动下，近几年苏州高新产业快速发展壮大，技术水平不断提升。在引进外资的同时，也带来了大批先进技术，推动了高新技术产业和产品的发展，形成以电子信息、精密机械、精细化工、生物医药等为主的高新技术产品的生产、出口加工基地。2004 年，苏州规模以上工业高新技术产业产值 2826.8 亿元，占规模以上工业比重达 38.7%。目前全球 60% 以上的鼠标、25% 的主机板、

---

① 参见郦瞻等：《现阶段浙江省产业转移问题研究》，《商业研究》2004 年第 12 期。

18％的显示器、15％的扫描仪、30％的吸尘器均产自苏州。① 浙江外商投资比较集中的服装、纺织品等产业，技术改造取得明显成效，产业升级速度明显加快。外商企业投资比较集中的医药、通信等产业，整体技术水平得到提升。外商投资的高新技术产业企业更成为推动浙江高新技术产业发展的主力军，2003 年其实现增加值 965.17 亿元，占全部规模以上高新技术增加值的 36.1％，出口交货值 110.2 亿元，占全部规模以上高新技术企业交货值的 42.5％。其中在电子及通信设备制造业中，外商投资企业实现工业增加值占该行业工业增加值的 50％，出口交货值所占的比重更高，达到 60％。②

---

① 参见杨文：《苏州高新技术产业发展情况调查分析》，《沿海企业与科技》2005 年第 11 期。

② 参见浙江省统计局课题目：《对外开放对浙江经济增长的效应分析》，《浙江经济》2004 年第 23 期。

第七章 劳动力流动、人力资本与区域经济发展

改革开放以来，我国逐步放开了对区域间劳动力流动的限制，形成劳动力在区域间大规模流动。劳动力跨区域流动对流出地和流入地的人力资本产生怎样的影响？对经济发展的影响机制是什么？以上问题是本章研究的重点。本章主要研究在开放条件下，劳动力流动对区域经济发展的影响，不涉及社会发展影响等其他问题。

第一节 劳动力流动、人力资本与区域经济发展关系相关文献述评

一、劳动力流动、人力资本与区域经济发展

劳动力流动（也称劳动力迁移 Migration of labor force）或经济活动人口的迁移，包括广义的劳动力流动和狭义的劳动力流动。广义的劳动力流动既包括劳动力移居（Labor Migration），又包括劳动力流动（Labor Movement or Flows）。西方国家由于没有户籍制度，劳动流动指广义的劳动力流动。我国由于存在户口制度，迁移人口和流动人口是两个不同的概念，迁移人口是指

伴随户口在不同地区进行迁移的那部分人口，而流动人口则指那些户口不发生变化，实际上在地区间流出、流入的人口。由于存在国际间劳动力转移的限制，区域间劳动力转移是我国区域劳动力流动的主要形式。

最早从经济的角度揭示人口流动规律的古典经济学家，是威廉·配第（William Pelly）。古典经济学家通过一系列严格的假定认为，在不同区域的劳动力市场出现失衡以后，市场力量能使区域的劳动力市场重新恢复至均衡状态。20 世纪 50 年代以后，以刘易斯（Arthur Lewis）、拉尼斯（Ranis）、费景汉（J. Fei）、托达罗（Todaro）为代表的一批发展经济学家，对城市与乡村之间劳动力的流动进行了深入的研究，并且建立了二元结构的模型，用以说明在经济发展过程中，劳动力由乡村向城市的转移过程。刘易斯提出了发展中国家劳动力转移的二元经济模型。拉尼斯和费景汉对刘易斯的模型作了进一步的修正，明确提出了劳动力转移的三个阶段。托达罗继续对模型进行修正，使模型对现实具有更强的解释能力。根据他们的模型，劳动力从低生产率的农业部门转移到高生产率的城市工业部门，可以提高整个经济的总生产率，促进资本积累和经济增长。Myrdal 根据发展中国家各地区经济发展的差异，揭示了不发达国家的经济中存在着一种"地理上的二元经济"的现象，即存在经济发达地区和不发达地区并存的二元经济结构。他认为，发达地区只吸收不发达地区高质量的劳动力，形成"累积性因果循环"，使发达地区越来越发达。以克鲁格曼等为代表的新经济地理学家认为，由于制造业规模收益递增的特点，一旦某个区域形成了制造业的初始优势，市场就会引发一个累积性的循环过程。与此同时，劳动力也逐渐向这个区域流动，直至所有的非农业人口都集中在这个区域，最终形成一个以此区域为制造业"中心"和以其周边区域为农业生产

"外围"的区域经济模式（Krugman，1991）。国外在人口流动对地区收敛影响问题的研究上存在争论。Barro 和 Sala—i—Martin（1992）在利用美国 1900—1990 年的数据，日本 1955—1990 年的数据，德国、意大利、法国、西班牙 1950—1990 年的数据以及英国 1960—1980 年的数据，进行对比分析后发现，人口流动不能作为这些国家地区收敛的解释变量。尽管后来 Barro 通过技术手段，在他的模型中排除了人口流动的内生性，但他仍然没有发现人口流动对地区收敛的有效作用（Barro & Sala—i—Martin，1995）。[①] Taylor 和 Williamson（1994）对 1870—1910 年间有大量移民流入或流出的 17 个国家进行了研究，验证了人口流动对经济收敛的决定性作用。[②]

人力资本理论是 20 世纪 60 年代以舒尔茨（T. Schultz）为代表的经济学家提出和形成的，该理论指出了人力资本投资对经济增长的贡献。1961 年，舒尔茨（Schultz）在"人力资本投资"中引入"全面生产要素"的概念，提出发达国家和发展中国家在经济增长上的差别，在于人力资本的丰富和稀缺。在论述人力资本作用时，舒尔茨指出，用于教育、培训和劳动迁移的支出，是人力资本形成的主要途径，劳动力迁入增加了迁入地的人力资本积累。贝克尔认为，人力资本是通过人力投资形成的资本，它主要包括教育支出、保健支出、劳动力国内流动的支出或用于移民入境的支出等形成的资本。他指出，人力资本对现代经济增长至关重要，因为现代经济的进步，依赖于人的知识水平，依赖于高度专业化的人才。斯科特认为，发展中国家进行对外开放，发展

① 参见刘传江、段平忠：《人口流动对经济增长地区差距的影响》，《中国软科学》2005 年第 12 期。

② Taylor, Alan M., and Williamson, Jeffery G. Convergence in the Age of Mass Migration, NBER. Working Paper No. 4711, April 1994.

国际贸易的意义在于，它不仅通过吸收外国的先进技术和人力资本，弥补本国人力资本投资的不足，提高本国的技术水平和人力资本存量，而且还可以将本国的人力资本派往发达国家进行教育和培训，提高本国人力资本的质量，这些无疑将产生显著的经济增长效应。新经济增长理论重视经济开放对一国人力资本投资积累的重要作用，并强调这种在经济开放中积累的人力资本对经济增长的推动。卢卡斯通过将人力资本作为一个独立的变量纳入经济增长模型中，认为专业化的人力资本积累才是经济增长的真正源泉，强调人力资本为经济增长的原动力。罗默强调，对外开放导致的知识"溢出"效应，促进了其在世界范围的迅速积累，通过引进新技术和新知识，提高了不发达国家的生产效率。罗默的第一个模型（1986），没有引入人力资本概念，但论证了干中学与知识外溢可以提高劳动生产率，主张知识积累是现代经济增长的新源泉。罗默的第二个模型（1990）引入了人力资本的概念，认为只有人力资本才能促进经济增长。人力资本促进经济增长的途径是提高劳动生产率，使产出增加，从而形成集约型的经济增长。经济学家还通过实证研究，试图验证人力资本对经济增长的贡献。大量的实证研究表明，人力资本促进了经济增长。1962年，丹尼森（Denison）在"美国经济增长的因素及我们面临的选择"的研究中，已经将人力资本的理论与增长核算结合起来使用，测算了人力资本在美国1929——1957年经济增长中的作用。但是，世界银行（1999）研究则表明，单纯依靠投资于人力资本不可能取得经济成功，或者说，如果缺乏相配套、协调的机制与政策，人力资本将不会带来经济增长。

205

我国学者对劳动力流动与区域经济增长关系进行了理论与实证研究。朱农、曾昭俊（2004）将对外开放度、人均可支配收入等变量引入重力模型，提出了扩展重力模型。该计量模型分析证实了中国对外开放对省际迁移流的重要影响。对外开放具有双重作用，外向型经济能提供大量就业机会，从迁出地来看，能吸收本地劳动力，降低其迁出倾向；从迁入地来看，对外开放能大量吸引外来劳动力。从 20 世纪 80 年代中期到 90 年代中期，对外开放的作用主要体现在对本地劳动力的吸收上；从 90 年代后期开始，对外开放的作用有了明显加强，它不仅能减少本地劳动力的迁出，而且对外地劳动力形成非常显著的拉力。[1] 张敬一（1998）分析了区域性劳动力转移对区域经济的影响。[2] 王桂新、黄颖钰（2005）考察了 1995—2000 年间中国省际人口迁移与东部地带经济发展的关系，发现省际迁移人口（外来劳动力）已成为推动东部地带经济发展不可替代的重要因素。正是大量外来劳动力的迁入，弥补了东部地带本地劳动力供给的不足，推动东部地带的 GDP 增长了 10％以上，对东部地带 GDP 增长的贡献度几乎达 15％。而且在东部地带，越是省际人口迁移的吸引中心，迁入人口规模越大，迁入的外来劳动力对推动迁入地经济发展的作用和贡献就越大。[3] 王桂新（2005）研究发现，东部地带 90 年代的省际人口迁移，对同期区域经济发展存在同步即时效应和异时累积效应，都表现为显著的正向促进作用，而中西部地带两者的作用关系前期呈负向作用、后期则转为正向影响。对全国各省区的考察显示，1995—2000 年间的省际人口迁移，对东部地带

206

---

[1] 参见朱农、曾昭俊：《对外开放对中国地区差异及省际迁移流的影响》，《市场与人口分析》2004 年第 10 卷第 5 期。

[2] 参见张敬一：《劳动力流动对区域经济的影响》，《上海师范大学学报（社会科学版）》1998 年第 12 期。

[3] 参见王桂新、黄颖钰：《中国省际人口迁移与东部地带的经济发展：1995—2000》，《人口研究》2005 年第 1 期。

和中西部地带区域经济的发展，都表现出比较密切的正向作用关系。[1] 姚枝仲、周素芳（2003）从理论上论证了，劳动力流动对缩小地区差距的决定性作用。经验分析表明，劳动力流动对缩小中国地区差距，确实发挥了一定的作用，但由于中国劳动力流动受到较大限制，通过劳动力流动来缩小地区差距还有很大潜力。[2] 孙自铎（2004）计算了跨省劳动力流动对流入地的贡献，以及对流出地经济的直接、间接影响和可能的机会损失，提出了"劳动力流出地 GDP 的机会损失"的概念。他认为，这种只有劳动者就业的异地流动、没有相应的人口迁移的模式，产生了一种"马太效应"，造成了区域经济发展的进一步失衡。[3] 蔡昉认为，劳动力流动对迁入地的城市化进程和新经济部门的成长贡献巨大，对迁出地的农业投资积累具有积极的作用。刘传江、段平忠（2005）通过建立人口流动与经济增长之间计量模型分析表明，人口流动的地区差距与经济增长的地区差距高度相关，无素质差异的流动人口对整体经济增长没有显著的贡献，但流动人口确实对分地区的经济增长具有显著的贡献作用，且这种作用呈递减趋势。[4]

207

　　我国学者还致力于人力资本与区域经济发展关系的理论与实证研究。樊瑛等（2004）构造了含有人力资本的生产函数，建立了反映人力资本积累的宏观经济学模型，对其进行动力学分析，

---

　　① 参见王桂新、魏星、沈建法：《中国省际人口迁移对区域经济发展作用关系之研究》，《复旦学报》（社会科学版）2005 年第 3 期。

　　② 参见姚枝仲、周素芳：《劳动力流动与地区差距》，《世界经济》2003 年第 4 期。

　　③ 参见孙自铎：《劳动力跨省流动对区际经济发展的影响》，《当代中国研究》2004 年第 1 期。

　　④ 参见刘传江、段平忠：《人口流动对经济增长地区差距的影响》，《中国软科学》2005 年第 12 期。

探讨了在人力资本与经济的关系中存在的非线性因素对于经济系统演化的影响。研究结果显示，从人力资本的角度出发，不发达经济要想追上发达国家经济，需要有一定的条件和一定的努力，这其中存在着发展的壁垒，只有超越壁垒才能使差距减小，否则就始终处于不发达的状态。[①] 盛乐（2000）就浙江省和全国的人力资本投资积累及其对经济增长的推动作用进行了实证分析。[②] 朱翊敏（2002）用模型分析了广东省各区域的经济发展同人力资本的关系。[③] 胡永远的研究表明（2000），用时间序列数据不能证实人力资本对产出的长期增长效应这一假说。人力资本只是知识经济增长的一个必要条件而非充分条件。[④]

二、评价与思考

刘易斯模型从宏观角度揭示了发展中国家劳动力的转移及其对经济发展的影响。按照刘易斯模型，劳动力的转移是促进经济发展的关键机制。劳动力的流动无论是对转出地还是转入地，都有重要影响。刘易斯的二元结构模型和修正后的拉尼斯—费模型，以城市充分就业为分析前提，影响了对现实的解释力。托达罗在对刘易斯模型提出批评的基础上，阐述并构建了更加接近于发展中国家现实的思想与模型。托达罗对这一模型的发展，是将两部门理论单独应用于分析城市，认为在城市中同时并存着传统部门和现代部门，人口在普遍失业的条件下流动。促使人们作出

---

① 参见樊瑛等：《包含人力资本的宏观经济增长模型》，《北京师范大学学报》（自然科学版）2004 年 6 月（第 40 卷第 3 期）。
② 参见盛乐：《人力资本投资与经济增长关系的实证研究》，《经济问题探索》2000 年第 6 期。
③ 参见朱翊敏、钟庄才：《广东省经济增长中人力资本贡献的实证分析》，《中国工业经济》2002 年第 12 期。
④ 参见胡永远：《人力资本与经济增长：一个实证分析》，《经济科学》2003 年第 1 期。

流入城市决策的，是预期的城乡收入差异。发展中国家城市移民猛增，是城乡实际收入差距扩大造成的。托达罗在对模型分析的基础上认为，发展中国家应注重小规模劳动密集型产业的发展。托达罗模型更接近我国乡—城人口流动和城市失业率并存的实际情况，对我国的劳动力流动具有更强的解释力。传统的迁移理论将个体作为人口迁移决策的单位，着重关注人口流动对劳动力市场的影响效应，强调劳动力流动对迁出地的负面作用。新经济迁移理论则从发展中国家市场的不完备现实出发，将家庭作为决策的单位，强调外流劳动力带给家乡的汇款，对保障家庭消费和推动家庭投资所具有的积极意义。这一理论对于分析我国劳动力流动对区域经济发展，具有重要意义。新地理经济学关于劳动力会自主地由"外围区域"向"制造业中心"迁移的基本命题，对于解释我国劳动力流动中出现的"民工潮"现象，具有重要参考价值。

　　关于人力资本在经济增长中的地位和作用，不同的经济学家作出了不同的解释。费舍尔（1906）把人力资产也看作是一种资本，认为"所有能提供未来收入流的资产都是资本"，刘易斯已注意到人力资本对经济发展的作用，他说："处于最初发展阶段的国家发现，把他们的一些年轻人送到外国，在外国企业中获得经验是有利的。"舒尔茨的人力资本理论还对技术进步作出了补充和发展。贝克尔专门对人力资本在促进经济增长和增加居民收入中所起的作用，作了理论和实证分析。但他们将人力资本仅作为一个影响经济增长的要素。而新增长理论真正用人力资本来解释持续的经济增长，其代表人物是卢卡斯和罗默。罗默认为，人力资本是一个影响经济增长的非常重要的因素，其结果是使知识积累，而卢卡斯认为，人力资本是经济增长的核心因素，它的进步就等于技术进步。人力资本对经济增长的作用不仅在理论上已得到说明，两者的相关关系也被大量的实证研究验证。世界经济的发展实践，也对这一学说提供了经验上的支持，第二次世界大战后日本和德国的崛起，便是人力资本对经济增长作用的典型案例。有关理论和实证研究表明，不仅人力资本总量与经济增长存在相关关系，而且人力资本结构与经济增长也存在显著的相关关系。

近年来，我国学者采用国际上通用的研究方法，致力于劳动力流动与经济增长关系的研究，取得了许多研究成果。这些研究成果有助于我们理解我国劳动力流动对区域经济发展产生的影响。尽管如此，我国目前的研究，主要借用西方人口迁移理论和数量分析方法，理论创新显得不足。我国有关劳动力流动与区域经济增长关系的研究，主要集中在劳动力的跨区域流动是否影响区域间经济增长收敛的问题上，也有学者关注劳动力流动对转出地和流入地经济发展的影响。但总体看，现有的研究，较少涉及劳动力流动对区域经济发展影响机制的研究。我们在研究我国劳动力流动对区域经济发展影响的问题时，需要注意两个问题：（1）实证研究与其他研究方法相结合。由于现有的人口统计资料缺乏系统性和完整性，历史数据前后统计口径不一致，给人力资本变量时间序列数据的采集和处理带来困难，制约了计量分析方法的运用。利用计量模型比较准确地测算劳动力流动对我国区域经济发展的影响，显得比较困难。因此，需要我们合理运用现有数据，以期得出科学的研究结论。同时，应综合运用其他研究方法，使我们的研究对现实具有更强的解释力。（2）注意我国劳动力流动的制度背景。我国劳动力流动与发达国家工业化过程中的人口流动，存在初始条件和制度背景的差异。我国计划体制下的区域产业布局和计划配置劳动力的体制，为劳动力在区域间的转移设置了的樊篱。改革开放后，我国发生了大规模的区际劳动力流动现象。由于户籍制度等一系列制度因素的影响，我国劳动力流动具有特殊性。按照 Myrdal 的观点，发达地区只吸收不发达地区高质量的劳动力，而我国的实际情况是，发达地区不仅吸收不发达地区高质量的劳动力，还大量吸收普通劳动力。

第二节　劳动力流动促进区域经济发展的机制和条件

劳动力流动对区域经济发展的影响是比较复杂的经济过程，特别是我国经济发展的不平衡和市场化进程的不一致，劳动力区域流动过程更加复杂，产生了世界经济史上并不多见的劳动力的跨区域流动。劳动力流动对流入地和流出地的经济发展产生不同的影响（图 7—1），对流入地，劳动力流动主要通过劳动力增长、人力资本积累、技术进步、需求增加、制度创新等途径促进区域经济发展；对流出地，劳动力流动主要通过资本积累、"干中学"、制度创新等途径促进经济发展。

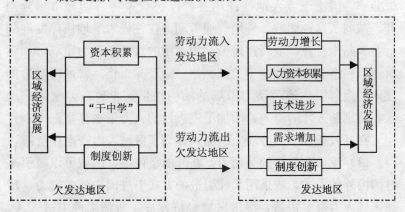

图 7—1　劳动力流动促进区域经济发展机制

一、劳动力流动促进区域经济发展的影响机制

为了分析的方便，我们分别从流入和流出两个方面，分析劳动力流动对区域经济发展的影响。

劳动力流入，主要通过以下途径促进区域经济发展：

1. 增加劳动力及相关要素供给

劳动力的流入增加了流入地的劳动力供给量，能促进流入地增加产出水平。根据 2000 年人口普查资料，在 1995—2000 年期间，东部地带迁入人口中，约有 2130.3 万劳动力在东部地带就业，其中从中、西部地带迁往东部地带就业的劳动力就达到 1818.7 万人，劳动力的流入增加了劳动力市场的供给，降低了劳动力工资水平，企业增加了劳动力的投入。人才的流入不仅能提高本地的知识存量和创新能力，还能产生知识的溢出效应。

212

中西部大量农村劳动力流向东部沿海地区，促进了东部沿海地区劳动密集型产业的发展。劳动力的流入，使东部沿海地区传统行业暂时摆脱了劳动力供给压力，延缓了向外转移的时间。劳动力的流入，对本地劳动力就业带来冲击，提高了本地劳动力的失业率。但由于流入地往往用各种保护政策将劳动力市场分割开，减弱了这种影响。外地普通劳动力往往进入本地快速发展的行业和新增行业，或者本地劳动力退出的次级劳动力市场，如建筑业、制造业、餐饮业中"脏、累、险"等工作。普通劳动力的流入，缓解了本地劳动力市场的结构性供需矛盾。劳动力的流入，特别是人才的流入，增加了流入地的人力资本存量。

在开放条件下，劳动力的流入提高了区域人力资本存量：

（1）流入高素质的劳动力。在开放条件下，区域可以吸引来自国内外的人才，或采用柔性引进的方式引进国内外的智力，增加区域人力资本积累，促进区域经济发展。所谓柔性引进人才，指在不改变人才国籍、户籍和身份，不改变人事关系的前提下，以提供智力服务为核心，不受工作地域、时间、方式限制，充分体现个人意愿和单位用人自主权的一种人才智力引进方式。20世纪80年代以后，相当数量的专业技术人员从中西部地区流向东部沿海地区，这一现象被人们称作"孔雀东南飞"，提高了东部沿海地区的人力资本存量，对沿海地区经济发展作出了很大贡献。有关研究表明，流入劳动力的受教育水平，高于流入地的平均受教育水平，提高了流入地的平均受教育水平。吴要武（2005）的分析显示，迁移者平均受教育年限为10.1年，主要集中在初中、高中和中专等中等教育水平上，占迁移者总体的67.6%，大学专科及以上水平者占迁移者总体的5.5%。王桂新（2005）的研究显示，迁入东部地带的省际迁移人口，平均受教育年限为8.86年，比东部地带本地人口平均受教育年限长1.39年。普通劳动力的流入，流入地不需要支付相应的引进费用，而他们的教育投资主要由流出地政府承担。

213

（2）激励本地居民增加人力资本投资。劳动力的流入，增强了同一层次劳动力市场的竞争，给同层次劳动力造成竞争压力。劳动力市场的竞争，增强了本地居民人力资本投资的意识，使他们增加自身及家庭成员的人力资本投资，从而加快全社会人力资本的形成，增加全社会人力资本存量。在开放条件下，信息交流的增加，会改变公众的观念和文化意识，使国内劳动力更快地接受新的事物和新的技能，增强投资人力资本的意识。

2. 增加流入地储蓄率和消费需求

劳动力的流入能提高流入地的储蓄率，提高区域资本积累能力。劳动力的流入，带来了相应的消费需求，从一定程度上拉动了商贸流通业等第三产业的发展，增加了就业岗位，削弱了劳动力流入对当地劳动力的替代效应。据调查，农民工的消费倾向是0.53，即有1/2以上的收入是在劳动力流入地消费，包括商品消费、住房消费等，增加了当地人的要素收入（张光华，1999）。

3. 提高劳动力配置效率

区外流入的劳动力具有进取心，对工作的适应性较强，能吃苦耐劳，特别是"农民工"，对劳动工资的预期比本地居民更低。区外劳动力的流入，使同一层次劳动力市场竞争加剧，增强了劳动力市场的流动性，促进了劳动力资源优化配置。劳动力市场的竞争压力，使劳动者的工作效率进一步提高，劳动者的积极性和创造性得到最大限度的发挥。企业根据利润最大化原则选择更合理的劳动力，提高用工质量，降低用工成本，增加产出水平。劳动力的流入，不仅能够提高民营企业劳动力配置效率，也推动了国有企业改革，提高了国有企业劳动力配置效率。

4. 影响产业结构升级

214

劳动力的流入，改变了区域要素比例关系，影响了区域的比较优势。流入地如果以劳动密集型产业为主，普通劳动力的流入会降低劳动力的工资水平，延缓产业的升级。区外普通劳动力在次级劳动力市场上，部分地替代了本地劳动力，使本地劳动力从事更高层次的产业，促进了产业进一步提升。劳动力流入，促进流入地第二、三产业的发展，产业结构进一步优化。在一定意义上，工业化、城市化和现代化的历史，也就是人口迁移的历史（王桂新，2001）。技术人才的流入，增强了技术密集型产业的比较优势，有利于劳动密集型产业向技术密集型产业升级。

5. 促进技术进步

科技人才的流入，直接增强了科技创新能力，有利于促进区域技术进步。人才的流入与区域技术进步存在累积效应。科技创新能力强的地区，对科技人才具有更强的吸引力，而科技人才的不断集聚，又进一步增强区域创新能力，促进区域技术进步。外来科技人员在本地创办科技型企业的活动，有利于推进科技成果的转化，合理配置区域内外科技资源，促进高新技术产业的发展和传统产业的改造。

6. 影响区域制度创新

从宏观层面看，开放经济的运行机制，将迫使地方政府设计有利于人力资本投资的制度安排，要求地方政府在人才政策、教育供给等方面加快制度创新。外来人口的增加，也对地方管理制度、管理方式提出新的挑战，迫使政府加大制度创新的力度，建立开放条件下的政府管理机制。大量劳动力的流入，也带来了区外文化，推动着区域非正式规则的变迁。

劳动力流出，主要通过以下途径影响区域经济发展：

1. 促进资本原始积累

劳动力流出是经济发展相对落后地区资本原始积累的重要途径。由于农业的边际劳动生产率极低，劳动力的流出并不会明显减少农业产出。而外出劳动力所取得的收入，往往会增加对农业生产的投资，促进农业技术水平的提高，反而会增加农业的产出。农业生产的剩余也是资本原始积累的重要途径。作为农业剩余劳动力的个体，其向城市部门的流动对农业的总产出是没有影响的，一旦剩余劳动力耗尽，则劳动力流失的负效应开始显现（刘易斯，1954）。从农村转移出来的大部分是青壮年劳动力，他们在城市可以获得更大的边际产出和报酬。流出地劳动力参与流入地财富创造，同时从该地获取一定的报酬，在扣除一定的消费后，会形成一定规模的剩余财富，相当一部分转化为资本原始积累。四川的一份资料表明，2004 年，全省有 1490 万农民外出务工，农村劳动力外出务工劳务收入达 576 亿元（刘维佳，2005）。相当多的外流劳动力经过一段时间的打工后，积累一定的资金回家乡创办企业。

2. 加快人力资本积累

劳动力流出，加快了流出地劳动力人力资本积累的速度。短

215

期内，含有较高人力资本的劳动力流出，会减少区域人力资本存量。但从长期看，大量外出劳动力的回流，能够增加区域人力资本存量。在外出打工或从事商贸活动中，他们逐渐受到发达地区创业氛围的熏陶，接受企业的培训教育，增长见识，培养冒险精神、风险意识，在"干中学"中积累人力资本。一些外出人员在外创业过程中，不断积累经验，培养企业家才能。他们返乡后创办企业，产生人力资本的溢出效应，带动区域经济发展。如四川省的返乡民工，在1993年创办了2000多个企业，总投入600多万元，年创造产值5000多万元，实现利税400多万元。据对安徽省阜阳地区回乡劳动者创办的69家企业调查，共吸纳劳动力17500人，提供利税5839万元。①

3. 推动区域制度创新

人力资本的流出，是市场机制作用的结果，对流出地必然带来经济损失，给流出地政府、企业造成压力。人才的流出，必将对流出地人事任用制度和激励机制产生强烈的冲击，使政府和企业更新观念，改革人事任用制度，完善劳动力市场和人才市场运行机制。劳动力流动，对稳定而封闭的血缘关系具有消解作用，使人们接触不同区域的文化，改变旧的行为习惯和行为方式，形成与市场经济相适应的观念和行为模式。美国著名经济学家托达罗，在分析人力资源因素对经济增长的促进作用时，从文化层面给予强调：在一个拥有人力资源的国家，不仅绝对的人口数量和人们的技术水平是重要的，而且他们的知识、视野、工作态度和自我提高的欲望也是重要的。

二、劳动力流动促进区域经济发展的条件

劳动力流动既可以促进区域经济发展，也可能对区域经济发

---

① 参见张敬一：《劳动力流动对区域经济的影响》，《上海师范大学学报》（社会科学版）1998年12月（第27卷第4期）。

展带来负面影响。不同的经济条件，决定了劳动力流动对区域经济发展产生不同的影响效应。这些条件主要包括：

1. 制度变迁

人力资本的形成和人的经济行为，往往受到制度的约束，人力资本对经济增长的作用，更是需要制度保证。正因为制度对人们的行为具有约束作用，而人又是人力资本的载体，因此，不同的制度环境，将会对人力资本在经济增长中发挥的作用产生不同方向的影响。[①] 人力资本的有效使用，依赖于清晰的产权。当制度从限制人力资本产权向承认人力资本的产权变迁时，个人才有积极性投资人力资本。其中，交易权是人力资本产权的关键因素。制度变迁的方向和程度，影响着劳动力的流动方向和数量。影响劳动力流动的制度如户籍制度、用工制度、人才政策、分配政策等的变迁，决定着劳动力流动的成本和收益，影响了劳动力的流动决策。东部沿海地区通过不断创新人才政策、用人机制和激励机制，形成对人力资本投资的激励，既吸引了大量外地人才，又增加了本地居民的人力资本投资。

217

2. 劳动力流动方式和结构

不同的劳动力流动方式，对区域经济发展产生不同的影响。伴随户口迁移的人才流动，对流出地产生不利的影响，而对流入地产生积极作用。以增加人力资本为目的的劳动力流动，对流出地经济发展产生更深远的影响，而仅以养家糊口为目的的劳动力流动，对流出地劳动人力资本的影响就小。有关研究显示，农村劳动力流动的目的，已从 20 世纪 80 年代后期"挣钱结婚和盖房"向"见世面"和"学本事"转变，流出劳动力的人力资本意识已得到加强。劳动力的过多流入，会造成区域过重的人口负

---

① 参见王金营：《制度变迁对人力资本和物质资本在经济增长中作用的影响》，《中国人口科学》2004 年第 4 期。

担，影响区域经济可持续发展能力。

3. 文化因素

库兹涅茨在《现代经济增长》一书中，提醒人们不要忽视经济增长的"观念基础"。他把这种影响一个经济时代的经济观念称之为"时代精神"，并认为它与代表时代特征的技术和创新意义一样重大。在马克斯·韦伯看来，新教伦理之所以导致一种资本主义精神的出现和资本主义的形成与发展，关键在于新教伦理培养出具有个人主义品格的新教徒，从而有助于建立在私人财产制度、竞争和个人主义基础上的资本主义的产生。文化为人们从事经济活动提供了精神动力，影响着人们对财富追求的欲望。因此，没有思想的解放，没有观念的更新，劳动力流动就不能对经济增长产生持久的动力。流出的劳动力如果没有实现观念和习惯的改变，没有形成与市场经济发展相适应的思想观念和行为习惯，只把收入用在生活性消费上，而不是进行生产性投资，那么，劳动力流出对流出地经济发展的作用就不大。

第三节　劳动力流动与江浙经济发展

一、劳动力流入对江浙经济发展的影响

1. 扩大劳动力供给规模

改革开放以来，流入江浙地区的外来劳动力数量不断增加，扩大了江浙地区各个层次劳动力供给规模。劳动力供给规模的扩大，抑制了劳动力工资的过快上涨，缓解了江浙地区制造业发展过程中劳动力成本的压力，促进了江浙地区二、三产业的快速发展。从1990年、2000年两次人口普查数据看，江苏省一直是劳动力净流入省份。1990年，常住在江苏省、县、市一年以上，

户口在外县、市的人口为 122.2 万人，而常住户口外出一年以上人口为 96.4 万人，江苏净流入人口为 32.9 万。从表 7－1 可以看出，2000 年江苏省外来人口总额为 909.98 万人，其中外省流入人口 253.69 万人，占户籍人口的 3.60％。如果按照流入人口的 70％计算，外省流入江苏省的劳动力为 177.58 万人，占当年全部从业人员的 4.0％。外省流入江苏省的劳动力主要集中在苏南地区，苏南五市吸收外省劳动力占 69.4％，其中苏、锡、常地区占 39.5％。从表 7－2 可以看出，流入江苏省的外省人口主要来自安徽、四川、山东、浙江、上海、河南、贵州、湖北等地。有数据显示，地理因素是影响江苏省劳动力流入的重要因素，安徽省约占全部流入人口的 1/3，安徽、山东、浙江、上海、河南五省市占 57.84％。

表 7－1　2000 年江苏外来人口及构成

单位：万人

地区	户籍人口	外来人口	本省其他县(市)、市区	其中：省外	外来流动人口占户籍人口比例（％）	其中：省外（％）
全省	7041.17	909.98	247.05	253.69	12.92	3.60
南京	543.92	139.82	40.59	38.98	25.71	7.17
无锡	434.23	118.91	37.21	48.45	27.38	11.16
徐州	886.77	62.81	12.35	8.95	7.08	1.01
常州	338.38	89.46	26.67	33.07	26.44	9.77
苏州	578.48	151.30	44.35	71.11	26.16	12.29
南通	784.72	69.16	14.77	14.15	8.81	1.80
连云港	446.20	27.35	7.14	2.87	6.13	0.64
淮阴	509.96	31.45	8.06	2.31	6.17	0.45
盐城	795.26	58.97	12.80	4.37	7.42	0.55
扬州	451.43	55.17	17.55	9.08	12.22	2.01
镇江	266.51	50.84	14.53	12.31	19.08	4.62
泰州	500.96	36.51	6.87	6.47	7.29	1.29
宿迁	504.34	18.23	4.14	1.57	3.61	0.31

资料来源：根据《江苏省 2000 年人口普查资料》整理。

表7—2　2000年江苏省流入人口中主要来源省份的分布比例

单位:%

地区	安徽	四川	山东	浙江	上海	河南	贵州	湖北
全省	32.27	10.59	7.68	7.03	5.63	5.20	4.96	3.70
南京	39.36	5.20	7.30	7.21	6.84	4.65	1.60	3.44
无锡	33.08	17.20	2.90	6.94	5.32	7.04	6.34	2.49
徐州	24.47	11.19	28.29	2.02	1.26	5.49	3.83	0.83
常州	38.78	15.58	2.30	5.16	4.48	4.72	4.82	4.46
苏州	37.25	10.01	2.96	11.80	6.40	7.34	2.93	4.01
南通	21.48	7.54	3.80	7.48	9.83	2.81	13.24	4.16
连云港	5.04	6.22	35.35	3.04	2.04	4.44	3.76	1.82
淮阴	26.18	8.77	7.11	5.30	3.42	1.97	13.22	2.45
盐城	11.01	9.25	3.89	7.31	13.64	2.28	10.67	4.55
扬州	30.75	11.02	5.52	5.07	7.88	3.12	4.07	8.22
镇江	33.01	12.39	5.25	7.25	5.93	2.92	6.02	3.66
泰州	17.12	10.43	1.80	6.28	4.24	2.96	9.64	13.76
宿迁	21.70	9.51	3.58	2.51	1.09	1.93	18.20	1.30

资料来源:根据《江苏省2000年人口普查资料》整理。

浙江省劳动力流动,从20世纪80年代的净流出向90年代的净流入转变,进入90年代后期,成为省际人口迁移的次级吸引中心之一(王桂新、刘建波,2003)。1990年浙江省人口普查数据显示,浙江省外来人口中外省迁居人口7.79万人,外出到省外的人口77.9万人,净流出人口70.11万人。2000年浙江省人口普查显示,浙江省外人口的规模368.89万人,外出到省外的人口规模207.31万人,净流入人口161.58万人。从表7—3可以看出,2000年,浙江省外来人口总额859.87万人,外省流入人口368.89万人,外来人口占户籍人口的比例达到19.1%,外省流入的人口与户籍人口比为8.19%。如果按照流入人口的

70%计算，2000 年浙江由省外流入劳动力为 258.22 万人，占当年浙江从业人员总数的 9.50%。从省外劳动力流入的绝对数量看，温州、宁波、杭州、台州、金华是全省吸收外来劳动力最多的地区，从外来流动人口与户籍人口比例看，温州、宁波的比例最高，杭州、嘉兴、台州、金华的比例与全省平均水平大致相等。数据表明，经济相对发达地区对外省劳动力具有更强的吸引力。大量劳动力的流入，增加了这些地区的劳动力供给，促进了当地经济的发展。从浙江省劳动力的来源看，江西和安徽是劳动力流入数量最大的两省，合计占总流入量的 44%，进一步说明地理因素是影响浙江省劳动力流入的重要因素。

表7－3　2000 年浙江外来人口及构成

单位：万人

221

地区	户籍人口	外来人口	本省其他县（市）、市区	其中：省外	外来流动人口与户籍人口比例（%）	其中：省外（%）
全省	4501.72	859.87	173.74	368.89	19.10	8.19
杭州	621.61	148.45	45.84	50.27	23.88	8.09
宁波	540.67	135.57	32.64	61.2	25.07	11.32
温州	740.45	203.09	33.35	102.12	27.43	13.79
嘉兴	332.14	46.11	6.22	25.73	13.88	7.75
湖州	255.17	31.01	4.13	14.50	12.15	5.68
绍兴	433.19	63.81	10.40	22.67	14.73	5.23
金华	445.2	88.81	18.27	38.78	19.95	8.71
衢州	242.18	16.01	4.33	1.92	6.61	0.79
舟山	98.07	19.74	3.18	4.56	20.13	4.65
台州	545.48	83.27	10.05	44.58	15.27	8.17
丽水	247.57	23.99	5.33	2.55	9.69	1.03

资料来源：根据《浙江省 2000 年人口普查资料》计算。

表7—4 2000年浙江外省流入人口主要来源省份

单位:%

地区	江苏	安徽	江西	河南	湖北	湖南	四川	贵州
全省	3.7	21.2	22.8	5.4	6.7	5.4	15.4	8.2
杭州	6.7	29.7	20.4	8.0	4.1	3.8	9.5	4.2
宁波	4.0	23.8	18.5	4.0	3.4	5.1	21.2	9.8
温州	1.7	15.4	27.1	4.5	11.4	7.5	14.7	7.7
嘉兴	9.6	18.3	7.7	6.3	2.2	3.5	30.6	7.2
湖州	8.0	42.4	4.1	5.1	2.6	1.6	12.3	14.3
绍兴	2.6	20.8	19.6	5.2	7.2	7.2	14.5	10.7
金华	1.6	16.2	42.4	5.2	3.2	5.2	5.2	10.7
衢州	3.4	7.4	35.2	5.2	3.2	4.8	8.4	14.3
舟山	6.3	45.9	6.6	5.7	5.2	4.5	10.3	3.3
台州	2.0	19.3	22.3	5.9	11.8	4.3	18.7	6.6
丽水	2.7	8.3	18.8	5.6	6.0	5.2	8.7	13.7

222

资料来源:根据《浙江省2000年人口普查资料》整理而得。

2. 加快人力资本积累

改革开放以来,江浙地区人力资本积累取得显著成绩。据钱雪亚、刘杰（2004）的测算,江浙地区人力资本位于全国三、四位。表7—5表明,按"教育年限法"计算,2002年江苏、浙江人力资本存量分别为38200.8万人、25652.7万人,合计占全国的10.5％。劳动力流动,有利于江浙地区人力资本的积累,高素质劳动力的流入,直接增加了人力资本,劳动力的流入,有效地促进了本地居民增加人力资本投入。2004年,浙江省城调队对全省11个设区市的860位城市外来流动人口进行了抽样调查,数据表明浙江省城市外来流动人口中,大专以上文化程度人口的比例低于城镇但高于农村,中专及高中文化程度和文盲人口的比重高于农村和城镇。

表7—5 2002年江苏、浙江和全国人力资本存量及产出效率比较①

指标	江苏	浙江	全国
人力资本存量（万人·年）	38200.8	25652.7	606142.8
GDP（亿元）	10631.8	7796.00	104790.6
人力资本产出效率（亿元/万人·年）	0.28	0.30	0.17

江浙地区人才引进取得了显著成绩，有效地促进了人力资本的积累。主要体现在：

（1）人才引进数量不断增长。有关资料显示，2004年江苏省共引进人才25万人，其中从省外引进人才5.56万人，占引进人才总量的22.2%，有12.6万人流向民营、三资企业，占引进人才总量的50.4%，具有本科学历的人数15.7万人，占引进人才总量的62.8%。苏南地区成为引进人才的重点地区，占全省引进人才总数的67.1%，人才进出比为26.4：1。2004年末，江苏省引进人才总量超过500万人，其中研究生以上学历、副高以上职称的高层次人才超过21万人；博士后科研流动站128个，博士后科研工作站97个，均保持全国领先；中国科学院院士44人，中国工程院院士42人，院士数居全国第三。②据浙江省有关部门调查统计，到2000年底，全省非公有制企业拥有人才72.83万人，是国有企业人才总量的2倍。浙江省拥有人才资源（具有中专以上学历或有初级及以上专业技术职务职称的人员）由2000年的178.7万人，增加到2003年的281.12万人，年均增长16.2%；每万人口中，人才资源数从2000年的397人增加到2003年的618人，年均增长15.9%。

223

---

① 参见李炯、苏静：《浙江人力资本扩展推动产业结构升级研究》，《宁波党校学报》2005年第3期。

② 参见李玉珍等：《浙江、江苏、上海三省市科技实力比较分析及对策研究》[R]，国家统计局网站 http://www.stats.gov.cn。

（2）海外人才数量不断增长。"十五"期间，江苏省引进外国专家总数为 2349 人。截止 2005 年 10 月，在昆山市外籍及港澳台地区的投资商、技术专家、管理人员，以及每年短期在昆山工作生活人员共 4 万多人，本土国际化人才 1 万人左右，国际化人才总量约 5 万人，占昆山市常住人口 4％左右，占昆山人才总量的 20％。① 据统计，截至 2005 年 6 月，浙江省引进高层次海外留学人才已达 3150 人。2003 年，在温州工作的外籍人士 208人，内资企业拥有 50％。

（3）柔性引进人才不断增长。江浙地区通过柔性引进人才，吸引一批优秀人才为区域经济发展服务。苏南地区的"候鸟式"人才已显现出一定规模，来自苏州市人事部门数据显示，这种"候鸟式"人才占 2005 年苏州市人才年增量的 64％。仅昆山市就有这样的上海"候鸟式"人才 1800 多人。

（4）与上海形成人才对流。20 世纪 80 年代，江浙地区主要接受上海地区人才辐射，退休技术人员、"星期六工程师"、科技人员业余兼职等，是当时比较普遍的引进人才的方式。80－90年代，一些希望返回上海工作的知识分子，由于各种原因没有进入上海，流向了江浙地区。随着江浙地区经济的发展和生活条件的改善，上海人才流向江浙地区的数量不断增加，江浙与上海人才对流的情况开始出现。2004 年，江苏流入和流出上海的人才均为 3000 人，进出人才在总数上已基本持平；2005 年江苏流往上海 2026 人，上海流进江苏 1531 人。②

3. 促进科技进步

江浙地区大量人才的引进，有力地提高了科技创新能力，促

---

① 参见郁大林、葛晓华：《加快推进人才国际化，构建昆山发展新优势》，江苏人事、人才论坛，http：//218.94.36.128/web/.

② 参见陆培洁：《今年江苏哪类人才最吃香》，《现代快报》2006 年 2 月 10 日。

进了技术进步。目前江浙地区的人才主要集中在高等院校、科研机构和工业企业。这些人才在江浙地区的学科建设、研究开发方面发挥着重要作用。大量人才的引进，使江浙地区的人才集聚效应开始形成，促进了传统产业的改造和高新技术产业的发展。浙江机械、化工、电子、医药四大支柱产业已经集聚各类人才28.4万名。同时，江浙地区还大力吸引高层次留学人员从事科技创业活动。浙江省引进高层次留学人员在浙创办合办的510家企业，其项目总投资达38.6亿元。2003年，全国留学人员企业技工贸总收入为327亿元，浙江达199.9亿元，占全国留学人员企业技工贸总收入的61.1%，位居全国首位。[①] 2004年，浙江留学人员企业技工总收入达到259亿元，继续领跑全国。

二、劳动力流出对江浙经济发展的影响

1. 资本原始积累

农村劳动力外出务工经商收入，是江浙地区农村资本积累的主要来源之一。相比较而言，浙江省的人口流出更具有典型性。2000年浙江省人口普查数据，反映出劳动力流出对浙江地区资本积累的重要意义：

（1）外出人口量大。浙江省外出人口的总数为768.52万人，外出到省外人口207.31万人，占全部外出人口的27.0%，占全部户籍人口的4.6%。如果以流动人口的70%计算劳动力，浙江省流向外省的劳动力总数达145.1万人。浙江省外出人口中，从业人员的平均受教育年限为8.4年，明显高于全省农村从业人员的平均水平。

（2）务工经商是外出的主要原因。浙江省外出人口中，"务

225

---

① 参见杜旭平、孙凌：《浙江人才强省战略做出大文章——写在党中央提出大力实施人才强国战略三周年之际》，《今日浙江》2006年第10期。

工经商"占 62.6%，说明大部分外出人口是从事生产经营活动。如果再加上"随迁家属"14.2%，两者合计已占 76.8%。外出人口走得越远，其"务工经商"的比例就越高，出省人口中"务工经商"的比例达到 74.5%，加上"随迁家属"14.0%，两者合计已达 88.5%。浙江省外出人口中，以从事批零贸易餐饮业比重最高，达到 42.0%，其中温州、台州分别达到 52.3%和55.9%。数据表明，浙江省外出人口中，以创业为目的的动机比较强烈，不是简单的"打工"行为，而是通过经商活动实现资本原始积累。

（3）温台地区是主要流出地。浙江流向外省的劳动力中，温州占 34.5%，台州占 21.7%，两地合计占 56.2%。数据表明，富有创业精神的温台地区，仍然是浙江流向外省劳动力的主要流出地。早在 20 世纪 80 年代，温台地区已有大量劳动力外出。1986 年，温州外出的劳动力近 30 万人，1983 年、1984 年全市外出劳动力总收入分别达到 5.47 亿元和 6 亿元，相当于同年度全市农业净产值的 52.80%和 44.84%。2003 年，300 万浙江农民在国内各地闯市场，一年实现营业收入近 6200 亿元。在外闯荡的温州人，2004 年春节前数日即汇入家乡资金 200 亿元。①"这些属于个人所得的劳务收入，正是温州地区十余万家庭小工业的原始资本。有了资金，家庭工业才能在时机成熟时像雨后春笋遍地生长。"（费孝通，1986）。

江苏省的劳动力流动主要在省内实现。有关资料显示，2004年，江苏农民外出从业者在外省就业的占 32.5%，其中到上海从业的占 14.6%，到北京的占 3.9%，到浙江的占 3.7%。上述三个地区合计，占到江苏省外出务工人员的 68.3%。江苏省外

① 参见江苏省统计局：《江苏、浙江两省农民收入增长方式的比较分析》，http://data.cnfol.com.

出务工者的平均上学时间为 9.1 年，约相当于初中毕业的文化程度。相比而言，江苏外出人口距离没有浙江远，从事的行业以建筑业和制造业为主，两者合计占 51%。

2. 人力资本积累

江浙地区庞大的外出人口规模，通过各种方式积累人力资本。人力资本不仅包括知识、体力、技术、经验等，还包括人的行为方式、价值观念等。江浙地区外出人口，在各种企业单位接受各种培训，扩大知识面，提高工作技能。特别值得一提的是，江浙地区外出创业的人口在"干中学"中获得的人力资本，同样是十分重要的。因为简单地用"教育年限法"测算人力资本对江浙经济发展的影响，是不全面的。江浙地区人力资本不仅表现在教育、培训等编码知识上，而且还表现在各种隐含的非编码知识和观念、行为方式等方面。江浙地区良好的工商传统，使人们善于在贸易活动中获得知识、增长才干。改革开放之初，一些能工巧匠带着一批又一批亲朋好友走南串北创业谋生，一些供销员带着一批又一批人由东到西开拓市场，在这样的过程中"边干边学"，产生无数经营能人。外出人口就业失败或成功的经历，在不同文化环境中的熏陶等等，均能增加一个人的人力资本含量。浙江省外出人口形成的"浙江村"、"温州城"、"义乌路"、"台州街"等，通过知识交流、知识外溢等途径产生递增的学习效应。遍布全世界的浙江人，每天接受不同文化的熏陶，经历着创业的艰辛，探索着成功的诀窍，不断积累着人力资本。

227

第八章　制度变迁与区域经济发展

　　开放能够促进区域强制性制度变迁和诱致性制度变迁，改变区域的社会激励结构，提高经济效率，促进区域经济增长。改革开放以来，江浙地区制度创新活动比较活跃，在许多领域处于"改革极"的地位，成为区域经济高速增长的动力源。

第一节　制度变迁与区域经济发展关系相关文献述评

一、开放、制度变迁与区域经济发展文献回顾

　　新制度经济学家将制度纳入经济增长的分析框架，把制度作为内生变量来解释经济增长。制度是经济发展的关键因素，因为它们管制个人的社会行为，虽然有时这种管制可能是低效甚至负效应的（埃瑞克、鲁道夫，1998）。诺思认为，制度的建立是为了降低交易成本，减少个人收益与社会收益之间的差异，激励个人和组织从事生产性活动，最终导致经济增长，"历史使我们想起，早在公元前 200 年的罗马帝国，贸易可以在巨大的地区进行，尽管那时的运输成本很大。但在罗马帝国消亡后，贸易却下降了，社会和单个集团的财富也下降了。这并不是运输成本上升

了，而是由于统一的政治制度和在较大地区有效实施的规则和法律体系的消失，使交易成本上升了"。因此，高效率的制度框架，推动了个体的努力、创新和投资；现存的制度结构，能把个人努力与报酬紧密联系在一起，调动个体的积极性、主动性和创造热情，导致高效率的经济增长；低效率的制度环境也就必然会导致低效率的经济增长。

有关开放、制度变迁与区域经济发展的研究，主要分为以下几类：

1. 制度变迁与区域经济增长关系研究

许多学者认为，我国经济增长与制度变迁之间是互动关系，制度变迁是区域经济增长的源泉，区域经济增长引发更活跃的制度创新活动。史晋川、谢瑞平（2002）认为，制度变迁通过以下机理来影响经济增长：（1）制度变迁改变制度安排的激励机制，改变制度安排效率，从而影响经济发展的速度与质量；（2）制度变迁改变贸易和专业化的范围，使组织经济活动的途径和方式发生改变，从而影响经济发展的广度和深度；（3）制度变迁扩大了允许人们寻求并抓住经济机会的自由程度，一旦人们抓住经济机会成为可能，经济增长就会发生；如果机会减少了，增长也将开始停滞。[①] 谭崇台（1999）认为，非正规制度对区域经济发展的影响，可以从两个角度去观察，"一个是以道德伦理为主体的社会精神对人们价值取向的影响；另一个是以习俗、习惯、知识等形式累积下来的非正规规则对人们经济行为的约束。[②]"傅允生（2003）以浙江省为例，探索了工商业传统的生成与演化，工商

229

---

① 参见史晋川、谢瑞平：《区域经济发展模式和经济制度变迁》，《学术月刊》2002 年第 5 期。

② 参见谭崇台：《发展经济学的新发展》，武汉大学出版社 1999 年版，第 291页。

业传统与区域经济发展的内在关联及其机理特征，工商业传统在区域经济发展中的影响与效应等问题。① 郭腾云（2001）运用定性和定量方法，探讨了中国对外开放政策对区域经济发展的作用效果。对外开放政策的作用，包括直接作用和间接作用两大方面。一方面，通过实施对外开放区域发展政策，改变了进入对外开放地区的资金投入量和劳动力投入量，也改变了开放地区的资源配置状况，从而影响区域经济的发展。另一方面，通过实施积极的对外开放政策，区域经济发展的政策环境条件和社会人文环境条件发生了显著变化，形成更加有利于区域经济发展的政策氛围，使开放地区经济发展的效率更高，起到直接推动区域经济发展的作用。②

2. 对外开放与我国制度变迁关系研究

230

对外开放促进了我国的制度变迁，影响了正式制度的变迁，促进了非正式制度的改变。杨亚琴（2002）在对中国经济开放发展状况作一个总体判断的基础上，就外贸和外资发展的积极作用来分析经济开放的制度效应。从政府角度看，经济开放的制度效应主要表现在：促进了竞争性市场环境的形成，加速了中国所有制结构的变迁，推动了宏观管理体制的变迁。从企业角度看，经济开放的制度效应表现在：促进了企业用工分配制度改革，加速了企业现代制度建设，加快了企业经营机制的转换。从居民角度看，经济开放的制度效应主要表现在：促进了劳动力市场化的形成，加快了市场消费结构的提升，引导着居民生活方式的

① 参见傅允生：《工商业传统与区域经济发展关联分析》，《经济学家》2003年第5期。

② 参见郭腾云等：《中国开放政策对区域发展的作用》，《地理学报》2001年9月（第56卷第5期）。

改变。①

3. 开放与区域制度创新关系研究

王雷、韦海鸣认为，外商直接投资与制度变迁之间存在良性的互动关系。FDI 在地区分布上的不平衡，是导致我国区域制度变迁非均衡发展的重要因素，而我国区域制度变迁的非均衡发展，又进一步加深了 FDI 区位分布上的非均衡。中西部地区只有通过制度创新，改善投资环境，吸引 FDI，进而以 FDI 带动制度变迁，才能摆脱制度变迁滞后与 FDI 流失的困境，实现制度变迁与 FDI 相互推动、相互促进的良性循环。② 赵伟指出，区域制度转型与国际开放进程，主要受彼此独立的一些因素的左右，但是这两种进程之间，存在着极为密切的关联性，而关联的方向则具有明显的单向性特征，即区域对外（国际）开放进程对于体制转型进程的影响强烈，但体制转型进程对于国际开放进程的影响微弱。③ 刘志彪认为，江苏省民营经济发展，主要受省际竞争的外力驱动和存量改制的内生驱动两大因素决定。在 1997 年之前，江苏省民营经济发展因受制于宏观政策因素，走过了一条完全有别于浙江省和广东省的道路，这当中，回避政治风险是主要的考虑因素。1997—2004 年的政策创新，则主要是模仿性的制度改进型发展。由于江苏省经济自身存在较大的国有经济和集体经济的存量规模，因此制度改进带来了江苏省民营经济的迅猛

---

① 参见杨亚琴：《经济开放与中国制度变迁——对外开放效应的若干思考》，《社会科学》2002 年第 4 期。

② 参见王雷、韦海鸣：《外商直接投资与中国区域经济制度变迁》，《财经科学》2003 年第 5 期。

③ 参见赵伟：《区际开放：左右未来中国区域经济差距的主要因素》，《经济学家》2001 年第 5 期。

扩张。[1]

二、评价与思考

现代经济增长理论对经济增长的研究，基于制度给定的假定，即把制度因素作为外生变量，来研究相对稳定的制度框架下的经济增长过程。这种假定，对市场制度已经成熟而且相对稳定的国家是可行的。但对于正处在制度转型和市场化进程中的中国而言，制度因素对经济增长的影响是重要的内生变量，因此舍弃制度变量将大大降低研究的可信度。制度经济学为我国研究开放条件下区域经济发展的制度因素，提供了理论分析框架。开放与制度变迁的关系，既表现在国家层面又表现在区域层面。一般情况下，开放对国家层面制度变迁的涉及范围更广，制度创新的空间更大，如汇率制度等。

新制度经济学引入我国后，引起了许多学者的关注。我国转型时期的大量制度创新活动，成为经济学家研究的对象。学者们既有从国家层面也有从区域层面，研究制度变迁与经济增长的关系。从现有的研究看，不少学者已经关注到了开放与制度变迁的关系，提出了有启发意义的结论。有些学者运用定量分析方法，验证对外开放对区域经济发展的影响，结论显得更有说服力。但是，如何度量区域开放度？用怎样的指标衡量区域制度变迁？此类问题需要在今后的研究中不断加以解决。

地理上逐步推进的开放战略，使我国各地区面临不同的开放环境，引起不同地区制度变迁的差异。但是，在相同的开放环境下，不同地区的制度变迁路径也呈现出不同的特征。各地区都有自己特殊的制度环境和具体因素，都有自己特定的历史文化、传

---

① 参见刘志彪：《省际竞争、制度改进与江苏民营经济发展》，《江苏行政学院学报》2005 年第 4 期。

统习俗、价值观念、伦理规范及道德观念等，形成制度变迁起点的差异；同时，又由于制度变迁具有较强的路径依赖性特征，即所谓"历史在起作用"，也就是说，现在的以及面向未来的选择，决定于过去已经作出的选择，这样，区域间的制度因素也就影响各个区域制度变迁的路径选择。因此，在理解开放条件下制度变迁对我国区域经济发展时，应注意两点：

1. 文化对制度变迁的影响

我国地域广阔，区域文化存在明显的差距。在从计划体制向市场体制的转型时期，文化对区域制度变迁产生了重要的影响。文化直接影响经济主体的效用函数，进而影响着其从事经济活动的行为方式。文化为人们从事经济活动提供了精神动力，影响着人们对财富追求的欲望。社会经济的发展过程，是人类对自身的生存发展方式的一个理性的辨别选择过程。经济发展是深深植根于社会文化的沃土之中的，不同的社会群体，由于价值观念、生活习惯、文化素质等方面的差异，所选择的经济发展道路是不同的，也就是说，文化影响了经济制度的变迁方向。与市场经济相适应的文化，有利于市场的制度创新，促进区域经济发展；而与市场经济不相适应的文化，则不利于区域市场制度的创新，影响区域经济发展。

233

在每一个地区，都有一些敢于对新的经济组织制度形式、新技术进行试验的人。现有的文化价值，是赞许并鼓励这些人，还是压制他们，将对制度变迁产生不同的影响。一个社会往往只有少数人作为开拓者，成功后被其他人效仿。经济增长往往取决于作为开拓者人数的多少，这种开拓者的人数越多，活动的范围越大，经济增长越迅速。一个社会中，不同地区在敢于突破现有文化限制的人的比例上的差别，以及这些人活动范围上的差别，导致社会经济发展制度创新的差别，进而形成区域经济发展的差异。因此，经济发展的差异，部分地取决于社会氛围有利于这些人的程度，以及给予这些人的活动范围。在一个对人们的创新行为很难容忍的社会里，经济增长往往受阻，表现为经济长期停滞不前。

2. 地方政府对制度变迁的影响

改革开放以来，地方政府的行为一直是一个引起争议的话题，许多学者常常根据主流经济学的理论，把地方政府的行为归于政府行为一类，并据此认为，地方政府参与经济改革和经济发展过程是具有消极作用的。这种观点不能全面解释转型时期，区域经济发展的影响机理。地方政府虽然不直接参与经济活动，但可以在制度供给上发挥重要作用，进而影响区域制度变迁的进程，对区域经济发展产生重要的影响。

234

地方政府是具有独立利益的制度创新主体。一方面，"放权、让利"和"财政包干"、"分灶吃饭"的制度安排，使各级地方政府具有了相对独立的经济利益，地方政府拥有相当数量的资源控制权，具有了像"经济人"那样基于经济利益从事经济和经营活动的积极性。另一方面，地方各类经济指标（如经济增长速度、上缴中央财政的收入、地区物价水平、就业状况等）的执行情况，将直接作为地方政绩的考核标准，决定地方领导者今后的晋迁和发展（王国生，2000）。一般来讲，越是上层的地方政府，其制度创新的空间越小，制度创新的政治风险更大，因此往往采取默许的方式对待新的制度创新；越是下层地方政府，其越能与地方百姓接近，更能感受到社区居民对发展经济的要求，具有默许、保护和组织以至参与创新的动机。我国转型时期，制度创新的利润空间很大，突破现有的制度约束能够促进区域经济发展。开放促进了区域间地方政府的制度创新竞争，增加了区域制度的供给量，提高了区域制度均衡水平，促进了区域经济发展。

第二节 开放对制度、区域经济发展的影响机制和条件

开放影响着区域制度变迁，进而影响区域经济的发展。开放既影响区域宏观层面的制度变迁，又影响微观层面的制度变迁，既引发强制性制度变迁，又引发诱致性制度变迁。

一、开放促进制度变迁和区域经济发展的机制

1. 宏观层面制度变迁

开放促进了民营企业和外资企业的进入，对政府管理经济的方式提出了新的要求，迫使政府加快制度创新。相对而言，外资企业对区域制度创新的推动作用更大。外资企业习惯于市场经济运作的法律框架和政府管理方式，在与地方政府的谈判中不断推动着政府的制度创新，优化区域经济发展环境。大型跨国公司具有更强的与政府谈判的能力，对区域制度创新的作用明显大于中小企业。20 世纪 90 年代中期以前，我国大陆吸引的外商投资企业多为香港、台湾等地区的小企业，他们把区位优势、优惠政策当作投资首选。这无助于营造公平的市场竞争环境，对推动地方政府制度创新作用不大。进入 90 年代中后期，来自欧美的大型跨国公司更关注长期利益的实现，对市场运行效率和制度环境提出更高的要求，迫使地方政府按照市场经济的原则管理经济，推动了区域制度创新。外资比较集中的地区，制度变迁的速度明显快于其他地区。我国引进外资比较集中的江苏省昆山开发区，其制度创新便是很好的例证。我国沿海地区的民营企业对中西部地区的投资，要求当地创造良好的发展环境，促进当地政府增加制度供给，从而有利于推动制度创新。

开放促进了区域资源跨区域、跨国界流动，打破了区域垄断和区域市场分割，有利于制度的转移与扩散，促进了区域制度创新。开放使区域内外资、民资企业等各种类型所有制企业展开竞争，有利于区域形成竞争性市场体系，提高资源的配置效率，促进区域经济增长。

2. 企业层面制度变迁

（1）企业产权制度的变迁。产权制度是市场经济的基本制度。完善的产权制度有利于激发产权主体的积极性。在开放条件下，企业间竞争更加激烈，需要企业有更合理的激励制度，以提高企业竞争力。竞争的压力迫使企业明晰产权，建立更合理的产权结构，推动企业产权制度的改革。

（2）企业组织形式的变迁。开放使区域资源在更大范围内流动、重组，影响企业组织形式的变迁。区外企业的投资，尤其是外商直接投资，通过与本地企业的合资、合作，购买本地企业的股份和股权等形式，使区内企业直接进入现代企业制度的框架，改变了区内企业的组织方式。区内企业的对外投资，与区外企业的合资、合作，购买外地企业的股份和股权等，都改变了区内企业的组织方式。企业组织制度的变迁，提高了资源的配置效率，增强了企业的市场竞争力，促进了区域经济的增长。

（3）企业管理制度的变迁。开放对区域微观管理制度变迁的作用，表现在两个方面：一是在与外资企业合作、合资过程中，外方要求按造母公司所在地的管理体制进行改革，如用工制度、工资制度等，产生强制性制度变迁。二是外商直接投资企业其先进管理制度的示范效应，对区内企业产生诱致性制度变迁。外资企业先进的管理制度带来的效益，是引起其他企业管理制度变迁的直接诱因。由于有现成的制度可以模仿，不需要花费很大的代价重新进行制度设计，大大降低了其他企业的制度创新成本，推动了企业的制度创新。

3. 非正式规则变迁

（1）就业观念的变革。开放对区域就业观念的影响在于：一是区内企业用工制度的变迁，直接改变了人们的就业观念。外资企业和区内民营企业灵活的用工制度，深刻改变了过去在计划经济体制下形成的旧观念，使人们逐步养成市场化自主择业的观念和做法。二是开放条件下劳动力的区际流动，增加了劳动力市场的竞争性，促进区内居民自觉地进行人力资本的投资，提高自身的素质。就业观念的转变，激发了劳动者的积极性，提高了劳动者的素质，促进了经济的长期增长。就业观念的转变，能够提高区域创业能力，促进区域经济增长。正如马歇尔指出的，创业能力供给是经济增长率的最终决定因素，而创业能力供给又取决于"社会气候"，即环境因素。创新成功则会形成"仿效者群体"，从而促进经济的发展。

237

（2）消费观念的变化。国外商品的进入，不仅能够使居民有更多的选择空间，也影响消费者的消费观念，加快消费结构的提升，促使企业产品结构和区域产业结构的优化。人口的流动，特别是人口从欠发达地区向发达地区的流动，使欠发达地区的流动人口接受发达地区的消费理念，影响欠发达地区居民的消费观念，改变欠发达地区的消费结构，促进欠发达地区产业结构的升级。外资所带来的国外管理人员的流入，也带来了发达国家的消费观念，影响着本地居民的消费习惯。在外资比较集中的区域，这种影响力足以改变本地居民的消费观念，形成新的文化形态。我国区域间劳动力的流动，使各地饮食文化不断融合，风俗习惯更加多元化。

（3）价值观念、社会习俗等方面的变化。诺斯曾指出："我们日常与他人发生相互作用时，无论是在家庭、外部社会关系中，还是在商业活动中，控制结构差不多是由行为规范、行为准则和习俗来确定的"。可见，居民的价值观念、社会习俗是推动社会变迁的重要力量。开放能改变区域居民的价值观念、社会习俗，进而推动区域制度变迁。在跨国公司与本土企业的合作中，有利于形成讲竞争守规则、求变革谋创新的积极进取的文化形态，使本地居民逐渐养成讲求工作效率、注重生活质量的生活方式。外出人口流动能将新的观念、新的思想输入流出地，缩小落后地区与发达地区的观念差距。应当指出，人们的价值观念、社会习俗的变化是边际改进的，是经过较长时间逐渐积淀的，对于微观经济主体产生的影响更为深刻与持久。

二、开放促进制度变迁和区域经济发展的条件

1. 地方政府

改革开放以来，我国各级地方政府的行为，在区域制度变迁过程中发挥着重要作用。制度安排是一种公共产品，其创新者不能有效地阻止"搭便车者"从中受益，当创新主体对预期收益信心不足时，制度产品的社会供给必定小于社会需求。因此，政府在制度创新过程中担当的角色和发挥的作用是非常重要的。政府需要直接提供制度性产品，为微观组织创新造就必要的外部环境，最大限度地满足变化中的社会对制度性产品的需求。我国的改革是逐步推进的，中央政府掌握了许多资源的控制权。中央政府为减少改革的风险，往往采用试点的办法推进改革。局部改革如果不成功，影响面不大，代价较小。局部改革成功，向全国推广，可以取得更大的改革成果。地方政府会努力争取这种改革的先导权。因为改革的成本往往是中央承担的，而改革的成果是中央和地方共享的。如果改革失败，中央会对地方"补贴"，而改革一旦成功，地方政府则获得制度创新的优先权，获得可观的制度收益。地方政府还往往在一些原来是禁区的领域进行制度创新，在获得成功后再取得中央的认可。由于改革的先发优势，本地可以形成与其他地区的制度落差，吸引其他地区的资本、技术和人才，促进区域经济的发展。

地方政府在制度变迁中会影响制度变迁的方向，使制度向"好"的或"坏"的方向变迁。例如，我国地方政府间竞争是十分普遍的现象。地区政府之间竞争，可能会造成制度变迁向"好"的方向发展：①促进思想解放。突破旧思想观念的限制，大胆解放思想，确立发展的思想，克服保守的、小富即安的思想，营造良好的发展氛围。思想的解放，有利于企业家精神的兴起，激发全社会的创业精神，为区域经济发展提供原动力。②建立与市场经济相适应的政府管理制度。地方政府的工作效率不断提高，政府职能的转变进程加快，市场制度环境不断得到优化。制度安排上的领先地位，吸引了区域外的资金、人才、技术，促进区域经济发展。地方政府之间的过度竞争，也可能使制度变迁向"坏"的方向发展：①行政权力过多地干预市场竞争，产生扭曲市场竞争的制度安排，如地方政府为了吸引外资，不断降低土地价格或变相降低土地价格，导致国有资产流失，土地市场价格严重扭曲。②出台不合理的干部考核指标。有些地方为了突出政绩，出台过高的经济发展指标并对各级政府官员考核，导致相互攀比，搞数字经济，短期行为比较突出，忽视了地区经济的可持续发展。结果是，追求产值增长成为各级干部的第一冲动，行政性力量不断干预区域经济的发展，市场力量迟迟不能发挥作用。

239

2. 区域文化

我国改革开放是渐进式的发展过程，从计划经济向市场经济发展的制度安排是边际演进的。改革开放使区域的制度环境不断发生变化，导致区域不断产生对新制度的需求。不同的文化对制度创新潜在收益的响应程度不同，这种差异直接影响区域对新制度的需求。不同的文化也影响了新制度的供给成本和实施成本，进而影响区域制度变迁。区域经济发展的实践表明，当区域文化的传统偏向于重视工商业，则区域开放能够使更多的人"发现"新制度的潜在利润，尝试新的制度，引发诱致性制度变迁，或者对地方政府施加压力，推动强制性制度变迁。反之，当区域文化不重视工商业，区域开放不能使足够多的人参与新制度的创新活动，或阻碍新制度的实施，就会影响区域制度变迁，影响区域经济发展。实践表明，我国东部沿海地区，具有区位优势与工商业传统，制度变迁的速度明显快于中西部地区。

3. 历史事件

区域经济有可能因某一历史事件而发生制度变迁，并由此启动经济加速发展，形成独特的经济发展模式。改革开放以来，我国许多地区被作为改革的试验田，启动制度创新，形成独特的区域经济发展模式。改革开放初期，我国把深圳作为经济特区，在特区内发生了许多强制性制度变迁，形成了与其他地区的制度落差。为此，深圳不仅吸引了全国各地的资金、技术和人才，还大量吸引外商直接投资。制度创新迅速启动了深圳的经济发展，形成了深圳经济发展模式。深圳实现了制度变迁和经济发展互动，制度创新和经济发展都走在全国前列，带动了整个珠江三角洲的制度创新和经济发展。1992年，浦东开放启动了浦东的经济发展，形成了浦东经济发展模式，加速了新苏南模式的形成，推动了长江三角洲地区经济发展。

第三节 开放、制度变迁与江浙经济发展

一、制度变迁与江浙经济发展

改革开放以来，江浙地区制度变迁的程度、水平和规模都令世人瞩目。该地区在所有制结构变革、企业制度改革、市场体系建设、价值观念更新等一系列制度创新上，都取得了巨大成功。这些成功的制度创新，给区域经济发展带来了在原有制度结构中根本无法获得的潜在利益，极大地调动了市场主体的积极性，促进了区域经济的持续增长。

1. 所有制的贡献

改革开放以来，江浙经济超常发展与所有制结构变动关系紧密，国内有学者认为，非国有经济成分的发展所引起的所有制的结构变动，是其重要原因。动态地看，江浙地区制度变迁的基本问题，是企业所有制结构的重大变动，培育起了以市场为导向的"非国有经济"部门，包括乡镇企业、外资合资企业、私人企业、个体劳动者、股份公司、股份合作制等，获得了经济增长的动力源。表8—1至表8—4显示了，江苏、浙江各种类型所有制企业对总产出、总资产和就业的贡献。从表8—1、表8—3看出，1990年江苏集体企业工业增加值比重为48.5%，就业比重为62.4%，浙江集体企业工业总产值比重为55.7%，就业比重为67.3%。

经过20世纪90年代大规模改制，江浙地区所有制结构再次发生变化。表8—2和表8—4显示了江浙地区所有制结构变动的情况。2000年，江苏省多种所有制的贡献呈现多元化的局面，无论是产出比重、就业人员比重，国有企业的比重，都比1990

年大大下降了。江苏省国有企业工业增加值，从 1990 年的 47.3％下降至 2000 年的 15.5％，除国有和集体以外的其他经济类型，工业增加值从 1990 年的 4.3％增加到 2000 年的 66.7％。有关资料显示，90 年代中后期的苏南乡镇企业产权改革，使苏南以乡镇企业为主的所有制结构向股份制、股份合作制、三资企业和私有企业等多元化的所有制结构形式演进。2000 年，苏州集体企业占工业总产值比重已下降至 16.32％，股份有限公司、股份合作制企业和有限责任公司的比重已达 21％，外资企业已占工业总产值的"半壁江山"，取代了乡镇企业当年的地位，获得了新的经济增长动力源。浙江省国有企业工业产值比重和就业人员比重，分别从 1990 年的 41.5％、30.9％分别下降到 2000 年的 13.7％、10.9％。同时，外商投资和港澳台投资企业比重，则分别从 1％、0.7％增加到 2000 年的 17.9％、16.0％。

表 8—1　1990 年江苏各种经济类型产出、资产、平均从业人员比重（％）

经济类型	企业个数	工业增加值	固定资产净值	平均从业人员
国有企业	10.0	47.3	59.8	34.7
集体企业	88.7	48.5	37.5	62.4
其他经济类型	1.3	4.3	2.7	2.9
其中：乡办工业	66.2	27.7	20.7	40.1

资料来源：1991 年《江苏统计年鉴》，由于四舍五入，合计不等于 100％。

表 8—2　2000 年江苏各种经济类型产出、资产、平均从业人员比重（％）

经济类型	企业个数	工业增加值	资产	平均从业人员
内资企业	82.7	72.7	73.8	83.7
国有企业	10.3	15.5	23.9	19.2
集体企业	22.3	17.8	13.5	19.7
有限责任公司	7.9	13.3	17.3	16.4

续表

经济类型	企业个数	工业增加值	资产	平均从业人员
股份有限公司	2.7	9.0	8.8	6.1
外商投资和港、澳、台商投资企业	17.3	27.3	26.2	16.3

资料来源：2001 年《江苏统计年鉴》。

表 8—3　1990 年浙江各种经济类型产出、资金、平均从业人员比重（%）

经济类型	企业个数	工业总产值	资金	平均从业人员
国有企业	8.1	41.5	48.2	30.9
集体企业	91.0	55.7	49.0	67.3
其他	0.9	2.9	2.9	1.8

资料来源：1991 年《浙江统计年鉴》，由于四舍五入，合计不等于 100%。

表 8—4　2000 年浙江各种经济类型产出、资产、平均从业人员比重（%）

经济类型	企业个数	工业增加值	资产	平均从业人员
内资企业	85.5	82.1	82.6	84.0
国有企业	6.9	13.7	20.8	10.9
集体企业	15.0	13.8	13.6	15.1
其他	63.6	54.6	48.2	58.1
外商投资和港、澳、台商投资企业	14.5	17.9	17.4	16.0

资料来源：2001 年《浙江统计年鉴》。

2. 专业市场的贡献

专业市场是江浙地区农村工业化进程中的重要制度创新，对江浙地区农村工业化起到了重要作用，金祥荣教授甚至把"浙江模式"概括为"农村工业化＋专业市场"。专业市场成为江浙中小企业销售产品的重要场所，为江浙企业拓展销售渠道和扩大销售范围发挥了重要作用。专业市场是在国合流通企业占主要地位的制度背景下重要的制度创新方式。表8—5反映了江浙地区专业市场占全国的比重变动情况。从表中可以看出，江浙专业市场占全国专业市场的比重一直较高，一般占全国的1/4左右。20世纪90年代中期，江苏省专业市场在全国的比重不断上升，从1994年的8.5%上升到1997年的12.1%。浙江省在全国的比重略有下降，但仍占重要的比重。表8—6显示，2001年全国亿元以上专业市场总数量中，江苏占13.60%，浙江占12.83%，合计占26.43%；在成交额中，江苏占13.79%，浙江占18.72%，合计占32.51%。数据说明了江浙地区专业市场在全国的优势地位。专业市场为江浙企业拓展国内外市场，发挥了至关重要的作用。有关资料显示，到1994年底，江苏省有各类工业消费品批发市场500余个，其中成交额超亿元的有50多个，10亿元以上的有12个。生产资料市场对江苏工业生产的作用也十分重要，当时，江苏省拥有集中交易的生产资料市场200余个，其中有全国性市场5个，即苏州商品交易所、江苏国际机电产品交易城、华东不锈钢市场、昆山中华羊毛市场、中国南方木材批发市场。1994年，全省物资系统各类生产资料销售额达767亿元，连续13年位居全国第一。作为市场大省的浙江，专业市场对经济发展的贡献更大，中国社会科学院《中国商品市场竞争力报告蓝皮书》显示，中国专业市场50强中，浙江省占了19家，江苏省占了3家，江浙两省占据将近一半。

表8—5　若干年份江浙市场商品交易额占全国的比重变动

	年份	1994	1995	1997	2001
全国	成交额（亿元）	8981.5	14730.2	22025.5	32826.9
	比重（%）	100.0	100.0	100.0%	1000.0%

续表

年份		1994	1995	1997	2001
江苏	成交额（亿元）	766	2120.5	2668.1	4357.0
	比重（%）	8.5	11.4	12.1	13.3
浙江	成交额（亿元）	1480.5	2165.7	2798	4652.4
	比重（%）	16.5	14.7	12.7	14.2

资料来源：①郑勇军：《解读"市场"大省——浙江专业市场研究》，浙江大学出版社 2002 年版。

②2002 年《中国市场统计年鉴》。

表 8—6　2001 年江苏、浙江亿元以上市场交易情况占全国比重　（%）

地区	市场数量	摊位数	营业面积	成交额	零售额
江苏	13.60	8.98	11.90	13.79	15.36
浙江	12.83	8.98	8.54	18.72	14.28
合计	26.43	17.96	20.44	32.51	29.64

资料来源：2002 年《中国市场统计年鉴》。

　　浙江专业市场在开拓国内市场的同时，努力拓展国际市场。有关资料显示，2005 年，浙江专业市场外贸出口总额达到 251 亿元，义乌小商品城和绍兴轻纺城两个市场年外贸总额达 163 亿元，义乌市场外向度达到 55% 以上，有 212 个国家和地区与义乌有贸易往来。专业市场的国际化，促进了浙江经济的国际化，更加及时传递国际市场价格信号，提高了区域资源配置效率。

　　3. 开发区的贡献

　　20 世纪 90 年代，江浙地区开发区建设蓬勃发展，吸引了大量国内外企业进驻。随着开发区不断进入收获期，各类开发区对区域经济发展的贡献度越来越高。从表 8－7 可以看出，2003年，开发区在江苏省工业经济增长中占有十分重要的地位。江苏省级和国家级开发区业务收入已占规模以上工业企业销售收入的 32.69%，出口额已占 57.22%，一半以上的出口额是在开发区内完成的，开发区已成为江苏省开放型经济的主要力量，开发区也成为江苏省产业结构调整的重要载体，对江苏省产业结构的升级发挥越来越重要的作用。

表8—7　2003年江苏开发区产出情况表

名称	业务总收入（亿元）	税收收入（亿元）	出口额（亿美元）	累计投资企业数（个）	实际利用外资额（亿美元）	期末投资企业从业人数（人）
国家级	6240.93	216.53	260.92	5135	192.57	29.41
省级	5889.95	157.64	77.28	6628	198.62	49.14
总计	12130.85	374.17	338.20	13744	443.51	95.63
占比（%）	32.69	55.02	57.22	57.60	38.65	16.80

资料来源：2004年《江苏统计年鉴》。

4. 产业集群的贡献

江浙区域经济的发展离不开产业集群，产业集群在江浙经济中占有很重要的地位。许多研究表明，区域特色经济的快速成长发展，是浙江经济高速发展的重要原因。浙江省经贸委调查显示，2003年，浙江工业总产值（或销售收入）达到10亿元以上的制造业产业集群有149个，其中，50亿元以上的有35个，100亿元以上的有26个，200亿元以上的有6个。200亿元以上的产业集群是：温州鞋革368亿元，温州服装352亿元，绍兴（县）印染323亿元，绍兴（县）织造272亿元，乐清电器274亿元，萧山化纤218亿元。149个制造业产业集群的工业总产值（或销售收入）合计1万亿元，约占全省总量的52%。[1] 产业集群的产生和发展，使得浙江省民营企业迅速发展。

二、开放与江浙制度变迁

1. 宏观层面制度变迁

改革开放对江浙制度变迁产生了深远的影响。江浙地方政府

---

[1]　资料来源：中国产业集群网。

出于区域经济发展的需要，大力推进制度创新，营造发展环境，在许多领域的制度创新始终处在全国的领先地位，形成对其他地区的制度优势，促进了经济的发展。江浙地区宏观层面制度变迁主要体现在：

（1）改善乡镇企业发展制度环境。乡镇企业发展初期，曾受到来自多方的非议和责难，一度被说成是"与国有企业争市场、争原料"、"挖国有企业墙脚"。为了促进乡镇企业的发展，江苏省通过各种会议、文件，为乡镇企业正名，争取乡镇企业的合法地位，消除基层地方政府的顾虑，这一系列措施促进了乡镇企业的发展。表8－8列举了江苏省在20世纪80年代关于发展乡镇企业的重要政策文献。江苏省从乡镇企业的管理、出口、技术进步、减负等多方面都有明确的规定，为乡镇企业的发展提供了政策保证。在有利的政策环境下，江苏省苏锡常地区乡镇企业出现超常规发展，实现了区域经济高速增长。

表8－8　1984—1990年江苏关于发展乡镇企业的重要政策文献

年　份	文献提出部门	文献名
1984	江苏省乡镇企业局	关于开创江苏省社队新局面的报告
1987	江苏省人民政府	关于推进乡镇企业技术进步的若干政策规定
1987	江苏省人民代表大会	江苏省乡镇集体工业企业的管理条例
1988	江苏省人民政府	关于发展乡镇企业出口产品生产的若干规定
1990	江苏省人民政府	支持、诱导乡镇企业正确发展的通知
1990	江苏省人民政府	关于减少乡、镇、村集体企业负担的规定

资料来源：陈建军《中国高速增长地域的经济发展》，上海三联书店2000年版，第254页。

浙江地方政府在鼓励发展乡镇企业的同时，也通过会议、文件，容许私营企业的发展。温州、台州等地的地方政府，为私营企业的发展营造有利的外部环境。温州在1982年10月就召开了有1200名代表参加的温州市两户代表会议，大张旗鼓地为发展家庭工商业正名，营造了发展家庭工商业光荣的浓郁氛围。浙西南等地的制度创新，是经济主体根据自身制度创新收益与成本的比较作出的，而不是根据上级的指示、运动或文件，只做不说，其制度创新的进入和退出成本较低。温州市地方政府则通过各种手段，消解人们对温州私营经济的非议，每天要接待数以千计的、形形色色的参观考察团，地方部门及官员要从"积极"的立场，介绍、解释"温州模式"。温州的制度创新是在传统的社会主义经济体制下进行的增量改革，承受着很大的意识形态的风险成本。这种意识形态的摩擦成本大于零的需求诱致性制度创新，称为准需求诱致性制度变迁方式（金祥荣，1999）。

（2）争取制度创新的"特许权"。转型时期，我国改革经常采取试点的办法，对试点地区给予相应的政策补贴。"特许权"可以使本地获得区域外重要的经济资源，对区域经济发展意义重大。因此，改革"特许权"常常成为地方政府争夺的对象。江苏省在争取改革的"特许权"方面成绩斐然。苏南曾一度成为建设中国特色社会主义的典型地区，符合上级权利中心的政府官员的偏好，获得了许多政府"优惠政策"和体制改革的"特许权"。苏南地方政府在争项目、筹集资金、争取优惠政策方面业绩突出，例如获准建立苏锡常高新技术开发区、张家港保税区、昆山经济技术开发区、太湖风景旅游开发区；无锡被国务院及有关部委列为承包经营责任制试点城市、物资体制综合改革试点城市、金融改革试点城市、中等城市机构改革试点城市等；常州被列为全国经济体制综合改革试点城市。

（3）构建区域开放政策体系。江浙两省政府比较早地推行开放战略，主动促进区域开放。因为随着江浙地区工业化进程的加快，区域性市场已不能满足区内企业发展壮大的需要。从20世纪90年代初开始，江浙两省通过构建区域开放政策体系，促进区域经济的开放,加快区域经济与国内外经济的循环。表8—9、表8—10列举了江浙两省政府关于推进区域开放的一些重要政策文献。1990—1995年间,江苏省就对内对外开放问题多次发文,重点在于扩大开放与引进外资。浙江省在1990年、1992年、1997年三次发出通知,调整外商投资项目审批权限,简化审批手续,为大规模吸引外资提供了制度保证。随着外资投资项目审批权的下放,浙江省县及县以上的政府获得了不同限额的利用外资审批权,简化了审批手续,提高了引进外资的效率。

　　江浙地区外贸体制改革也处在全国的前列。从1988年开始,江苏省实行了为期三年的外贸切块承包经营责任制。经经贸部批准,赋予"经营切块"的22家外贸支公司进出口经营权。外贸体制改革,调动了地方政府的积极性,出现了"各级领导抓外贸,千方百计多创汇"的现象,形成了地方政府的出口偏好。1988—1990年,浙江省外贸企业实行了第一轮承包,1991—1993年又实行了第二轮承包。浙江省从1988年开始,地、市、县的外贸公司和一大批生产企业相继获得进出口权。浙江省政府紧紧抓住国家降低自营进出口经营权审批"门槛"的机会,把更多的生产企业推向世界。2003年,浙江省拥有进出口经营权企业猛增到1.2万家。

249

表8—9 1990—2000年江苏省有关开放的重要政策文献

年　份	文献提出部门	文献名
1990	江苏省人民政府	关于加速发展吸收外商直接投资的意见
1991	江苏省人民政府办公厅	关于奖励引荐海外和台港澳资金的暂行办法
1992	江苏省委、省政府	关于加快改革开放、促进经济发展若干问题的决定
1994	江苏省委、省政府	关于扩大对外开放的若干意见
1995	江苏省委、省政府	关于推动经济联合,促进生产力发展的意见

　　资料来源:根据1990—1997年《江苏年鉴》整理。

表 8－10　1990—2000 年浙江省有关开放的重要政策文献

年份	文献提出部门	文献名
1990	浙江省人民政府办公厅	关于奖励引荐外商投资的暂行规定
1990	浙江省人民政府	关于调整外商投资项目审批权限、简化审批手续的通知
1992	浙江省委、省政府	关于进一步加快改革开放和经济发展的若干意见
1992	浙江省人民政府	关于加快改革开放、进一步搞活流通的通知
1992	浙江省人民政府	关于下放外商投资审批权限和简化审批手续的通知
1994	浙江省人民政府	关于深化改革加快对外贸易发展的通知
1994	浙江省人民政府办公厅	关于改善对外直接投资服务的通知
1997	浙江省人民政府	关于调整外商投资项目审批权限、简化审批手续的通知
1998	浙江省人民政府	关于鼓励外商直接投资若干政策的通知

资料来源：根据 1990—2000 年《浙江年鉴》整理。

　　江浙两省还出台各种政策吸引要素资源，解决经济发展过程中高级要素的紧缺问题。表 8－11、表 8－12 列举了江浙两省有关吸引国内外人才的重要政策文献。江苏省比较早地实施吸引国外人才的优惠政策，1992 年就制定政策，吸引国外留学人员为江苏省经济发展服务。浙江省也制定了相应的政策措施，大力引进国内外人才。近年来，江浙两省吸引了国内外一大批优秀人才，为区域创新体系的建设和产业结构的调整，建立了人才库。

表 8－11　1992—1999 年江苏省关于引进人才的重要政策文献

年份	文献提出部门	文献名
1992	江苏省人民政府	关于鼓励在外留学人员为江苏经济建设服务的若干规定
1999	江苏省人事厅	江苏省非教育系统留学回国人员科技活动择优资助暂行办法

续表

年份	文献提出部门	文献名
1999	江苏省人民政府	江苏省引进海外高层次留学人员的若干规定
1999	江苏省人事厅	江苏省引进优秀人才工作实施办法

资料来源:江苏省人事厅网站。

表 8—12　1999—2001 年浙江省关于引进人才的重要政策文献

年份	文献提出部门	文献名
1999	浙江省人民政府	关于大力引进国内外人才若干规定的通知
2001	浙江省人民政府	关于引进海外高层次留学人才的意见

资料来源:1990—2000 年《浙江年鉴》。

2. 组织制度创新

（1）企业组织制度。江浙两省企业组织制度变迁的路径并不一致，但一个共同特点是，企业组织制度的变迁与区域开放相关。江苏企业组织变迁以苏南为代表，浙江企业组织制度变迁以温州为代表。

251

20 世纪 80 年代，苏南地区乡镇企业的发展，是苏南扩大区域开放的结果。该地区在原有社队企业的基础上，利用大城市、军工企业、原材料产地的设备、技术、人才和销售优势，创办乡镇企业，同时与城市国有企业、军工企业、大专院校和科研院所，建立各种形式的横向经济联合。至 1985 年，苏州乡村与全国 20 多个省、市横向经济联合，建成各种联合企业 2000 多家，引进了大量资金、技术、装备、产品和人才。[①] 随着国内市场竞争的加剧和乡镇企业自身制度缺陷的制约加重，20 世纪 90 年代中期，苏南乡镇企业陷入了困境。90 年代中后期，乡镇企业经

---

① 参见周德欣、周海乐：《苏州和温州发展比较研究——区际比较的实证分析》，苏州大学出版社 1998 年版，第 70 页。

历了第一次改制，随后又进行了第二次改制。由此可见，企业组织制度变迁，是苏南对区域开放从浅层次向深层次推进的回应。地方政府在企业组织制度创新中扮演了重要的角色。地方政府不仅是推进区域开放的组织者，也是推进企业组织制度创新的主导力量。苏州三资企业的发展，正是扩大对外开放的结果。苏州三资企业起步于 80 年代初，1985 年以后取得突破性进展，1991年，全市批准利用外资项目数 428 家，协议利用外资金额 3.91亿元，三资企业 758 家，协议投资额 3.45 亿美元，分别是 1978年的 7.78 倍、4.48 倍、68.9 倍、7.26 倍。苏州外资企业，经历了从合作、合资到独资的发展历程，独资企业是目前外商直接投资的主要方式。这是苏南对外开放不断推进的结果。

温台地区企业组织制度经历了家庭作坊、股份合作制、股份制、企业集团的变迁过程。20 世纪 80 年代初期，温州家庭工业的基本形式为农户兼营工业、家庭作坊和家庭工场。至 1985 年，温州有家庭工业 11 万多家，从业人员 30 多万人，分别占村以下民营工业企业和从业人员总数的 83.3％和 75％左右，包括家庭工商业在内的村及村以下的城镇个体工业总产值已达到 10.3 亿元，相当于 1978 年的 10.1 倍，占全市工业总产值的 55.7％（周德欣，1998）。随着区际贸易的不断扩展，温州农民为适应自身发展需要，以及为克服家庭组织难以适应扩大生产规模的弱点，迫切需要一种新的产权制度安排来发展生产。家庭工业一部分演变为私人企业或合伙企业，一部分走向挂户经营，直至发展成为比较规范的股份合作制。股份合作企业是温州首创的组织制度，是温州组织制度变迁中的过渡形态。1991 年，股份合作企业已发展到 15255 个，工业总产值 49.77 亿元，占全市乡村企业总产值的 79.6%。[①] 随着市场的进一步拓展，温州企业不断壮大，进一步向股份制企业和企业集团发展。1995 年，温州组建股份有限责任公司 413 家（累计 774 家），组建企业集团 46 家（累计 108 家），[②] 涌现了像德力西这样的大型企业集团。从股份合作制企业向股份有限公司或有限责任公司特别是企业集团的演变，是温州民营企业在制度结构上从非正规制约向正规制约的进一步创新。温州组织制度的创新，也是区域开放不断深入的结果。从国内市场到国际市场，市场范围在不断拓展，温州企业不断进行着组织制度的创新。因此，温州企业组织制度的变迁，也是温州对区域开放不断深入的回应。与苏南不同的是，温州企业始终是回应的主体。地方政府是推进区域开放的组织者，它不断扫清阻碍区域开放的屏障，有序地推进区域开放。企业是推进温州等地组织制度创新的主导力量。

253

　　（2）专业市场。专业市场是发生在江浙两省的交易制度创新方式，是区域开放的重要标志。专业市场形成和发展的实质，是交易费用的节省，其核心在于它具有信息优势。专业市场把大量的商品集中在某一固定地点，使交易双方搜索交易对象和各种市场信息的费用降低了，成交率提高了。专业化商人利用多种小商品信息在专业化市场群集聚交流的优势，从多元化小商品经营中得到"范围经济"。这一套制度使得小商品的信息流具有了较高的规模经济，大大节省了生产者、商人和消费者之间的交易成本。浙江中小企业借助专业市场实现了远距离贸易，不断拓展市场空间，从区域市场、国内市场向国际市场延伸。

---

　　① 参见周德欣、周海乐：《苏州和温州发展比较研究——区际比较的实证分析》，苏州大学出版社 1998 年版，第 76 页。

　　② 同上书，第 77 页。

　　最初专业市场的创新主体，是具有经营头脑的农民，成功的专业市场大多属于诱致性制度创新。专业市场的经营者在不断拓展市场的过程中获得了利益，产生了制度创新的动力。专业市场的形成和发展，离不开当地政府的引导和扶持。地方政府通过在专业市场内营造更加宽松的制度环境，使专业市场获得比市场外更好的制度优势。1982 年初，义乌县委、县政府及时推出了"四个允许"的政策，即允许农民经商、允许从事长途贩运、允许开放城乡市场、允许多渠道竞争，这对当时小商品市场的进一步发展起到了相当重要的作用。政府通过各种途径，不断为小商品市场拓展市场范围创造条件。1995 年 5 月，义乌举办了第一届国际小商品博览会，到 2004 年已经连续举办了 10 届。义乌国际小商品博览会极大地推进了义乌小商品市场的国际化进程，吸引了越来越多的国外客商。2005 年，小商品出口量超过 20 万个标准集装箱，80％以上的市场经营户有外贸业务，有近 8000 名外商常驻义乌从事商品采购。浙江地区许多专业市场也正在走向国际化，推进了区域经济的国际化进程。

254

　　(3) 开发区。开发区是江浙两省回应区域开放的又一重要制度创新。相对而言，苏南地区开发区建设起步更早，效果也更明显。1986 年，昆山市自费创办县级经济技术开发区，主要目的是为了吸引国内外企业投资。1991 年，苏州新区创办了国家级开发区，由此开创了发展外向型经济的新局面，兴起了发展三资工业的新高潮。浦东开发是江浙两省开发区大量兴起的重要诱因。苏南和浙北利用浦东开发的有利时机，以开发区为载体，大量吸引外资，实现了经济的快速增长。苏南地区是我国国家级开发区较密集的地区，截止 2003 年，苏锡常地区已建立 8 个国家级开发区。

　　政府是开发区制度创新中的主体。区域开放使招商引资成为可能，地方政府产生了建设经济技术开发区的动力。政府通过开发区建设，培育新的经济增长点，改善居民生活，提高政府的财政收入。另一方面，政府具有对土地的控制力，有能力实现这一制度安排。政府在开发区内往往有更加宽松的制度安排，以构建和外资企业在母公司所在地相似的制度环境。而且，地方政府间的招商引资竞争，推动了开发区的制度创新，进一步优化了投资软环境。

（4）产业集群。产业集群是江浙企业在回应区域开放中的一产业组织制度创新。相对而言，浙江的产业集群更发达，更能引起人们的关注。从区域开放的角度看，产业集群的形成，主要有以下方式：①随着市场的扩展，新企业不断产生。随着区域开放的不断深入，市场范围不断拓展，对商品的需求不断增加。需求的不断刺激，诱发了人们的创业热情。有些地方在能人的带动下，一传十、十传百，逐步形成产业集聚。有些地方企业不断裂变，产生更多的企业，形成产业集群。②专业市场的带动。专业市场不断壮大的过程，是市场不断拓展的过程。市场壮大的过程，必然使更多的经营者完成资本的原始积累，投资办企业。同时，市场的拓展也会吸引更多的资金进入，产生更多的企业。浙江地区的许多产业集群是在专业市场的带动下形成的。产业集群的发展，又进一步促进了专业市场的发展。③产业转移。开放能使区域接受国内外的产业转移。在产业转移过程中，龙头企业的投资往往能带动相应配套企业的跟进，形成产业集群。苏南地区的电子产业集群，正是国际产业转移的结果。

255

3. 江浙地区制度变迁的方式

从以上分析可以看出，江浙地区制度变迁存在明显的差异。浙江省的私营经济发展是一种自下而上的民本经济，即由老百姓创造而非政府创造的民有、民营、民享的老百姓经济，地方政府在其发展过程中，充当了降低大规模制度变迁的"摩擦成本"承担者的角色（史晋川等，2002）。江苏省经济制度变迁的路径的特点在于，它客观地选择了一条注意规避政治风险、充分利用选择机会集合和模仿学习效应，并力求在模仿学习中延伸、扩展和创新先行者经验的制度变迁之路（刘志彪，2004）。因此，"苏南模式"是一种供给主导型的强制性制度变迁方式，制度变迁的动力和主体，主要来自基层地方政府，而"温州模式"是以需求诱致性的制度变迁方式为主，制度变迁的主体是个体、私营企业和企业主，改革和创新的动力主要来自民间力量。

道格拉斯·C·诺斯所说的"精神制约"、"制度安排"，在苏南的经济发展史中得到了很好的体现。20世纪70年代末，苏南地区乡镇企业已有一定的规模，人们对乡镇企业在意识形态方面也能容忍。改革开放初期，地方政府获得了相当一部分经济管理权，拥有了相对独立的经济利益，地方政府进行制度创新的动力机制开始形成。由于当时地方政府已控制了一定的经济资源（集体经济已有一定的规模），凭借有利的区位条件和发展机遇，苏南地方政府推行供给主导型的强制性制度变迁方式有了较大的利益空间。苏南实行"一手高指标，一手乌纱帽"的压力型基层行政体制（荣敬本，1998），用一套指标体系来衡量干部的政绩，政绩决定升迁。这一制度安排，给各级地方政府官员提供了充分的激励。苏南还推动县级地方政府间的竞争，提高他们危机意识。因此，苏南地方政府间的竞争高于其他地区，苏南人的危机意识首先来自于政府官员。1990—1992年，苏州市连续三年召开三级干部大会，开展"五杯"竞赛。竞争迫使地方政府提高效率，营造良好的发展环境，以致直接介入到经济活动中去，涌现出像张家港、昆山这样的先进地区。但是，20世纪80—90年代的大部分时间内，地方政府主导的苏州组织制度创新中，市场力量始终不足，组织制度试验的成本有一些是由政府承担的，这导致组织制度试验的价格信号扭曲，组织制度有效性的信息失真。正因为如此，苏州组织制度创新经历了试验成本内部化的过程。

温州组织制度创新之所以领先于全国，关键在于：一方面温州市拥有众多愿意并独立承担试验风险的个体；另一方面，地方政府提供人们自由试验各种组织制度的条件，让私人企业自发地做各种不同的组织制度试验以获得组织信息。制度供给中的"执行能力"是创新活动至关重要的决定因素，一个制度产品从构思到行动，需要果断的举动和甘冒风险的勇气。"温州模式"是在全国性经济体制渐进式改革中，率先通过需求诱致的局部制度变革，形成浙江省以至全国"制度创新"的一个"空间极点"，或者说类似于发展极意义上的"改革极"（金祥荣，2000）。温州组织制度的创新是自发形成的，并具有边际演进的特点。从家庭工业、股份合作制企业到股份制企业，是一个逐渐的变迁过程。每一种组织制度在开始时都很不规范，并形式多样。各种形式在经过一定时间的试验后获得知识，并不断完善，向更加成熟的组织制度变迁。

257

4. 开放与江浙非正式制度的变迁

开放必定带来区域文化与移民文化、海外文化的碰撞、冲击和融合。在大量外资企业涌入的同时，伴随着海外文化涌进。外资企业和港澳台投资企业，带来了先进的管理模式和诚信守法、尊重人才等理念，外方管理人员的敬业精神也会影响本地管理人员。江浙地区云集了众多外资和港澳台企业、日本人、韩国人等在江浙地区已有一定数量，他们的工作态度、生活习惯等对本地人产生影响。这些"外乡人"要在新的环境下生存和发展，只有拼搏、冒险、开拓和进取。"外乡人"的涌入，打破了本地居民

"小富即安"的满足感，增强了本地人的危机意识，激发了本地人的发展意识和创业精神。旧的价值观念、伦理原则和行为习惯在外来文化的冲击下不断发生变迁，形成新的文化形态。

第九章　开放与区域经济可持续发展

可持续发展问题是区域经济发展过程中必须面临的问题。开放通过什么机制影响我国区域经济可持续发展？其影响条件是什么？开放条件下江浙地区怎样实现经济可持续发展？本章将重点探讨以上几个问题。

第一节　开放与区域经济可持续发展
关系相关文献述评

一、区域可持续发展理论相关文献回顾

追求无限经济增长是工业革命以来人类追求的主要目标。进入 20 世纪 70 年代，世界经济发展面临一系列生态环境问题和人口、能源、资源等难题，人类开始对传统经济增长方式进行反思，提出了可持续发展的模式。1978 年，国际环境发展委员会首次在有关文献中正式使用了可持续发展的概念。可持续发展的概念被定义为：在不牺牲未来几代人需要的情况下，满足我们这代人的需要。皮尔斯（David W. Pearcce）和沃福德（Jeremy J. Warford）对可持续发展的定义是："当发展能够保证当代人的福利增加时，也不应该使后代人的福利减少"。爱德华·B·巴尔

比（Edward B. Barbier）（1985）将可持续发展定义为："在保证自然资源的质量和其所提供服务的前提下，使经济发展的净利益增加到最大限度"。里昂惕夫从宏观上定量分析了环境保护与经济发展的关系。伊斯梅尔·萨拉格丁（Ismail Sarageldin）认为，可持续性是指"我们留给后代人的四种资本（人造资本、自然资本、人力资本、社会资本）的总和，不少于我们这一代人所拥有的资本的总和"。[①]

经济学家一直关注经济增长的资源约束问题。马尔萨斯和李嘉图等经济学家的著作中，已认识到人类的经济活动范围存在着生态边界。托马斯·马尔萨斯预言，除非不断上升的死亡率和下降的出生率急剧地将人口抑制住，否则不断增长的人口会将地球生产食物耗尽。麦多斯（D. L. Meadows，1972）提出了"增长极限论"，认为在以往发展模式的基础上，世界经济的连续增长是不可持续的。"增长极限论"引起了一场激烈的争论，多数人持反对观点。经济学家们认为，按照市场规律，稀缺环境资源的价格上涨，会引致人们用非稀缺资源对其进行替代，从而可以避免稀缺资源强加于经济增长的极限。布朗（L. R. Brown，1981）在《建设一个可持续发展社会》中，比较系统地论述了可持续发展理论，对人类面临的四大问题进行了实证分析，提出了可持续发展的途径。Grossman 和 Krueger（1991）用库兹涅茨曲线的概念描述人均收入水平与环境状况之间的关系。[②] Panayotou（1993）借用库兹涅茨对经济增长与收入分配关系研究所得到的倒 U 型曲线关系，来描述环境质量与经济发展的关系，进一步

---

① 参见李克国、魏国印、张宝安：《环境经济学》，中国环境科学出版社 2003 年版。

② Grossman, G. M. and A. B. Krueger, 1991, Environmental Impacts of a North American Free Trade Agreemeet, NBER working paper No. 3914.

验证了环境库兹涅茨曲线（EKC）。[1] 环境库茨涅茨曲线表明（图 9—1），经济增长的初期，人们追求产出的增长，大量的资源被利用，从而对环境造成了破坏。当经济发展到一定程度时，经济增长对环境的污染和破坏减轻，环境质量得到改善。环境库兹涅茨曲线对于我们认识经济增长与环境变化的关系，是十分有用的。

可持续发展理论近几年才得到较快发展。有关贸易与环境的关系的争论一直很激烈。自由贸易主义认为，自由贸易对环境是有利的，自由贸易优化资源配置，使贸易国有更多机会获得更加环保的产品和更有效率的生产方式，有利于减少生态成本，降低环境污染。环境保护主义认为，自由贸易对环境保护不利，自由贸易所带来的产出增长，增加了对不可再生资源的消耗，自由贸易还导致各国之间环境标准的竞争，导致环境污染增加。

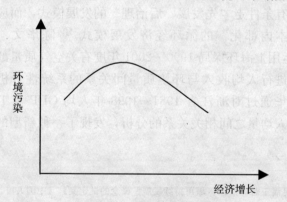

图 9—1 环境库兹涅茨曲线

近年来，可持续发展问题也引起我国学术界和政府的重视。

---

① Panayotou，T.，1993，Empirical Tests and Policy Analysis of Environmental Degradation at Different Stages of Economic Development，ILO Technology and Employment Programme working paper，WP238.

学者们围绕可持续发展的内涵、中国可持续发展的问题、成因、政策建议等问题展开研究。与此同时，区域可持续发展问题也成为研究的热点。潘玉君等认为，"区域可持续发展"的概念可以试定义为：区域可持续发展是指既满足当代人的需要又不危及后代人和相关区域的人满足其需求的发展。[①] 刘力认为，贸易自由化在许多方面与可持续发展的目标相背离。生产国际化的过程，促进了国际贸易并加速国际资本流动，加深了地球资源环境压力；跨国公司在全球化生产过程中追逐成本外部化，并通过在海外的生产基地传播了大量生产—大量消费—大量废弃的线性模式，对全球生态系统恶化负有责任。[②] 范金（2002）对中国环境库兹涅茨曲线、环保意识与最优增长模型等进行了系统研究，将生态资本从物质资本分离出来，建立了一系列可持续发展的增长模型。[③] 赵云君、文启湘（2004）对 EKC 提出质疑并认为中国不能也没有条件走"先发展、后治理"的发展模式，而应该走出一条"成本内部化"的循环经济发展模式。[④] 陈华文、刘康兵（2004）运用上海环保局 1990—2001 年度有关空气质量的环境指标数据，进行人均收入与环境质量间关系的系统性分析。沈满红、许云华通过对浙江省 1981—1998 年人均 GDP 与工业"三废"及其人均量之间相关关系的分析，发现了一种新型的库兹涅茨曲线。[⑤]

262

① 参见潘玉君等：《"区域可持续发展"概念的试定义》，《中国人口、资源与环境》2002 年第 12 卷第 4 期。
② 参见刘力：《全球化背景下的区域可持续发展问题探讨》，《世界地理研究》2002 年第 12 期（第 11 卷第 4 期）。
③ 参见范金：《可持续发展下的最优经济增长》，经济管理出版社 2002 年版。
④ 参见赵云君、文启湘：《环境库兹涅茨线及其在我国的修正》，《经济学家》2004 年第 5 期。
⑤ 参见沈满红、许玄华：《一种新型的环境库兹涅茨曲线—浙江省工业化进程中经济增长与环境变迁的关系研究》，《浙江社会科学》2000 年第 4 期。

二、评价与思考

可持续发展理论是在人类对传统经济增长方式反思的基础上，最早由环境学家和生态学家提出的。广义的可持续发展，既包括生态的可持续发展，同时也包括社会、经济的可持续发展。生态的可持续发展，强调生物资源的可持续利用以及环境管理。经济的可持续发展强调可持续经济增长和可持续经济发展。社会的可持续发展，强调社会稳定和公平性。在经济学领域，主流经济学与非主流经济学都对可持续发展进行过研究。但主流经济学把可持续发展看成是治理外部性，非主流经济学中的福利经济学、产权经济学、资源经济学、环境经济学只是从某些局部问题的治理入手来研究，没有统一到发展方面来。由于缺乏统一的理论基础，可持续发展经济学的研究缺乏统一性和整体性（任保平，2004）。现有可持续发展概念过于宽泛，不利于用主流经济学分析方法进行研究。

263

一般的经济发展主要面临的是资源的稀缺性问题，即在资源稀缺的约束下，如何实现最大的经济产出。可持续发展是在"代际公平"的约束下，有效地配置资源，实现人类发展的目标。可持续发展关心的还是增长问题，更强调经济增长的质量，以实现具有可持续意义的经济增长。可持续发展要求从现在到可预见的未来，取得可以得到自然和社会环境支持的经济增长。在可持续经济发展方面，要求至少保持总资本量，即在人力资本、人造资本和自然资本不下降的条件下，使经济收益最大化（罗勇，2005）。特别是对发展中国家而言，只有启动经济增长，才可能为可持续发展积累资金和技术。没有经济增长，可持续发展就失去基础。

区域可持续发展问题不同于一般的可持续发展问题。现有的可持续发展的研究，缺乏对开放条件下区域经济可持续发展问题的关注。目前，有关开放对可持续发展影响的研究文献不多。不同的学科对开放条件下可持续发展问题有不同的看法。人们更多地关注区域开放带来的经济增长，而对开放造成的环境成本代价却没有引起足够的重视。可持续发展不仅要强调代际公平，经济发展不能牺牲后人生存发展的需要，还应关注区际公平问题，实现区域经济的协调发展。我国区域经济发展受到各种开放政策因素的影响，存在开放政策机会公平的问题。在开放条件下，区域可持续发展能力既受到内部因素的影响，又受到外部因素的影响，区际开放和对外开放都对区域可持续发展能力产生影响。区域经济发展过程中不可能彻底消除环境等可持续发展问题，不同的发展时期会遇到不同的可持续发展问题，政府应根据经济发展的不同阶段，将可持续发展中的问题控制在适度的水平上。

第二节　开放影响区域经济可持续发展的机制和条件

一、开放对区域经济可持续发展的影响机制

开放促进了区域与国内外的物资、信息、技术交流，影响区域可持续发展能力。这种影响是双向的，既可能促进区域可持续发展，也可能不利于区域可持续发展。

1. 自然资本和人造资本存量变化

区域开放包括资源、环境、技术、人力、资本、信息等各个方面的全面开放，要素的跨区域流动，可引起区域自然资本和人造资本存量变化，进而影响区域可持续发展能力。

贸易对区域自然资本和人造资本产生不同的影响。贸易能促

进区域人造资本的积累，但对自然资本会产生不利影响。贸易的不断扩展带动本地产出的增加，必然增加对本地自然资本的消耗。有些自然资源可以从外地输入，但土地等不可再生资源却是无法从外地输入的。我国沿海地区成功地利用"两种资源、两个市场"，虽然从国外进口了大量原材料，但在出口量大量增加的同时，土地、环境资源的压力也加重了。

内外资的流动能带来原材料、能源、机器设备的输入，增强区域生产能力。我国沿海地区利用国外资本，进口大量先进机器设备等生产资料，提高了生产水平和可持续发展的能力。但是，在国际产业转移过程中，污染较重的产业会导致区域环境质量下降，影响区域可持续发展能力。对外直接投资和产业转移，能将劳动密集型产业和对环境污染较大的企业向外转移，实现产业升级，降低经济增长对环境的需求，提高区域可持续发展能力。

2. 人力资本的变化

区域开放促进人员跨区域和跨国界流动。劳动力的流入可以弥补区域经济增长中的劳动力缺口，人才的引进能显著提高区域人力资本存量，促进技术进步，提高区域经济可持续发展的能力。开放也可能导致区域人才的流失，导致区域人力资本存量减少，技术创新能力减弱，可持续发展能力降低。我国沿海发达地区从中西部地区和海外吸引了大量的优秀人才，极大地改善了科技实力和技术创新能力，提高了经济的可持续发展能力。人口区际流动对区域可持续发展的影响也是双向的。人口的过度流入，将增加对不可再生资源的消耗，增加环境污染，影响区域可持续发展能力。

开放使区域经济发展面临更大的竞争压力，地方政府将增加对教育的投入，制定鼓励人才流动的政策，提高本地居民的受教育水平，吸引国内外人才。区域劳动力市场的开放，将使本地居民面临来自劳动力市场上的竞争，产生对教育投资的内在动力，相应增加对自己和家庭的教育投资，增加区域人力资本的存量。

3. 技术进步

在开放条件下，企业通过引进国内外先进技术，实现技术转移和技术扩散，改变原有的技术结构，提高区域可持续发展的能力。企业引进先进的技术设备，能够有效地降低能源消耗和对环境的破坏，提高环境对产业发展的承载能力。例如，我国沿海纺织业比较集中的江浙地区，通过大量进口先进的纺织机械，实现从有梭织机向无梭织机、喷水织机向喷气织机转变，极大地提高了纺织业劳动生产率，减少了对环境的污染，提高了产业竞争力。改革开放以来，广东省从境外吸引了大量投资，并由此引进了具有相当水平的先进技术，促进了区域技术进步，企业技术创新能力居全国第一位。

在开放条件下，企业可以利用国内外先进的环保技术，提高对污染的处理能力，降低企业生产过程中的环境污染，实现清洁生产。近年来我国的环保技术有了较大水平的提高，新的环保技术、节能技术、节水技术对提高区域经济可持续发展能力起到了重要的作用。

开放使区域企业面对国内外市场的激烈竞争，迫使企业加强自主创新能力，提高研发水平。企业技术进步能提高单位土地的产出水平，减少单位产出对环境的污染，降低单位产出的能耗水平。技术进步也能够降低对外来普通劳动力的需求，减少因人口流动对区域环境资源带来的压力。

4. 制度安排

开放能够促使一个地区发生有利的制度变迁，为区域经济的可持续发展建立制度保证。开放能促进区域间的制度竞争，使制度向更有效率的制度安排变迁。发达国家有关国际贸易中的环境标准，影响了发展中国家的出口贸易，对发展中国家产生了不利的影响。但在一定程度上影响了发展中国家有关环境保护制度的变迁，促进产业结构的升级。在开放条件下，区域资源的流动、整合，有利于推进区域制度创新，消除区域间产品和要素流动的制度障碍，提高区域可持续发展能力。

开放可以使不同区域的文化传统和可持续发展的价值取向广泛传播和相互促进。先进的思想和理念，引导人们改变落后的生活方式和资源利用方式，提高人们关注环境和节约能源的自觉性，形成可持续发展的社会基础。

二、开放促进区域可持续发展的条件

开放对区域经济可持续发展的影响，受到以下几个因素的制约：

267

1. 制度安排

开放对区域经济可持续发展的影响与区域的制度安排有关。为了实现低成本优势，企业在市场竞争中具有环境成本外部化的动机，将排污量最大化。因此，体制与法规是实现可持续发展的制度保证，它能有效地保证企业的排污量在可持续发展允许的范围内。有关环境资源的法律法规、政策、产权制度等，都可以对区域内经济主体产生强制性约束，使经济主体生产污染的成本内部化，降低环境污染的产出水平。

现行制度安排影响地方政府的行为，进而影响区域经济可持续发展。在现行体制下，地方政府有在任期内做大 GDP 的强烈冲动，重经济、轻环境、忽视可持续发展的现象比较普遍。在拥有对土地等要素资源的供给控制权的情况下，地方政府可以以低廉的价格吸引外商直接投资，短期内实现经济快速增长，还可以

通过降低环境标准，增加产出水平，实现 GDP 的最大化。不顾环境的承载能力而追求的短期经济增长，影响了区域经济可持续发展能力。

　　由于缺乏跨区域环境保护的制度安排，有些地方政府往往会容忍甚至默许区内企业跨区域排放污染物，转嫁区域污染成本，实现区域利益最大化，影响其他区域的可持续发展。跨区域污染问题一直是我国区域经济可持续发展的难题。图 9－2 说明了在完全竞争条件下，区域企业污染向区外排放、增加了产出水平的情况。D＝MR 水平线代表某竞争厂商的需求曲线和边际收益曲线，MC 是排污成本内部化的厂商边际收益曲线，ME 是指由于跨区域排放而降低的边际成本。从图中可以看出，企业为了实现利润最大化，向区内排放污染物时的最优产出水平是 Q^{**}，而向外排放污染物时的最优产出水平是 Q^*。因此，有些地方政府在区域内实行较严格的环保政策，而放任企业向区域外排放污染，以利于增加本地 GDP 水平。

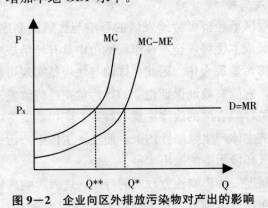

图 9－2　企业向区外排放污染物对产出的影响

　　2. 产业结构

　　不同的产业结构对区域经济可持续发展有不同的影响。一般而言，三个产业中产污强度以第三产业为最少。在第二产业中，传统产业如纺织、化工等产业需要排放的废水、废气的量比较大，而高新技术产业相对较少。产业集中度比较大的产业能够对排污进行集中处理，治理成本相对较低，管理也相对容易；而产业集中度比较低，中小企业占主导地位的产业，不仅治污成本高，管理难度也更大。一般而言，传统产业对资源消耗量大，产业的扩张对资源消耗大，产业层次高的产业对资源的需要量相对较少，产业的扩张对资源的需求相对较少。

3. 创业能力

区域居民的创业能力直接影响区域可持续发展能力。区内企业家资源丰富，区域就能够具有较强的动员区外资源的能力，加强对区域生态的修复，增加区域经济增长的空间。不少地区出现的所谓"零资源"经济现象，与区域内的创业精神有关。创业能力强的区域能够克服区域的比较劣势，突破现有自然资源的约束，整合区外资源，实现经济增长。反之，如果一个区域缺乏创业精神，居民缺乏对创业的冲动和渴望，则难以实现经济的长期增长。

269

4. 技术创新能力

技术创新能力是决定开放条件下区域经济可持续发展的关键因素。技术创新能力强的区域，对技术转移和技术扩散有更强的吸收能力。在开放条件下，一个区域可以通过引进外资，进口先进技术设备等途径提高产业技术水平。但是，如果缺乏相应的技术创新能力，缺少拥有自主知识产权的核心技术，区域就有产业空心化的危险，将影响经济社会可持续发展。技术创新能力强的区域，能够在开放条件下发挥后发优势，追赶技术先进的国家和地区，逐步实现经济增长由主要依靠资金和物质要素投入，向主要依靠科技进步转变，促进经济的可持续发展。

第三节 开放条件下江浙经济 可持续发展

一、开放对江浙经济可持续发展能力的影响

经过 20 多年的改革开放，江浙地区提高了可持续发展能力。中国科学院发布的《2006 中国可持续发展战略报告》显示，江苏省、浙江省可持续发展能力分列全国第五、四位。在开放条件下，江浙地区经济可持续发展能力的提升，主要通过以下途径实现：

1. 加快区域物质资本的积累

江浙地区通过扩大开放，利用国内外两个市场、两种资源发展经济，加快资本积累。2004 年，江浙地区实际利用外资金额已占全国的 31.0%，外贸出口额已占全国的 24.5%。从表 9—1 可以看出，2004 年，江苏、浙江两省的人均 GDP 分别是全国人均水平的 1.97 倍、2.27 倍，三次产业结构优于全国平均水平，二、三产业的比重均高于全国，单位产出的能耗水平低于全国，万元 GDP 耗电量分别为全国的 73.8%、77.5%。江浙地区人均外资、人均外贸远高于全国，人均外资分别是全国的 3.3 倍、2.9 倍，人均外贸分别是全国的 1.33 倍、1.39 倍。1985—2004 年，江苏、浙江两省的物质资本积累迅速增长（图 9—3），固定资本存量分别增长 9.3 倍、15.7 倍。物质资本的快速增长，为江浙地区可持续发展提供了坚实的物质基础。

表 9—1　2004 年江浙重要经济发展指标与全国比较

地区	人均 GDP（元）	人均外资（美元/人）	人均外贸（美元/人）	每万元 GDP 耗电量（千瓦时）	三次产业结构
江苏	20852	163.31	1177.22	1173	8.5∶56.5∶35.0
浙江	23924	141.54	1232.29	1231	7.2∶53.8∶39.0
全国	10561	49.29	888.39	1589	15.2∶52.9∶31.9

资料来源：2005 年《中国统计年鉴》、《江苏统计年鉴》、《浙江统计年鉴》。

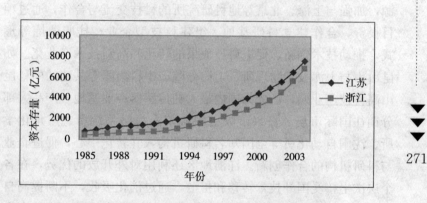

图 9—3　江苏、浙江 1985—2004 年固定资本存量

2. 开放促进区域人力资本的积累

　　江浙地区通过扩大开放，不断加快区域人力资本的积累。江浙两省为吸纳和集聚优秀人才开辟了绿色通道，大力引进短缺、紧俏、急需的各类人才，人才资源迅速增长，加快了人力资本积累。1993 年，江苏省拥有各类专业技术人员 172.71 万人，1998年 202.15 万人，2003 年稳步增加至 264.01 万人，与 1993 年比较，专业技术人员总数十年增长 52.86%。2003 年全省平均每万人中专业技术人员达 356 人，较 1993 年增加 108 人，人才资源

总量在全国各省（市、区）中名列前茅。^① 江浙地区不仅从其他省份吸引人才，还广泛从海外招聘人才，提高人才引进的层次。江苏省仅 2004 年就引进海外人才 600 多人。

3. 开放提高区域自主创新能力

1988 年，江苏省率先提出"科技兴省"战略，1994 年充实为"科教兴省"战略。浙江省 1992 年提出"科教兴省"战略。江浙两省在实施"科教兴省"战略时，充分利用国内外科技资源，加强与上海、北京等地科研院所的科技交流与合作，通过项目投资、合作建立科研基地、组建科技型企业、挂职锻炼等形式，推动技术创新、促进科技成果的转化和高新技术产业化。如昆山市与上海技术物理所、上海分院、中科集团等共建的中科昆山高科技产业园，已成为国内最大的传感器产业基地，产品大部分销往国际市场。嘉兴市吸引中科院上海微系统所、广州化学所、沈阳自动化所等全国知名科研机构入驻转化中心，促进企业与科研机构的合作创新。江浙地区还利用对外开放的优势，在各个层次上接受国外技术转移和扩散，通过消化吸收，不断提高自主创新能力。表 9—2 显示，江浙地区科技进步促进经济社会发展的能力，在全国处于比较领先的位置，位居上海、天津、北京、广东之后，分列第五、六位。科技进步环境较好，江苏、浙江两省分别位于全国第五、十位。万名就业人员发明专利授权量分别位于全国第八、九位，一定程度上说明两省的自主创新能力较强。浙江企业消化吸收经费与技术引进经费比例位于全国第八位，说明浙江企业更重视技术引进中的消化吸收。

---

① 参见王瑛：《江苏省科技人才队伍建设实证研究》，《东南大学学报（哲学社会科学版）》2005 年第 11 期。

表9—2　2005年江苏、浙江若干科技进步监测指标值和全国位次

指标	科技进步环境		万名就业人员发明专利授权量		企业消化吸收经费与技术引进经费比例		科技促进经济社会发展	
	监测值	位次	监测值	位次	监测值	位次	监测值	位次
江苏	51.29	5	0.28	8	11.59	19	51.08	5
浙江	48.71	10	0.25	9	23.13	8	59.77	6

资料来源：科学技术部。

4．开放促进区域制度创新

在开放条件下，江浙地方政府大力推进政府审批制度的改革，加快政府职能的转变，许多领域制度创新一直处于全国的领先地位。制度创新有力地激发了经济活力，外资经济、民营经济蓬勃发展，有力地促进了江浙区域经济的发展。开发区已成为江浙地区引进资金、技术、人才的重要载体，成为经济发展的重要增长极。在开放条件下，江浙地区文化与移民文化、海外文化的碰撞、冲击和融合，实现文化的创新。开放激发了江浙地区居民的竞争意识和创业精神，这是区域经济发展的不竭动力。随着经济快速发展，江浙地区的资源和环境的压力越来越大。近年来，江浙地区加快环境保护方面制度创新的力度，有力地保证了区域经济的可持续发展。

273

二、江浙可持续发展中存在的问题

江浙经济的发展模式已经遇到挑战，主要表现在以下几个问题：

1．环境问题

近年来，江浙地区比较重视环境保护问题，加大环保投入，已经取得了一定的成绩。但是，随着工业快速发展，环境排放总量也呈现较快的增长趋势，环境质量仍处于倒"U"型曲线的左侧，尚未达到其转折点，更未处于环境质量从整体上逐渐变优的右侧部分（图9—4至图9—8）。图9—4、图9—5显示了江苏省

废气排放和固定废物排放倒"U"型曲线，废气排放增长的趋势更加明显。江苏省工业生产中废气的排放量呈现较快的增长，2004年工业废气排放量为24286亿立方米，是1990年的4.8倍，工业废水和固体废物的排放量分别为258769万吨、5774万吨，是1990年的0.87倍、3.59倍。从分行业看，废水的排放主要集中在纺织、化学、造纸、黑色金属冶炼、电力、热力生产和供应业，这几个行业废水排放量占全部废水排放的68.7％；废气排放量主要集中在化学、非金属矿物制品业、黑色金属冶炼、电力、热力生产和供应业，这几个行业的废气排放量占全部废气排放量的62.4％；工业固体物排放主要集中在化学、黑色金属冶炼、电力、热力生产和供应业，这几个行业的固体物产生量占全部固体废物产生量的56.8％。从单个企业"三废"排放量看，废水排放量最大的行业为造纸及纸制品业、石油加工、炼焦及核燃料加工业、黑色金属冶炼及压延加工业、化学纤维制造业。浙江省工业"三废"排放情况与江苏省类似，2004年浙江省工业废气排放量11749亿立方米，是1990年的4.5倍，工业废水和固体废物排放量分别为281326万吨、2318万吨，是1990年的1.97倍、2.74倍。从以上分析可以看出，江苏省的产业结构、资源利用转化具有明显的重化工业特征，而且正处于城市化的加速期，资源和环境问题日益凸显，已成为社会经济发展的重要约束条件。浙江省"三废"排放的倒"U"型曲线特征也比较明显（表9—6、表9—7、表9—8），工业废气和工业废物排放量呈现较快的增长，而且废水排放的增长快于江苏省，说明浙江省传统产业对水环境的破坏严重。

江浙两省合计"三废"排放量在全国占较高比重（表9—3），分别为15.49％、12.41％、5.82％。废水和废气排放量相对较高，而固体废物排放量相对较低，这反映了江浙地区的产业特点。但其比重小于 GDP 占全国的比重。江浙两省"三废"治理费用比重相对较高，废水、废气的治理费合计分别占全国的比重分别为 17.21%、11.89%，说明两地环保政策力度较大。

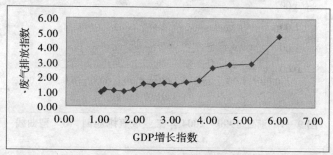

图 9—4　江苏 1990—2004 年工业废气排放倒"U"型曲线

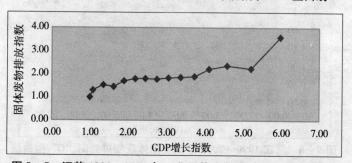

图 9—5　江苏 1990—2004 年工业固体废物排放倒"U"型曲线

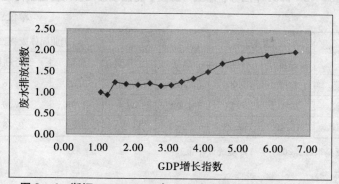

图 9—6　浙江 1990—2004 年工业废水排放倒"U"型曲线

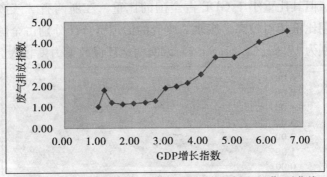

图 9—7 浙江 1990—2004 年工业废气排放倒 "U" 型曲线

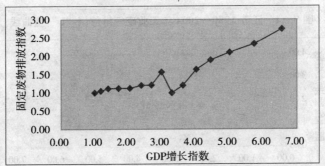

图 9—8 浙江 1990—2004 年工业固体废物排放倒 "U" 型曲线

表 9—3 2004 年江苏、浙江 "三废" 排放及治理费用占全国比重

单位:%

地区	废水		废气		工业固体废物	
	总量	治理费	总量	治理费	总量	综合利用
江苏	9.66	9.87	7.49	6.85	3.89	6.78
浙江	5.83	7.34	4.92	5.04	1.93	3.00
合计	15.49	17.21	12.41	11.89	5.82	9.78

资料来源:2004 年《环境统计年报》。

2. 资源问题

近年来，江浙两省的土地、能源、人才、水资源等要素短缺问题日益严重，已制约了可持续发展，传统的经济增长方式已经面临经济增长的极限。

（1）土地。江浙地区人均耕地面积相对较少，工业化进程中耕地不断减少。从表9－4看出，江苏省1980－2004年耕地面积减少652.20万亩，其中国家基建占地268.83万亩，24年间耕地减少量相当于1980年耕地面积的14.04％。2000－2004年总耕地面积减少213.2万亩。1980年江苏省人均占有耕地0.78亩/人，2004年人均占有耕地仅为0.65亩/人，减少17％。浙江省1980－2004年实有耕地减少342.16万亩（表9－5），24年间耕地减少量相当于1980年耕地拥有量的7.2％，2004年浙江省人均耕地面积仅为0.52亩/人。土地要素约束已经成为江浙地区经济可持续发展的主要瓶颈。

表9－4　江苏省主要年份的耕地面积

年份	年末实有耕地（万亩）	年内减少（万亩）	国家基建占地（万亩）	人均占有耕地（亩/人）
1980	4641.38	15.27	10.73	0.78
1985	4604.03	21.4	5.87	0.75
1990	4557.8	8.78	4.63	0.69
1995	4448.31	23.69	11.74	0.63
2000	5008.39	21.15	7.10	0.69
2001	4974.12	39.87	16.66	0.68
2002	4905.02	78.77	25.95	0.67
2003	4858.34	66.31	25.71	0.66
2004	4795.19	85.67	27.15	0.65

资料来源：2005年《江苏统计年鉴》，注：1996年以后数据为农业普查接轨数。

表9—5　浙江省主要年份的耕地面积

年份	年末实有耕地 （万亩）	年内减少 （万亩）	国家基建占地 （万亩）	人均占有耕地 （亩/人）
1980	2734.54	18.04	—	—
1985	2665.06	51.22	—	—
1990	2585.29	17.22	3.07	0.61
1995	2426.70	33.36	11.20	0.57
2000	2411.34	31.98	13.18	0.54
2001	2402.19	52.48	20.38	0.52
2002	2398.66	60.49	24.37	0.52
2003	2392.71	62.37	29.50	0.52
2004	2392.38	20.34	12.04	0.52

资料来源：2005年《浙江统计年鉴》。

（2）能源。江浙两省能源矿产缺乏，一次能源基本靠外省调入。1990—2003年，江苏省工业煤炭消耗倒"U"型曲线显示，江苏省工业生产煤炭消耗量随GDP增长呈现较快的增长趋势（图9—9），1990—2003年，江苏省工业用煤炭消耗量从4724.23万吨增加到11542.66万吨，增长1.44倍。江苏省工业对电力的需求增长速度更快（图9—10），1997—2005年间，江苏工业企业电力消耗从547.61亿千瓦小时增加到1771.28亿千瓦小时，增长2.23倍。电力消耗的持续高速增长造成了"能源荒"，制约了经济发展。浙江省1990—2004年煤炭、电力消耗倒"U"型曲线增长的趋势也很明显（图9—11、图9—12）。1990—2004年，浙江省煤炭消费量从1961.18万吨标煤增加到9209万吨标煤，增长3.70倍，电力消耗量从230.29亿千瓦小时增加到1419.53亿千瓦小时，增长6.16倍。据有关资料显示，2004年浙江全省发电量增加17%，外购电量增加51%，电力供应短缺比较突出，限制了产出的增长。造成江浙地区能源紧张的主要因素，在于工业快速增长产生的需求，以及高投入、高消耗、高排放的经济增长方式。

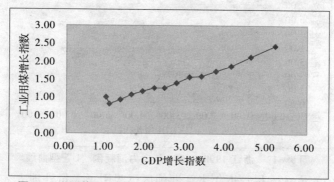

图 9—9　江苏 1990—2003 年工业煤炭消耗倒"U"型曲线

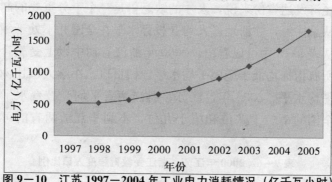

图 9—10　江苏 1997—2004 年工业电力消耗情况（亿千瓦小时）

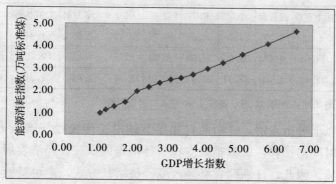

图 9—11　浙江 1990—2004 年能源消耗倒"U"型曲线

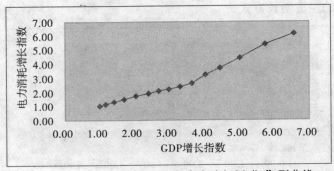

图 9－12　浙江 1990－2004 年电力消耗倒 "U" 型曲线

（3）人才。尽管近年来江浙地区已吸引了大量外地人才，但作为经济发达省份来说，人才的缺乏仍是一个十分重要的制约因素。从总体看，江浙地区人均受教育水平在全国并不处于领先地位。从表 9－6 中可以看出，2000 年浙江省初中以上受教育人口比例所有指标均低于全国平均水平，扫盲班、小学人口比例高于全国平均水平。2005 年，江苏、浙江两省平均受教育水平分别位于全国的第二十一位和第十九位，不利于江浙两省的可持续发展。

表 9－6　2000 年江苏、浙江受教育程度人口比例

单位：%

地区	未上过学	扫盲班	小学	初中	高中	中专	大学专科	大学本科	研究生
江苏	6.62	2.37	34.70	38.37	10.74	3.06	2.68	1.37	0.08
浙江	11.06	4.58	39.96	31.98	7.29	1.97	2.13	0.96	0.07
全国	11.46	2.70	34.11	35.72	8.79	3.04	2.89	1.22	0.09

资料来源：全国、江苏、浙江 2000 年人口普查资料。

　　以上分析表明，江浙两省如果继续沿袭传统经济增长方式，随着时间的推移，资源难以支撑、环境难以承载，经济发展将不可持续。因此，江浙两省必须改变经济增长方式，走可持续发展道路。

三、开放条件下江浙可持续发展的途径

1. 提高开放型经济质量

江浙开放型经济发展应当转换到以全面提高资源配置效率、促进产业结构优化的可持续发展战略上来，加强环境与生态保护，提升开放型经济的可持续发展能力和综合竞争力。

（1）完善贸易、技术和产业结构互动机制，促进产业结构的高度化。江浙两省应利用区位优势、经济优势、科技优势，积极参与国际分工，利用国外资源与技术，改造传统产业，扶持发展电子信息、生物制药、新材料等技术密集型产业作为重要的成长型出口产业，建立起现有劳动密集型产业和正在成长的资金、技术密集型产业的良性循环机制，提高经济可持续发展能力。

（2）引进优质外资，改善江浙经营资源整体质量，提高资源配置效率，提升江浙经济在国际分工中的地位，实现浙江产业结构的升级。在引资战略上，从原来以资本形成为重点向以提升产业结构为重点的战略转换，将招商引资与区域特色经济结合起来，同时应努力加大对主导产业的引资力度，逐渐从以往那种以劳动力或土地资源与外资配置的初级模式，转换至集约型和高效率的资源配置方式。应抓住战略机遇，进一步开放服务业市场，加快金融、保险、商贸、物流、信息服务、技术咨询等服务业的外资引进，促进服务业向更高的水平发展，优化三次产业结构。

（3）鼓励企业"走出去"，为区域产业结构调整提供更大的发展空间，努力构建区域竞争优势。江浙两省应通过向外拓展、经济反哺的方式，促进产业结构的升级和优化，实现新形式的经济增长和发展。江浙企业应有长远的战略眼光，在资源丰富的地区通过合作开发、投资开发等多种形式建立能源基地，采取多种途径解决资源短缺的问题。鼓励企业加强对发达国家的跨国投资，增强企业的国际竞争力。

2. 建设区域创新体系

江浙地区应以特色产业集群为重点，培育创新主体，优化创新环境，形成开放、高效的区域创新体系，为区域可持续发展提供强有力的保障。

（1）以特色产业集群为突破口。产业集群已成为提升区域创新能力的有效途径，在特色产业集群中构建有效的科技创新平台，是加快构建区域创新体系的重要切入点。通过对产业集群中关键性技术与共性技术的政策支持、技术支援与财政扶持，提高集群中企业的科技创新能力，形成区域创新网络。

（2）培育区域创新主体。形成良好的创业氛围，推进企业、高等院校、科研机构、中介机构、金融机构、政府等创新主体良性互动。发展技术、信息、咨询、管理、融资、专利、法律等各类中介服务机构，为创新主体提供创业环境。加快建立社会诚信系统，营造自由公平竞争的市场环境。营造有利于创新主体相互之间交流与协作的良好的区域产业文化环境。

（3）扩大科技领域的开放。加快构建长江三角洲区域创新体系，实现科技资源的开放和共享，解决两省一市共同面临的问题。扩大与其他省市科技合作领域，通过各种形式引进、利用省外科技资源，借用全国乃至全球智力资源，走合作型创新之路，快速提升产业的创新水平。

3. 建立区域可持续发展的制度安排

区域经济可持续发展需要加快制度创新，建立区域可持续发展的制度安排。主要应包括以下内容：

（1）完善行政考核体系。不合理的考核制度，导致有些地方以牺牲生态环境为代价实现经济增长，只重视产出而忽视消耗与环境，只注重眼前而不顾未来等行为，严重影响了区域可持续发展。因此，应加快考核制度创新，按照区域可持续发展的要求，加快推广绿色 GDP 指标体系，把反映能源、环境、教育等状况的指标纳入干部考核体系。

（2）建立绿色经济制度。绿色经济制度就是绿色经济建立和发展的一系列绿色规则和绿色考核指标的制度框架。其实质是建立生态环境政策与经济政策一体化的经济制度，把自然资源和生态环境成本纳入到规范经济行为和考核经济绩效中去，从而促进经济与资源环境协调发展（崔如波，2002）。绿色经济制度包括绿色基础制度、绿色规范制度、绿色激励制度、绿色考核制度四个方面。建立完善资源节约和合理利用的制度，建立耗能大、污染重项目的市场准入制度，规范经济主体的资源开发和环境利用行为。加大各种资源利用和环境保护的监督管理及法治力度，保障相关法制和行政措施落实。

（3）推进资源利用和环境保护的市场化。完善资源价格市场形成机制和环境资源有偿使用及补偿机制，体现"污染者负担、治理者受益"原则，促进经济增长方式的转变。提高水资源和土地资源的使用价格，促进资源的合理开发、节约使用、高效利用和有效保护。探索排污权交易制度，用经济杠杆加强污染治理。建立跨区域的协调机制，解决省域之间、市县域之间污染物的排放影响和治理问题，明确责任范围。

283

（4）形成保护企业家经营成果的制度安排。区域可持续发展的不竭动力，在于企业家精神。要使企业家精神充分发扬和健康生长，要使企业不断壮大，必须建立尊重与保护企业家经营成果的制度安排。在国家宪法和法律允许的范围之内，任何公民和企业为自身利益最大化而进行的经营创新、技术创新和制度创新，都应该得到尊重与保护。

4. 形成共识的社会机制

地方政府是区域可持续发展的第一推动力（罗勇，2005）。

地方政府在推进制度安排和加强执法中的作用是不可替代的。政府还应制定相关的规划，确定区域可持续发展的目标。政府应在节约型社会建设中，发挥引领、示范和表率作用。政府还应承担起全民教育的任务，加强对各级干部的培训，不断强化他们可持续发展的理念，提高他们可持续发展的领导水平。加强对公众的人口、资源、环境方面的教育，努力在全社会形成关心、支持可持续发展的氛围。社会公众的参与和强大的精神动力，是区域可持续发展的重要基础。社会公众的参与可以使他们产生自我约束行动，在人口生育、节约资源、环境保护中发挥更大的作用。政府要进一步扩大公众环境知情权，要及时发布城市空气、城市噪声、流域水质、饮用水源水质及生态状况评价和污染事故等环境信息。开展企业环境行为评价，将企业遵守环保法律法规的情况向社会公开。涉及公众环境权益的政策和立法建议、规划与建设项目，要进行公众听证。

企业是区域经济可持续发展的关键。区域内企业能够在实现自身利益最大化的同时，约束自己的外部不经济，区域的可持续发展就有了基础和保证。政府的推动和社会公众的参与，有利于引导企业树立经济与环境双赢的发展理念。区域的对外开放，有利于企业形成可持续发展的共识，实施可持续发展战略。一方面，全球化浪潮已越来越深地渗入中国，中国产品要走向国际市场，必须符合国际标准，这迫使企业按照国际环境保护标准组织生产；另一方面，国外的大企业也在不断把新的环保技术引入我国，企业的环保技术水平将有较大的提高。区域对外开放的深入，将使企业在观念上与国际接轨，把环保视为对社会、对后代都负责任的一种基本态度，真正实现可持续发展。

主要参考文献

一、中文参考文献

1. 李笋雨：《对外开放对中国经济增长的影响》，《金融研究》2000 年第 12 期。

2. 麦迪逊：《世界经济二百年回顾》，改革出版社 1997 年版。

3. 陈建军：《中国高速增长地域的经济发展——关于江浙模式的研究》，上海三联书店 2000 年版。

285

4. 江小涓：《中国的外资经济——对增长、结构升级和竞争力的贡献》，中国人民大学出版社 2002 年版。

5. 赵伟：《区际开放：左右未来中国区域经济差距的主要因素》，《经济学家》2001 年第 5 期。

6. 沈坤荣：《新增长理论与中国经济增长》，南京大学出版社 2003 年版。

7. 彼得·尼茨坎普：《区域和城市经济学手册》，经济科学出版社 2001 年版。

8. 世界银行：《东亚奇迹：经济增长与公共政策》，中国财政经济出版社 1995 年版。

9. 郭腾云等：《中国开放政策对区域发展的作用》，《地理学报》2001 年 9 月（第 56 卷第 5 期）。

10. 陈飞翔：《开放中的经济发展》，中国对外贸易出版社

1994 年版。

11. 牛南洁：《开放与经济增长》，中国发展出版社 2000 年版。

12. 郝寿义、安虎森：《区域经济学》，经济科学出版社 2004 年版。

13. 徐梅：《当代西方区域经济理论评析》，《经济评论》2002 年第 3 期。

14. 钱方明：《转型时期区域经济发展研究》，浙江大学出版社 2002 年版。

15. 冯兴元：《"浙江模式"和"苏南模式"的本质及其演化展望》，《珠江经济》2004 年第 5 期。

16. 兰宜生：《中国对外开放与地区经济发展》，上海社会科学院出版社 2005 年版。

17. 洪银兴、刘志彪：《长江三角洲地区经济发展的模式和机制》，清华大学出版社 2003 年版。

18. 徐康宁等：《江苏经济增长与外贸依存度相关性研究》，《现代经济探讨》2002 年第 4 期。

19. 张焕明：《地区差异条件下对外开放对经济增长的影响的实证分析》，《经济科学》2003 年第 6 期。

20. 郭妍、张立光：《我国经济开放度的度量及其与经济增长的实证分析》，《统计研究》2004 年第 4 期。

21. 李翀：《我国对外开放程度的度量与比较》，《经济研究》1998 年第 1 期。

22. 钱方明：《江苏、浙江外贸发展模式比较研究》，《国际贸易问题研究》2004 年第 10 期。

23. 盛誉：《发展中国家的开放、贸易政策与经济增长——一个跨国的实证分析》，《南开经济研究》2004 年第 3 期。

24. 安虎森：《区域经济学通论》，经济科学出版社 2004
年版。

25. 陈秀山、张可云：《区域经济理论》，商务印书馆 2005
年版。

26. 刘明兴等：《制度、技术和内生经济增长》，《世界经济
文汇》2003 年第 6 期。

27. 桑秀国：《利用外资与经济增长》，《管理世界》2002 年
第 9 期。

28. 魏后凯：《外商直接投资对中国区域经济增长的影响》，
《经济研究》2002 年第 4 期。

29. 李萍等：《区域经济增长与外国直接投资》，《经济理论
与经济管理》2002 年第 7 期。

30. 王韧等：《外商投资绩效及其"挤出效应"的区际实
证》，《当代财经》2004 年第 1 期。

31. 王新：《外商直接投资对中国经济增长的贡献》，《外国
经济与管理》1999 年第 3 期。

32. 萧政等：《外国直接投资与经济增长的关系及影响》，
《经济理论与经济管理》2002 年第 1 期。

33. 武剑：《外国直接投资的区域分布及其经济增长效应》，
《经济研究》2002 年第 4 期。

34. 武剑：《外国直接投资与区域经济差距》，《中国改革》
2001 年第 3 期。

35. 方勇、张二震：《长江三角洲地区外商直接投资与地区
经济发展》，《中国工业经济》2002 年第 5 期。

36. 王美今、沈绿珠：《外商直接投资与区域产业结构变动
的关联效应》，《统计研究》2001 年第 2 期。

37. 花俊：《外资对我国区域经济增长的影响》，《经济地理》

287

2001 年第 11 期。

38. 李小建：《外资直接投资对中国沿海地区经济发展的影响》，《地理学报》1999 年第 5 期。

39. 李晓钟、张小蒂：《外商直接投资对我国长三角地区工业经济技术溢出效应分析》，《财贸经济》2004 年第 12 期。

40. 张军：《资本形成、投资效率与中国的经济增长——实证研究》，清华大学出版社 2004 年版。

41. 赵伟等：《贸易与增长关系研究综述》，《经济学动态》2004 年第 12 期。

42. 陆善勇：《对外贸易与经济增长关系研究的新进展》，《经济理论与经济管理》2003 年第 12 期。

43. 熊贤良：《对外贸易促进经济增长的机制和条件》，《国际贸易问题》1993 年第 7 期。

44. 林毅夫、李永军：《比较优势、竞争优势与发展中国家的经济发展》，《管理世界》2003 年第 7 期。

45. 沈坤荣等：《中国贸易发展与经济增长影响机制的经验研究》，《经济研究》2003 年第 5 期。

46. 钟昌标：《出口贸易与经济增长的省际分析》，《数量经济技术经济研究》1999 年第 10 期。

47. 钱方明：《我国商品流通领域交易费用探析》，《浙江经济高等专科学校学报》1999 年第 1 期。

48. 张谊浩、陈柳钦：《中国对外贸易和经济增长关系的实证研究》，《开放时代》2003 年发布在"来稿选登"栏目中的稿件。

49. 钟昌标：《国际贸易与区域发展》，经济管理出版社 2001 年版。

50. 高国力：《经济增长与区际贸易变动的理论分析》，《当代经济研究》1999 年第 5 期。

51. 尹翔硕：《中国出口制成品结构与制造业生产结构差异的分析》，《国际贸易问题》1997 年第 4 期。

52. 孙焱林：《我国出口与经济增长的实证分析》，《国际贸易问题》2000 年第 2 期。

53. 赖明勇等：《贸易开放度与经济增长：理论及中国的经验研究》，《世界经济》2003 年第 2 期。

54. 陈家勤：《适度增加进口的几点思考》，《国际贸易问题》1999 年第 7 期。

55. 沈程翔：《中国出口导向型经济增长的实证分析：1977—1998》，《世界经济》1999 年第 2 期。

56. 周申：《贸易与收入的关系：对中国的案例研究》，《世界经济》2001 年第 4 期。

57. 杨全发：《中国地区出口贸易的产出效应分析》，《经济研究》1998 年第 7 期。

58. 张远鹏：《进口贸易与美国的经济增长》，《国际贸易问题》2005 年第 5 期。

59. 冯正强、夏刊：《区域对外贸易和经济增长关系模型研究》，《中南工业大学学报》1999 年第 6 期。

60. 殷醒民：《长江三角洲经济发展中的技术扩散效应》，《金融管理与研究》2004 年第 4 期。

61. 郭燕青：《对技术转移的基本理论分析》，《大连大学学报》2003 年第 6 期。

62. 曾刚：《技术扩散与区域经济发展》，《地域研究与开发》2002 年第 9 期。

63. 王晋斌：《技术路径与中国经济增长》，《中国人民大学学报》2003 年第 2 期。

64. 谷克鉴：《开放中技术扩散对地区间生产率变动的影响》，《中南财经政法大学学报》2002 年第 3 期。

65. 何洁、许罗丹：《中国工业部门引进外商直接投资外溢效应的实证研究》，《世界经济文汇》1999 年第 2 期。

66. 殷醒民：《外资企业技术创新的区域优势及其绩效》，《复旦学报（社会科学版）》2003 年第 1 期。

67. 孙文祥、彭纪生：《跨国公司的技术转移与技术扩散——基于国内外实证结果的研究》，《科技进步与对策》2005 年第 2 期。

68. 江小涓、李蕊：《FDI 对中国工业增长和技术进步的贡献》，《中国工业经济》2002 年第 7 期。

69. 赖娟：《FDI 与中国的技术进步》，《云南财贸学院学报》2003 年第 6 期。

70. 张海洋：《人力资本吸收、外资技术扩散与中国经济增长》，《科学学研究》2005 年第 2 期。

71. 齐晓华：《对外直接投资理论及其在国内的研究》，《经济经纬》2004 年第 1 期。

72. 吴先明：《中国企业对外直接投资论》，经济科学出版社 2003 年版。

73. 马亚明、张岩贵：《技术优势与对外直接投资：一个关于技术扩散的分析框架》，《南开经济研究》2003 年第 4 期。

74. 项本武：《中国对外直接投资：决定因素与经济效应的实证研究》，社会科学文献出版社 2005 年版。

75. 高敏雪、李颖俊：《对外直接投资发展阶段的实证分析——国际经验与中国现状的探讨》，《管理世界》2004 年第 1 期。

76. 许罗丹、谭卫红：《对外直接投资理论综述》，《世界经济》2004 年第 3 期。

77. 魏巧琴、杨大楷：《对外直接投资与经济增长的关系研究》，《数量经济技术经济研究》2003 年第 1 期。

78. 程惠芳：《对外直接投资理论演变与发展》，《经济学动态》1998 年第 6 期。

79. 徐剑锋、方建民：《浙江对外投资将进入一个大发展时期》，《浙江经济》2004 年第 22 期。

80. 李卫宁等：《浙江参与西部大开发：思路·重点·措施》，《浙江经济》2000 年第 12 期。

81. 郑妍、罗凰凤：《浙商省外投资大摸底》，《钱江晚报》2005 年 2 月 24 日。

82. 王国进：《上海要成为全国民企营商乐土》，《文汇报》2006 年 2 月 13 日。

83. 江苏外经贸厅：《江苏境外投资"十五"取得历史性突破》，2006 年 1 月 24 日。

84. 徐剑锋、张秀梅：《理性看待浙商省外投资的影响》，《浙江经济》2004 年第 19 期。

85. 虞锡君、钱方明：《浙商投资中部地区的特征和动因》，中国区域经济学 2005 年学术年会论文。

86. 查志强：《大都市魅力与地区经济融合——浙江产业区域转移的实证研究》，《上海经济研究》2002 年第 7 期。

87. 孙自铎：《劳动力跨省流动对区际经济发展的影响》，《当代中国研究》2004 年第 1 期。

88. 陈建军：《中国现阶段产业区域转移的实证研究——结合浙江 105 家企业的问卷调查报告的分析》，《管理世界》2002 年第 6 期。

89. 卢根鑫：《试论国际产业转移的经济动因及其效应》，

《上海社会科学学术期刊》1994年第4期。

90. 张可云：《区域大战与区域经济关系》，民主与建设出版社2001年版。

91. 陈刚、陈红儿：《区际产业转移理论探微》，《贵州社会科学》2001年第4期。

92. 陈红儿：《区际产业转移的内涵、机制、效应》，《内蒙古社会科学》2002年第1期。

93. 石东平、夏华龙：《国际产业转移与发展中国家产业升级》，《亚太经济》1998年第10期。

94. 陈建军：《中国现阶段的产业区域转移及其动力机制》，《中国工业经济》2002年第8期。

95. 汪斌、赵张耀：《国际产业转移理论述评》，《浙江社会科学》2003年第6期。

96. 张驰：《论跨国公司的海外生产与母国的产业空心化》，《世界经济文汇》1993年第5期。

97. 潘未名：《跨国公司的海外生产对母国产业空心化的影响》，《国际贸易问题》1994第12期。

98. 陈建军、姚先国：《论上海和浙江的区域经济关系——一个关于"中心－边缘"理论和"极化－扩散"效应的实证研究》，《中国工业经济》2003年第5期。

99. 金伟忻：《小平理论指引江苏小康路》，《扬子晚报》2004年8月11日。

100. 浙江省统计局课题组：《对外开放对浙江经济增长的效应分析》，《浙江经济》2004年第23期。

101. 郦瞻等：《现阶段浙江省产业转移问题研究》，《商业研究》2004年第12期。

102. 盛来运：《国外劳动力迁移理论的发展》，《统计研究》

2005 年第 8 期。

103. 张文新、朱良：《近十年来中国人口迁移研究及其评价》，《人文地理》2004 年第 4 期。

104. 袁东明：《经济增长理论中的人力资本研究及其启示》，《国外财经》2000 年第 4 期。

105. 杨云彦、徐映梅、向书坚：《就业替代与劳动力流动：一个新的分析框架》，《经济研究》2003 年第 8 期。

106. ［美］西奥多·舒尔茨：《论人力资本投资》，北京经济学院出版社 1990 年版。

107. 阿瑟·刘易斯：《国际经济秩序的演变》，商务印书馆 1984 年版。

108. 蔡昉：《劳动力流动对市场发育、经济增长的影响》，《人口世界》2000 年 6 月 10 日。

109. 姚枝仲、周素芳：《劳动力流动与地区差距》，《世界经济》2003 年第 4 期。

110. 张光华：《民工消费的经济分析及其启示》，《中国农村经济》1999 年第 3 期。

111. 马忠东等：《劳动力流动：中国农村收入增长的新因素》，《人口研究》2004 年第 5 期。

112. 盛乐：《人力资本投资与经济增长关系的实证研究》，《经济问题探索》2001 年第 6 期。

113. 胡永远：《人力资本与经济增长：一个实证分析》，《经济科学》2003 年第 1 期。

114. 王金营：《制度变迁对人力资本和物质资本在经济增长中作用的影响》，《中国人口科学》2004 年第 4 期。

115. 艾洪德、蔡志刚：《开放经济条件下的人力资本投资与经济增长》，《财贸经济》2000 年第 4 期。

293

116. 张敬一：《劳动力流动对区域经济的影响》，《上海师范大学学报（社会科学版）》1998年12月（第27卷第4期）。

117. 朱农、曾昭俊：《对外开放对中国地区差异及省际迁移流的影响》，《市场与人口分析》2004年第10卷第5期。

118. 王桂新、黄颖钰：《中国省际人口迁移与东部地带的经济发展：1995—2000》，《人口研究》2005年第1期。

119. 蒋正华、李南：《中国近期区域人口迁移及与经济发展的关系分析》，《人口与经济》1994年第6期。

120. 李炯、苏静：《浙江人力资本扩展推动产业结构升级研究》，《宁波党校学报》2005年第3期。

121. 沈国良：《浙江外出人口探秘》，《浙江经济》2002年第18期。

122. 王桂新等：《中国省际人口迁移对区域经济发展作用》，《复旦学报（社会科学版）》2005年第3期。

123. 樊瑛等：《包含人力资本的宏观经济增长模型》，《北京师范大学学报（自然科学版）》2004年6月（第40卷第3期）。

124. 巴罗、萨拉伊马丁：《经济增长》，中国社会科学出版社2000年版。

125. 刘传江、段平忠：《人口流动对经济增长地区差距的影响》，《中国软科学》2005年第12期。

126. 刘志彪：《省际竞争、制度改进与江苏民营经济发展》，《江苏行政学院学报》2005年第4期。

127. 史晋川、谢瑞平：《区域经济发展模式与经济制度变迁》，《学术月刊》2002年第5期。

128. 方民生等：《浙江制度变迁与发展轨迹》，浙江人民出版社2000年版。

129. 金祥荣等：《组织创新与区域经济发展》，杭州大学出版社 1998 年版。

130. 盛世豪、郑燕伟：《"浙江现象"产业集群与区域经济发展》，清华大学出版社 2004 年版。

131. 张仁寿、李红：《温州模式研究》，中国社会科学出版社 1990 年版。

132. 沈立人：《苏南模式改革中的所有制结构优化》，《江苏社会科学》1998 年第 4 期。

133. 陈珏宇、张振：《文化制度安排与经济发展》，《经济评论》2001 年第 3 期。

134. 金祥荣、朱希伟：《"温州模式"变迁与创新》，《经济理论与经济管理》2001 年第 8 期。

135. 王雷、韦海鸣：《FDI 与区域经济制度变迁的相关性分析》，《山西财经大学学报》2003 年第 8 期。

136. 傅允生：《工商业传统与区域经济发展关联分析》，《经济学家》2003 年第 5 期。

137. 任保平：《可持续发展经济学基本理论问题研究的述评》，《中国人口·资源与环境》2004 年第 14 卷第 5 期。

138. 罗勇：《区域经济可持续发展》，化学工业出版社 2005 年版。

139. 谭崇台等译，〔英〕杰拉尔德·M·迈耶（Gerald M. Meier）主编：《发展经济学的先驱理论》，云南人民出版社 1995 年版。

140. 麦多斯：《增长的极限》，四川人民出版社 1984 年版。

141. 吉利斯等：《发展经济学》，中国人民大学出版社 1998 年版。

142. 潘玉君等：《"区域可持续发展"概念的试定义》，《中国人口·资源与环境》2002 年第 12 卷第 4 期。

143. 陈丽丽：《贸易与环境可持续发展研究》，《国际贸易问题》2004 年第 10 期。

144. 杨润高、李红梅：《区域可持续发展的经济学模型分析》，《中国可持续发展》2004 年第 6 期。

145. 克国、魏国印、张宝安：《环境经济学》，中国环境科学出版社 2003 年版。

146. 世界环境与发展委员会：《我们共同的未来》，世界知识出版社 1989 年版。

147. 范金：《可持续发展下的最优经济增长》，经济管理出版社 2002 年版。

148. 耿强、蔡琦玮：《长三角地区环境库兹涅茨曲线的实证检验》，第五届中国经济学年会论文，2006 年 3 月。

149. 崔如波：《绿色经济：21 世纪持续经济的主导形态》，《社会科学研究》2002 年第 4 期。

150. 刘力：《全球化背景下的区域可持续发展问题探讨》，《世界地理研究》2002 年第 12 期。

二、英文参考文献

1. Helpman, Elhanan （1992）, Endogenous Macroeconomic Growth Theory, European Economic Review, V36, pp. 237—267.

2. S. Edward (1993), "Openness, Trade Liberalization, and Growth in Development Countries", Journal of Economic Literature September.

3. Harrison A . (1995), "Openness and growth : a time series, cross country analysis for developing country ", NBER, Working paper, No: 5221.

4. Frankel, Jeffrer A. , David Romer (1999), "Does Trade Cause Growth?", The American Economic Review, Vol. 89. No. 3,

pp. 379—399.

5. Lucas, R. (1988), "On the Mechanism of Economic Development", Journal of Monetrary Economics, 221.

6. Gene M. Grossman, Elhanan Helpman (1991), "Trade, Knowledge Spillovers and Growth", European Economic Review, Vol. 35 Issue 2/3, pp. 517—526.

7. David Dollar (1992), "Outward—oriented Developing Economies Really Do Growth More Rapidly: Evidence from 95 LDCs, 1976 — 1985. ", Economic Development and Culture Change, Vol. 40, No. 3. , pp. 523—544.

8. Romer, P. M. (1990), "Endogenous Technological Change", Journal of Politcal Economy, Vol. 98, No. 5, pp. S71—S102.

9. Arrow, K. J. (1962), "The Economic Implications of Learning by Doing", Review of Economic Studies, Vol. 29.

10. Ben—David, Dan Loewy, Michael B. (1998), "Free Trade, Growth, and Convergence", Journal of Economic Growth, 3, 143—170.

11. William Easterly (1993), "How much do Distortions Affect Growth", Journal of Monetary Economics, Vol. 32, pp. 187—212.

12. Mekonnen Bekeke (2004), Contribution of Foreign Direct Investment to the Economic Growth of Sub—Sahara African Countries, Addis Ababa, Ethiopia, May 22.

13. Koizumi. , and Kopecky (1977), "Economic Growth, Captial Movements and International Transfer of Technical Knowledge", Journal of International Economics 7: 45—65.

14. Krugman P. (1991), Increasing Returns and Econimic Ge-

ography, Journal of Political Economy, Vol. 99, pp. 483—499.

15. Sun, H (1998), Foreign Investment and Economic Development in China, 1979—1996, London: Ashgate publishing Limited.

16. Kueh., Y. Y. (1992), "Foreign Investment and Economic Change in China", China Quarterly, 131: 637—690.

17. Jansen, K. (1995), "The Macroeconomic Effects of Direct Foreign Investment: the Case of Thailand", World Development, 23 (2): 193—210.

18. Saltz. I. s. (1992), "The negative correlation between foreign direct investment and economic growth in the third world: theory and evidence", Rivista Internatzonale discienze Economiche commerciali, 7 (39), 617—633.

19. E. Borensztein, J. De Gregorio, J — W. lee (1998), "How does Foreign Investment Affect Economic Growth?", Journal of International Economics, Vol. 45, pp. 115—135.

20. Wilfred J. Ethier (1982), "National and International Return to Scale in the Modern Theory of International Trade", American Economics Review, 72: 389—405.

21. Dixit and Stigliz (1977), "Monopolistic competition and Optimum Product Diversity", American Economic Review, 67: 297—308.

22. Keller, W. (1997), "Trade and the transmission of technology", NBER Working Papers, No. 6113.

23. Keller, W. (1999), "How trade patterns and technology flows affect productivity growth", NBER Working Papers, No. 6990.

298

24. Keller, W. (2001), "Knowledge Spillovers at the world's Technology Frontier", NBER Working Paper, No. 8150.

25. Balassa, B. (1978), "Exports and Economic Growth: Further Evidence", Journal of Development Economics, vol. 5: pp. 181—189.

26. Rivera—Batiz, L. A. &P. M. Romer (1991), "Economic intergration and endogenous growth", Quarterly Journal of Economics, 106: 531—556.

27. Chenery H. B. , Strout A. M. (1966), Foreign Assistance and Economic Development, American Economic Review, LVI (Sept.): 679—733.

28. Edwards, s. Sebastian. (1998), "Openness, Productivity and Growth: What Do We Really Know?" Economic Journal Vol. 108, No. 447, pp. 383—398.

29. Dani Rodrik (1988), "Industrial Organization and Product Quality: Evidence From South Korean and Taiwanese Exports", NBER Working Papers 2722.

30. Woo S. Jung and Peyton J. Marshall. (1985), "Exports, Growth and Causality in Developing Countries", Journal of Development Economics, (18) pp. 1—12.

31. Frankel, Jeffrey A. , David Romer (1999), "Does Trade Cause Growth?", The American Economiac Review, Vol. 89 (3), pp. 379—399 .

32. Michaely, M. (1977), "Exports and Growth : an empirical investigation ", Journal of Development economics, Vol. 4: 49—53.

33. Ari Kokko (1994), "Technlogy, Market Characteristics, and Spillovers, Journal of Development Economics", Vol. 43 (2), 279—293.

34. MacDougall, G. D. A, "The Benefit and Costs of Private Investment fromAbords: A The Eoretical Approach", Economic Record, pp. 13—35, March, 1960.

35. Findlay, R., "Relative Backwardness, Direct Foreign Investment and the Transfer of Technologe: A Simple Dynamic Model", Quartely of Journal of Economics, February, 1978, pp. 1—16.

36. Barrell, R., and N. Pain (1997), "Foreign Direct Investment, Technological Change and Economic Growth within Europe", the Economic Journal, 107, 1770—1786.

37. R. E. Caves (1974), "Multinational Firms, Competition and Productivity in Host — Country Markets", Economia, 41: 176—193.

38. Haddad, M. and A. Harrison (1993), "Are there Positive Spillovers from Direct Foreign Investment? Evidence from Panel Data for Morocco", Journal of Development Economics 42, 51—74.

39. Keller, W. (2002), "Geographic Localization of International Technology Diffusion", American Economic Review, Vol. 92, pp. 120—142.

40. Robert J. Barro and Xavier X. Sala—i—Martin., "Technological Diffusion, Convergence and Growth", NBER Working Paper, No. 5151, June, 1995.

41. Das. S. (1987), "Extermalities and Technology Trans-

fer Troug MNCs", Journal of International Economics, 22, 171—182.

42. Raymond Vernon (1966), "International Investment and International Trade in the Product Cycle", Quarterly Journal of Economics, May190—207.

43. Cantwell, J. (1995), "The Globalization of Technology: What Remains of product Cycle Modle", Cambridge Journal of Economics, 19.

44. Barro, R. and X. Sala—i—Martin (1992), "Regional Growth and Migration: A Japan—United States Comparison", Journal of the Japanese and International Economics, 6, 312—346.

45. Taylor, Alan M. and Jeffery G. Williamson (1994), "Convergence in the Age of Mass Migration", NBER Working Paper No. 4711, April.

46. Grossman and Krueger, A (1994), "Environmental Impacts of a North American Free Trade Agreement", National Bureau of Economic Research Working Paper 3914, NBER, Cambridge, MA.

责任编辑:方国根

版式设计:书林瀚海

图书在版编目(CIP)数据

开放与区域经济发展——兼对江浙模式的应用分析/钱方明 著.
-北京:人民出版社,2006.12
ISBN 7－01－005901－2

Ⅰ.开… Ⅱ.钱… Ⅲ.区域经济-经济发展-研究-中国
Ⅳ.F127

中国版本图书馆 CIP 数据核字(2006)第 126435 号

开放与区域经济发展
KAIFANG YU QUYU JINGJI FAZHAN
——兼对江浙模式的应用分析

钱方明 著

人民出版社 出版发行
(100706 北京朝阳门内大街 166 号)

北京新魏印刷厂印刷 新华书店经销

2006 年 12 月第 1 版 2006 年 12 月北京第 1 次印刷
开本:880 毫米×1230 毫米 1/32 印张:9.625
字数:230 千字 印数:0,001－3,000 册

ISBN 7－01－005901－2 定价:22.00 元

邮购地址 100706 北京朝阳门内大街 166 号
人民东方图书销售中心 电话(010)65250042 65289539